DE NACHT VAN

DE LEUGENS

Sue Walker

DE NACHT VAN DE LEUGENS

Uitgeverij Luitingh

Oorspronkelijke titel: *The Reunion*
Vertaling: Jet Matla
Omslagontwerp: Wouter van der Struys
Omslagfotografie: Amana Europe Ltd Photonica

ISBN 90 245 4948 5
NUR 305

www.boekenwereld.com

Voor
Thomas Rennie, Christina Josephine
en Annie

8 november

Gegroet!
Ja, daar zijn we weer. Weer een kutjaar verder. Wat zal ik ervan zeggen? Hé, het leven is te gek, man! Enzovoort. Ongetwijfeld kruisen onze briefjes elkaar weer in de post.

Ja, ik woon nog steeds waar ik vorig jaar woonde. Ja, met dezelfde partner. En ja, ook hetzelfde werk. Vriendelijk dank. Saai leventje, denk je? Nee hoor. Hoe kom je erbij.

Soms wou ik dat een van jullie me eens iets interessants, nee, schokkends te melden had.

Bij nader inzien is dat misschien toch niet zo'n geweldig idee. Dan zouden we elkaar namelijk moeten ontmoeten. Nee, geen geweldig idee. Dan zouden we moeten praten. En jullie weten wel waarover! En dan zouden er een paar van ons depri worden, anderen zouden hysterisch worden, sommigen zouden... o, nou ja, dat gebeurt toch niet.

Eens moeten we toch echt een punt zetten achter deze suffe uitwisseling.

Adieu, tot volgend jaar (neem ik aan).
A
XX

8 nov.

Lieve allemaal,

Ik heb niets bijzonders te melden. Jullie ook niet, dat weet ik wel zeker. Na al die tijd heb ik een redelijk idee van wat ik van jullie kan verwachten. In onze – hoe moet ik het zeggen – in onze vreemde 'familie' gok je trouwens meestal wel goed, al zien we elkaar nooit in levenden lijve.

Mijn leventje kabbelt verder – soms geniet ik er zelfs van, al verdien ik het niet. Maar als ik mezelf vergeet en mezelf toesta om al te vrolijk te zijn, hoef ik alleen maar aan deze dag te denken waarop ik jullie moet schrijven en wat de reden daarvoor is.

En dan sta ik weer met beide benen op de grond.

Het adres en zo is hetzelfde gebleven.

Vaarwel, tot de volgende keer.

S

Geen nieuws. Jullie weten me te vinden.
D.
8/11

Gegroet!
Nou, voor iemand die normaal al van weinig woorden is, heb je jezelf nu wel overtroffen!

Wat een kut-aanwinst voor het archief! Had ik het noodlot vorig jaar ook maar niet moeten verzoeken. Dat ik wilde dat er eens iets spannends gebeurde. Maar het gaat goed op deze manier. We moeten de zaak in de hand houden, de dingen relativeren. Er staat te veel op het spel.

Onthoud wat ik heb gezegd – in de doofpot ermee.
A

Verdrinkingen

2004 en 1977

Verslag van dr. Adrian Laurie, adviseur/medisch directeur, PUA
14 juli 1977
Betreft: Patiënt, Innes Haldane (geb. 3-4-62)

Gisteren stemde de staf toe met opname van de nieuwe patiënt Innes Haldane. Bij de casusvergadering van vanmorgen was iedereen van de staf opgelucht dat ze is opgenomen, want de moeder van de patiënt verzette zich daar tot het laatste moment tegen, ondanks alle moeite die we hebben gedaan om mw. Haldane tijdens de gezinssessies te overtuigen van de noodzaak.

Innes vertoont de klassieke symptomen van een depressie, in combinatie met gedragsstoornissen die hebben bijgedragen aan haar opname: excessief spijbelen, winkeldiefstal, zeer ontwrichtend gedrag wanneer ze naar school geweest is en seksuele zelfvernietigingsdrang. Haar laatste actie, waarbij ze twee vreemde mannen oppikte en ze meenam om seksuele omgang met hen te hebben in het bed van haar ouders, was waarschijnlijk de reden waarom haar weerspannige moeder toch overstag ging.

Uiteraard zijn het de geestelijke problemen van mw. Haldane zelf en haar dominante gedrag ten opzichte van haar dochter en echtgenoot, plus haar jaloezie op haar dochter, die tot Innes' stoornissen hebben geleid. Ook hier zijn het klassieke symptomen. Een liefhebbende vader die duidelijk gek is op zijn dochter maar die verder een zwakke figuur is. Een gefrustreerde echtgenote en moeder die vindt dat het leven haar slecht bedeeld heeft. De druppel is geweest dat Innes tot een aantrekkelijke jonge vrouw is opgebloeid. Mw. Haldanes pogingen om haar dochter haar hele jeugd lang te ondermijnen hebben in sterke mate hun effect gehad op het zelfvertrouwen van de patiënt. Door de manier waarop Innes zich gedraagt zegt ze dat ze dit niet meer aankan en niet meer accepteert. Ongetwijfeld wil ze met dat seksuele gedrag – onbewust – laten weten: 'Ik besta, ik ben jong, ik ben seksueel aantrekkelijk. Jij, moeder, je wordt oud. Ik heb mijn leven voor me en een vader die van me houdt. Daar kun jij niet tegenop!'

Ik stel voor om eerst te praten over haar verhouding ten opzichte van beide ouders, en haar zelfvertrouwen weer stukje bij beetje op te bouwen. Dat laatste zal wellicht problematisch zijn vanwege de ego's van enkele andere patiënten die op dit moment in de Unit verblijven. Ik vermoed echter dat deze uitdaging Innes juist zal helpen.

Afgezien van het bovenstaande kennen we Innes nu al als een bijzonder aardige meid, die heel waarschijnlijk populair zal worden binnen de Unit, zowel bij de patiënten als bij de staf. Ik zie in het Nachtlogboek dat ze gisteravond met Isabella is opgetrokken. Mocht dit resulteren in een vriendschap, dan lijkt me dit een heilzame ontwikkeling voor beide patiënten. Er zijn ech-

ter patiënten bij wie Innes' opname en populariteit minder goed zullen vallen. Alle stafleden moeten attent zijn op mogelijke wrijving.
CC: Daglogboek
CC: Dossier I. Haldane

I

Halfzeven. Vroeg thuis voor een maandagavond. Sleutels en boodschappen werden bij de keukendeur neergezet en ze liep naar de woonkamer om de ramen open te zetten om wat van die kostbare, bijna-lentelucht van Primrose Hill haar huis binnen te laten drijven. Het antwoordapparaat knipperde eenmaal. Ze drukte de weergaveknop in en draaide de volumeknop harder, waarna ze weer de keuken in liep om een welverdiend ijskoud glaasje witte wijn uit de koelkast te pakken.

De aarzelende, welbekende lage stem knalde door het hele huis.

'Innes? Innes, met Isabella. Isabella Velasco. Ik... ik... Vraag nou maar niet hoe ik aan je nummer kom... Ik... We wonen vlak bij elkaar, wist je dat, toevallig hè? Jezus, je klinkt nog precies hetzelfde. Precies hetzelfde! Luister... niet kwaad worden hè... Ik moet met je praten... Ik wil wat afspreken. Kun je me zo snel mogelijk terugbellen? Mijn nummer is zeven, vij...'

Haar bloedende hand sloeg op STOP en ze plofte neer in het stoeltje bij het raam, had geen oog meer voor de prachtige avond daarbuiten, maar wel voor het bloed dat op het vloerkleed druppelde. Ze rende de keuken in om een theedoek te pakken die als verband dienst kon doen, lette niet op het gebroken glas op de vloer, de fles wijn die in de gootsteen gevallen was.

Ze liep terug naar de telefoon en drukte bevend de weergaveknop weer in. En spoelde het bandje terug. Zes keer.

Om er zeker van te zijn dat dit geen nachtmerrie was.

2

Ze had altijd al de voorkeur gegeven aan de gladde, intelligente, beheerste zaken van bedrijven boven de privé-zaakjes van armoedzaaiers waar je zo treurig van werd. Zoals die man die vanochtend tegenover haar zat.

'Dus, als u me nu even al uw creditcards, chequeboekjes en schuldenlijstjes geeft en hier even wilt tekenen...'

Ze keek toe hoe zijn grote rode hand – een bouwvakkershand, een onvervangbaar stuk gereedschap van zijn (vroegere) vak – zijn financiële zaken overdroeg aan haar, voor ten minste drie jaar. Het was niet de eerste keer dat ze de lucht oppikte van een dubbele whisky en een half pakje sigaretten vóór elf uur 's ochtends. De hand van de man trilde een beetje. Dit moest de ergste dag van zijn leven zijn. En zij had er ook al weinig lol in. Het was alweer een tijd geleden dat ze oog in oog met een cliënt had gestaan. Ze verbood zichzelf en het jongere personeel de term 'gokjunk' te gebruiken voor de hoopjes ellende die in dit gebouw moesten opdraven. Dat vond ze onbeschoft, zei ze.

Ze besloot een eind te breien aan het gesprek met dit hoopje ellende. 'Alles wat u weten moet over uw faillissement en de aanpak van het Algemeen Bureau van Curatoren vindt u in deze folder. Er zijn momenteel veel mensen ziek hier, dus ik zal uw zaak behandelen tot mijn collega's weer beter zijn. Hebt u nog vragen de komende weken, dan vindt u mijn nummer hier, naast mijn naam, Innes Haldane.'

Ze legde de papieren op een stapel en stond op, waarna ze

de man van haar kantoor naar de liften begeleidde, en knikte toen hij 'dank u wel' mompelde.

Toen ze weer alleen achter haar bureau zat, schonk ze een kop koffie in die te lang op het plaatje gestaan had en liet een paar minuten lang het gekkenhuis van Bloomsbury halverwege de ochtend op zich inwerken. Vier verdiepingen onder zich: bumperklevende bussen en auto's. Hordes toeristen op weg naar het British Museum hier vlakbij, in ongeveer dezelfde formatie als het verkeer. Het nooit eindigende gebrom van de pneumatische boren: het geronk steeg vibrerend omhoog naar haar raam. Geweldig! De basis voor een knallende koppijn was gelegd.

Ze draaide zich om en plofte neer achter haar bureau, terwijl ze de stapels werk voor de bomvolle werkdag in ogenschouw nam. Ze liet een vingertop licht over het twee weken oude litteken op haar linkerhand gaan. Het wijnglas was er diep in doorgedrongen. Grappig dat ze pas uren later de pijn gevoeld had.

Ze verdrong de herinnering uit haar gedachten – daar was ze goed in – en keek in haar agenda. Ze begon een hartgrondige hekel aan deze baan te krijgen. Al was het natuurlijk geen werk om je neus voor op te trekken.

Het aanpakken van de schuldenaren van deze wereld op de ordelijke, vaak afstandelijke manier die past bij de functie van hoofdambtenaar op het Algemeen Bureau van Curatoren was gestructureerd, zakelijk werk dat op haar niveau zeer goed werd betaald. Maar met al die afwezige junior personeelsleden hield dat wel in dat ze behoorlijk wat ontmoetingen met cliënten moest overnemen. Dat kwam allemaal een beetje te dichtbij. Het afgelopen jaar had ze ingezien dat ze steeds meer moeite had met de 'menselijke kant' van haar vak. En daarom was ze maar wat blij met haar leidinggevende functie. Hoe meer papierwerk en hoe meer abstracte beslissingen ze moest nemen, hoe beter.

Drie uur later stond ze zichzelf een wandelingetje naar het

binnenplein van het British Museum toe, waar ze op een van de laatste lege bankjes ging zitten dat warm was geworden in het zonnetje. Ze haalde haar sushidoosje en een krant uit haar tas, keek op haar horloge en in een royale bui gaf ze zichzelf vijfentwintig minuten lunchpauze.

Meestal nam ze hoogstens de tijd voor koppensnellen, maar vandaag, en waarom wist ze ook niet, bleef ze steken op de pagina met stadsnieuws. Toen ze het bericht voor de derde keer gelezen had, nam ze aan dat ze zich niet vergist had.

Dood in zwembad – onderzoek volgt

Dinsdagavond werd in het zwembad van het Belsize sportcentrum het lichaam van een vrouw aangetroffen. Het personeel werd ingeschakeld door een jonge moeder die de dameszwemles had gevolgd.

De verdronken vrouw bleek de 42-jarige Isabella Velasco te zijn, wonende op Belsize Park Square 12. De Schotse was een befaamd tandarts die werkzaam was in diverse praktijken in Londen en als hoogleraar aan de universiteit. Beide polsen waren doorgesneden en er was aanzienlijk bloedverlies. Het zwembad wordt voor onbepaalde tijd gesloten ten behoeve van het onderzoek door personeel en politie.

Een woordvoerster van de politie kon geruchten over zelfmoord niet bevestigen, maar merkte op: 'We zijn niet op zoek naar een bepaalde persoon in verband met dit incident.'

De lijkschouwing vindt vrijdagochtend plaats in het St. Pancras Hof van Gerechtelijk Onderzoek.

Ze had de grootste moeite haar ademhaling onder controle te houden en stond op, maar plofte wankelend weer neer omdat ze duizelig en licht in het hoofd werd. Ze haalde haar mobieltje tevoorschijn en drukte de sneltoets van haar secretaresse in.

'Emma? Ik... Ik ga naar huis. Ik voel me... Ik denk dat ik iets heb opgelopen. Wil je al mijn afspraken afzeggen? Nee! Ook geen telefoontjes naar mijn huisadres, zeker vandaag niet.'

Ze bewoog zich behoedzaam door de groepjes museumbezoekers en zette koers naar de taxistandplaats bij de hoofdingang. Binnen een minuut zat ze veilig in de taxi en was ze op weg naar huis.

Om na te denken over de vrouw die ze niet teruggebeld had.

3

Een tocht langs de stalen bogen van het station van King's Cross kon niet anders dan naargeestig zijn. Die onheilspellende, diepe duistere nissen, onsterfelijk gemaakt in ontelbare politieseries, waren in werkelijkheid even weerzinwekkend als hun impressie op tv. Bij wat voor weer dan ook. En vandaag? Lopend door Londen, met een maarts buitje? Haar stemming paste precies bij deze mistroostige, kille ochtend. Ze had er twee dagen sinds het verschrikkelijke bericht in de krant over zitten dubben of ze hier wel heen moest gaan. Achtenveertig benauwde uren van weinig slaap en veel obsessief gepieker. En nog was ze er niet zeker van dat ze de juiste beslissing had genomen.

Maar nieuwsgierigheid had het gewonnen van zenuwachtigheid, en zo stil mogelijk nam ze plaats achter in de zaal, in de hoop dat niemand aandacht zou schenken aan haar late komst, of zich af zou vragen wat ze hier deed. Uitspraak: zelfdoding. De gebruikelijke verdachten hadden getuigd, onder wie een weerzinwekkend arrogante huisarts die de 'overledene' (niet 'mijn patiënte') onlangs een receptje voor Seroxat tegen haar paniekaanvallen had meegegeven – 'een middel uit de prozacfamilie, weet u. Werkt gewoonlijk erg goed' – en de 'overledene' aangeraden had een weekje vrij te nemen. Haar raad was blijkbaar niet opgevolgd, want uit de getuigenverklaringen was gebleken dat Isabella Velasco niet vrij had genomen van haar diverse praktijken en colleges tandheelkunde. Daar had Innes even om geglimlacht. Net als zij was Isabella blijkbaar een work-aholic geworden.

Ze liet haar blik over de sombere pakken en gezichten van het hof glijden, terwijl ze probeerde de gerechtelijke actie te volgen. Ze dwong zichzelf zich te concentreren, en haar aandacht werd kortstondig getrokken door een jong rechercheurtje dat zich met zijn aantekeningen uitsloverig tot de rechter richtte. 'Ja, edelachtbare, ik heb uitgebreid onderzoek verricht naar professor Velasco's achtergrond, zowel professioneel als privé...' Haar aandacht verslapte weer, en ze liet de lijst met mensen die hij gesproken had en de colleges die Isabella gegeven had aan zich voorbijgaan.

Ze richtte haar blik op haar schoot, waar beide handen met de handpalmen naar boven lagen. Het litteken van het wijnglas was bijna verdwenen. Ze drukte er een vingernagel in. Even proberen. Een beetje gevoelig was het nog wel. Ze legde haar vingers op haar pols. Die klopte als een bezetene. Alsof ze een kilometer hardgelopen had. Ze deed haar ademhalingsoefeningen. Inademen en acht tellen vasthouden. In acht tellen uitademen. Ze had zich aangeleerd dit altijd en overal onopvallend te kunnen doen. In de bus, in de schouwburg, zelfs tijdens een vergadering. Wie niet en public een papieren zakje kon gebruiken om in en uit te ademen – iets wat ze af en toe wel eens moest doen op de damestoiletten op haar werk – kon dit als algemeen aanvaarde manier toepassen om hyperventilatie wegens angstaanvallen binnen de perken te houden.

Ook Isabella had last gehad van angstaanvallen. Dat had die verwaande, ongeïnteresseerde huisarts van haar gezegd. Isabella kreeg er zelfs medicijnen voor. Net als zijzelf. Wat een grappig, droevig toeval. Niet zo verwonderlijk, gezien het pad dat ze toen ze jong waren een tijd samen bewandeld hadden... nee! Ze had zo haar best gedaan om dat uit haar gedachten te bannen. Veel langer dan die paar weken sinds dat verdomde telefoontje van Isabella. Jezus! Ze was er kapot van geweest! Dat had ze niet voor mogelijk gehouden. Die stem uit een schimmig verleden. Maar was ze echt wel zo verrast? Was het niet de gevreesde uitkomst geweest die ze verwacht had? Hoe kun je je verleden voor altijd verborgen houden? Zeker zo'n soort verleden. Je kunt proberen het voor jezelf uit te bannen. Het verborgen te houden voor je dierbaren – als je die hebt tenminste. En wat kreeg je dan? Angstaanvallen. Stukgelopen huwelijken. Stukgelopen relaties, punt uit. Stukgelopen leven. Nee, dat ging te ver. Veel te ver.

De laatste acht jaar had ze voornamelijk gelogen tegen haar therapeut over dát deel van haar verleden. Het was nou eenmaal gewoon haar adolescentie geweest, niet dan? Het was normaal om in die tijd een beetje te ontsporen, ja toch? Waarom zou ze het verbergen? Omdat het zelfmisleidende onzin was. Leugens. Allemaal leugens. Ze loog tegen zichzelf. Tegen iedereen. En daar zat ze nu. Vol schaamte. En angst, bang dat het uitkwam. Bij de ondervraging over de dood van iemand met wie ze... met wie ze wat? Zoveel gedeeld had? Zulke goede vriendinnen was geweest? Gestoord was geweest? Ze onderdrukte de herinnering, en liet zich meeslepen in het wereldje van het wijsneuzige rechercheurtje. De adem stokte haar in de keel bij wat hij vertelde.

'Inderdaad, edelachtbare. We hebben ogenschijnlijk interessant bewijs in professor Velasco's privé-leven weten op te sporen. Een nieuwe relatie. Een zekere heer Danny Rintoul, uit Calanais op het eiland Lewis, een van de westelijke eilanden bij Schotland. Bij het nalezen van haar creditcardafschrijvingen ontdekte ik dat ze sinds vorig jaar vaak langere tijd naar de Hebriden ging. Ik heb gegevens van de heer Rintoul in professor Velasco's adressenboekje gevonden en in haar organizer, en ik heb bewijsmateriaal van regelmatig telefonisch contact tussen hen beiden. Het schijnt echter dat de heer Rintoul gestorven is; hij is begin dit jaar voor de kust van het Schotse vasteland verdronken. Hoewel onderzoek uitwees dat er sprake is geweest van zelfmoord, zie ik geen aantoonbaar verband tussen de twee sterfgevallen. Ik heb ook niet kunnen achterhalen hoe professor Velasco en de heer Rintoul elkaar hebben leren kennen, aangezien vrienden noch kennissen van de heer Rintoul zich kunnen herinneren professor Velasco ooit gezien te hebben...'

Ze dankte de goden dat ze een plaats aan het gangpad had gekozen – een onbewuste voorzorgsmaatregel voor dit soort gebeurtenissen. Ze volgde de pijlen naar de damestoiletten en plofte neer in het laatste hokje. Hoewel ze alledrie leeg waren, koos ze bij voorkeur altijd de laatste, die haar het veiligste leek. Ze grabbelde in de zak van haar jas, haalde een papieren zak tevoorschijn, klemde het uiteinde tussen duim en wijsvinger en blies erin. In en uit. In en uit. Vijf keer. Ontspannen en herhalen. Ze leunde achterover, de stortbak drukte ijskoud tegen haar nek.

Danny! Danny Rintoul! Isabella had iets met hem! Maar de rechercheur zei dat het een 'nieuwe' kennis was. Hoe kwam dat dan? Had Isabella hem ook pas sinds kort opgespoord en gebeld? Waarom? En waarom Danny? Die lieve Danny Rintoul. Ook al dood. Ook al verdronken.

Ze sloot haar ogen, de papieren zak verkreukeld, vergeten in haar schoot, en ze haalde zich die eerste dag voor de geest. Het gebouw lag buiten de prettige buitenwijken aan de westkant van Edinburgh. Het was een zondag. Juli, 1977. Midden in een snikhete zomer...

4

De zon zat in de weg. Verzengend en fel. Ze kon het niet goed zien. Zag ze er nu vier? Of vijf? Misschien wel meer. Het was een van die momenten die ze zich haar leven lang zou herinneren. Misschien zo'n ingebrande herinnering die naar boven zou komen als ze oud en dement was.

Ze dacht vaak aan die bijzondere momenten, momenten die

hun eigen niet te omschrijven sfeer hadden. Soms heel alledaagse momenten. Maar die zouden in haar latere leven steeds weer naar boven komen. Dacht iedereen op die manier? Over wanneer ze dement zouden zijn? Of deed zij dat alleen? Was het een symptoom van de zware depressie die haar langer dan ze zich kon herinneren in haar macht had gehad? Vijftien jaar oud en je nu al druk maken over wanneer je een van die triestte geriatrische patiënten in een van de zalen van het hoofdgebouw van de kliniek zou zijn. Normaal was het in elk geval niet. Ze kende die bejaarden uit een project van school. Ze moesten ofwel een tijdje vrijwilligerswerk doen in het Edinburgh Royal Western Hospital (voor gekken – al werd dat niet met zoveel woorden gezegd in de dure naam, die meestal werd afgekort als 'Royal Western') ofwel werkzaamheden doen op het gehate hockeyveld. Geen moeilijke keus.

Maar het was wel een verkeerde keuze geweest. Ze voelde nog hoe geschokt ze was geweest toen ze een kijkje mocht komen nemen. Tientallen verschrompelde, uitgeteerde lichaampjes, helemaal in elkaar gedoken. Ze zaten in rijen stoelen met hoge ruggen die er ongelooflijk ongemakkelijk uitzagen. En allemaal hadden ze hun eigen irrelevante herinneringen van lichtjaren geleden. Van een ander leven. Hun jeugd. Die zij nu beleefde. Lichamelijk. Maar eigenlijk voelde ze zich net zo oeroud vanbinnen als die oude mensjes verderop aan de weg.

Ze kwam dichterbij. Ja, nu kon ze het zien. De groep. Het waren er maar vier. Een op een schommel. Heen en weer slingerend. Een meisje met fel henna-rood haar, dat in het zonlicht de griezelige indruk gaf dat ze haar hele hoofd in bloed had gedoopt.

'Ga ze maar even begroeten. Ik kom zo bij je.' Dat zei Anna tien minuten geleden. Ze had zichzelf voorgesteld als de 'behandelende zuster'. Die begeleidde dus ook therapie waarschijnlijk. Een lange, knappe vrouw die pronkte met haar hippiekleren. Het zou ook een sarong of sari geweest kunnen zijn die ze toen aanhad, al had ze gewoon een blanke huid. Ach, nou ja, ze waren nou eenmaal niet zo formeel bij de Unit. Anders dan anders. 'Onorthodox' was het woord dat Innes' zuur kijkende moeder op gewichtige toon debiteerde, wanneer zij en haar echtgenoot met tegenzin achter hun dochter naar die gespannen gezinstherapiebijeenkomsten kwamen. Innes kromp ineen bij de herinnering en liep schoorvoetend over het pad. Ze ging zichzelf echt niet voorstellen aan dat stelletje.

'Innes! Wacht even!'

Zuster Anna. Cockburn. Ja, dat was haar achternaam. Ze dacht terug aan hun eerste ontmoeting een paar weken geleden bij gezinstherapie, toen ze nog niet opgenomen was. Zuster Anna leek buiten adem, ze had moeten rennen, met haar sari boven haar knieën opgetrokken, door de tuin van dit indrukwekkende, imposante stenen landhuis. Nou ja, het zou fantastisch geweest zijn als het niet tot een gekkenhuis was omgebouwd. De Psychiatrische Unit voor Adolescenten. De PUA. Gewoon 'De Unit'. Maar ze wist heus wel waar ze nu binnen was gekomen. Een gekkenhuis voor jongeren. Het gesticht. Niks 'De Unit'.

Anna had haar ingehaald. 'Sorry!' Innes trok haar chagrijnigste gezicht terwijl Anna een uitleg afratelde, en duidelijk van zins was om een beetje op te schieten. 'De telefoon stond weer niet stil. Laten we maar snel kennismaken met de anderen. Ze zijn allemaal thuis geweest, het weekend. Even zien hoe het met ze is.'

Ze bleef expres een beetje achter de zuster lopen terwijl ze het gezellige groepje naderden, allemaal om het gehennade stuk dat een beetje in de schommel hing, om zich ervan te verzekeren dat de wind haar goedverzorgde lokken op hun best deed uitkomen. Anna lachte hen breeduit toe. 'Hoi jongens. Welkom terug. Goed weekend gehad?'

'Ja, maar die zondagavonden zijn klote!'

Anna wuifde de opmerking weg. 'Ach, dat gezeur altijd over de zondagen, Danny! Trouwens, dit is Danny, kreunend, steunend en zichzelf de tering rokend zoals gewoonlijk. Zeg eens hallo, Dan.'

'Hallo.' Danny spuugde haar de begroeting toe gecombineerd met een pluk doorweekte tabak van zijn sjekkie, en haalde zijn schouders op in zijn verwassen Ziggy Stardust-T-shirt dat te wijd was voor zijn magere schouders, terwijl hij haar steels taxeerde. Innes vroeg zich af wat zijn oordeel zou zijn: 'Zozo! Niet slecht... helemaal niet slecht...' Of: 'Christus, wat een lelijk wijf...' Ze wist hoe ze zichzelf zag en probeerde zich van hem weg te draaien, want ze voelde nu al dat ze afgekeurd was.

Zuster Anna bleef vrolijk glimlachen op die, volgens Innes en waarschijnlijk volgens iedereen, ziekelijk opgewekte manier. 'Luister jongens, dit is Innes Haldane. Weten jullie nog dat we verteld hebben dat ze erbij kwam?'

'Ik wist niet dat we het over het monster van Loch Ness hadden gehad! Wat is dat nou weer voor idiote kutnaam, *In-nes*? Het lijkt verdomme wel een achternaam! Ik had een ouwe taart van een aardrijkskundelerares die mevrouw Innes heette! Jezus christus!'

De heks met de hennaharen grijnsde om haar eigen geestigheden en keek haar strak aan. Het leek Innes het beste om weg te kijken, want ze had haar conclusie over die rooie al getrokken. Die zou het haar hier niet makkelijk maken. Daar moest ze voorlopig maar uit de buurt blijven.

Zuster Anna probeerde duidelijk het commentaar en het stuurse gezicht van de heks te negeren. 'Erg grappig, Caroline. Dus dit is Caroline, Carrie voor ons allemaal en...'

'Alleen voor vrienden!' beet Carrie terug.

Innes keek toe hoe Anna ook Carolines tweede kreet om aandacht negeerde. 'Ja, oké, maar wij zeggen allemaal Carrie. Dan... hebben we hier Simon, die zoals gewoonlijk net doet alsof hij onzichtbaar is.'

Simon zag eruit als een twaalfjarige. Wat zijn gezicht betrof dan. Maar hij moest zeker een meter vijfentachtig lang zijn. Hij had het uniform van de elitaire Edinburghse kostschool Fettes College aan, onmodieus kortgeknipt haar en een afzichtelijk ziekenfondsbrilletje op. Hij zei niets maar liet zijn hoofd nog lager hangen dan het al hing, in een poging zich achter Caroline te verstoppen. Innes knikte even naar hem, en hij knikte precies zo naar haar, met een vriendelijke, ietwat verlegen blik achter zijn dikke brillenglazen.

Anna ging maar voort. Haar geduld was bijna op. 'En ten slotte hebben we hier Lydia.'

'Hallo, Innes. Mooie naam. Net als jij. Jij bent ook mooi.' Innes voelde haar wangen kleuren. *Nee, ik ben niet mooi. Ik voel me afschuwelijk! Altijd afschuwelijk.* Ze probeerde naar het meisje Lydia te glimlachen. Ze sprak bekakt. Maar ze leek vriendelijk. Het was een groot meisje. Enorm eigenlijk. Behoorlijk wat overgewicht, de vetrollen rond haar buik en borsten spanden tegen de stof van haar roze zomerjurkje. Maar ze had een lief gezicht en hoewel ze drie onderkinnen had, paste ze bij de bordeauxrode, fluwelen haarband in haar blonde, recht afgeknipte haar. Ze leek de aardigste van het stel. En het normaalste, al deed ze een beetje overdreven. Misschien was ze gewoon een beetje kinderlijk...

Ze antwoordde het meisje met een verlegen glimlach en zo gewoon mogelijk. 'Eh, hallo, Lydia. Leuk je te ontmoeten. Eh... mijn naam komt eigenlijk uit het Gaelic. Het is Gaelic voor "eiland".'

Lydia leek onder de indruk. 'O ja. Nou, welkom op de Unit.'

Het meisje Caroline was weer gaan schommelen, en liet haar hoofd achteroverhangen tot het rode haar over het gras veegde en ze gilde naar de zomerse hemel: 'Ja! Welkom op de Unit! Welkom in het Gèèèèkkenhuis!'

'Er zijn er nog een paar met wie je kennis moet maken. Ze zullen wel aan de thee zitten. Kom toch binnen.'

Ze liep achter zuster Anna aan. De afgelopen twee uur had ze haar spullen uitgepakt en was ze op de zusterspost geweest, waar ze alles had gehoord over de gang van zaken hier. Vijf uur was het theetijd. Ze werd naar een soort bedrijfskeuken gebracht met opvallend vrolijke zwart-wit geblokte linoleumvloerbedekking, waarop tafels en stoelen in een rommelige kring waren neergezet. Het was er sjofeltjes maar schoon.

Ze protesteerde niet toen de zuster haar tegenover een chagrijnige Caroline zette, die een smerig gebakken ei dat dreef in het vet over haar bord zat te schuiven.

Er zaten twee nieuwe mensen aan tafel. Anna maakte een vaag handgebaar naar een van hen. 'Innes, dit is Alex.'

Innes knikte naar haar, en keek snel weer weg. Alex was een meisje. Een skinheadmeisje met afzichtelijke paarse littekens die kriskras over haar onderarmen liepen. Onderarmen die ze ijskoud liet zien omdat ze een veel te klein rood vestje aanhad. Alleen aan haar forse borsten kon je zien dat het een meisje was.

Innes probeerde naar haar te glimlachen, maar Alex schonk geen aandacht aan haar en keek naar Anna. 'Wat moet deze kutkankerzooi voorstellen? Het smaakt naar stookolie! En waar is Sarah verdomme?'

Niemand scheen het nodig te vinden om Innes te vertellen wie Sarah was. Ze keek toe hoe Alex een klets tomatenketchup over haar patat goot. 'Nou?'

Zuster Anna leek kalm en nipte van haar thee. 'Sarah heeft morgen pas weer dienst.'

Alex liet haar mes vallen. 'Wie heeft daar dan godverdomme toestemming voor gegeven?'

Anna zette haar beker zachtjes neer. 'Nou moet je ophouden, Alex. Dat is zo geregeld. Punt uit.'

'Punt op je reet, zal je bedoelen!' Ze schrokken allemaal van de klap toen haar bord de muur raakte.

Innes kromp ineen toen de andere onbekende met een schrapend geluid haar stoel naar achteren schoof en naar haar toe kwam lopen, met uitgestoken hand om haar te begroeten. 'Let maar niet op Alex. Ze is een opgewonden standje en vergeet haar manieren wanneer er nieuwe mensen bij ons komen. Kan het gewoon niet hebben dat iemand anders even alle aandacht krijgt. Trouwens, ik ben Isabella. Afgekort Abby. Abby Velasco. Welkom, als je het zo mag noemen, op de Unit.'

5

Dood in zwembad: zelfmoord

Onderzoek resulteerde in de uitspraak dat de 42-jarige befaamde tandarts Isabella Velasco, wier lichaam tien dagen geleden drijvend in het Belsize sportcentrum werd gevonden, zelfmoord gepleegd heeft.

De recherche zegt dat dr. Velasco blijkbaar in depressieve toestand haar polsen heeft doorgesneden na de zwemlessen. Pathologisch onderzoek heeft uitgewezen dat verdrinking de doodsoorzaak is geweest. Dr. Velasco ademde water in nadat ze bewusteloos was geworden door bloedverlies en een combinatie van diverse medicijnen, die mogelijk uit haar praktijk afkomstig zijn. Dr. Velasco's huisarts vertelde de rechtbank dat haar patiënt de laatste weken depressief was geweest, in combinatie met angstaanvallen, maar ze kon niet vertellen welke omstandigheden in dr. Velasco's leven daartoe hadden geleid.

Buiten de rechtbank vertelden de geschokte vrienden en collega's dat ze 'verbijsterd' waren en dat ze het 'ongeloofwaardig' vonden dat mevrouw Velasco zichzelf om het leven zou brengen.

Een woordvoerster van de Britse Tandheelkundige Bond zei: 'Professor Velasco was een zeer gewaardeerde tandarts. Haar collega's, studenten en patiënten zullen Isabella missen.'

Ze schoof de krant opzij, en vroeg zich af welke vrienden en collega's met de pers gepraat hadden. Ze had niet lang genoeg gewacht om hen te zien of door hen gezien te worden. Ze was er snel vandoor gegaan want het regende en ze zat er behoorlijk over in. Ze wilde naar huis, om haar schuldgevoel met een of meer flessen wijn te dempen, en de nieuwe drukke werkdag met een kater te beginnen.

Dat kon zo niet doorgaan.

'Mevrouw Haldane? Uw machine staat klaar. Nummer veertien. Bovenaan daar. Links.'

'O, mooi. Dank u wel.' Ze maakte een vaag gebaar van dank in de richting van de bibliothecaris en liep naar de microfilmprojector.

Toen ze er een halfuur aan had zitten werken was ze zowat scheel van het afrollen van tientallen pagina's kranten op microfilm. Maar ze bleek geluk te hebben. De Britse Mediabibliotheek had onlangs de laatste exemplaren op film van de *Western Isles Courier* gevonden – de internetversie zou nog wel even op zich laten wachten.

De rechercheur van het gerechtelijk onderzoek had geen datum genoemd waarop Danny Rintoul overleden was. Maar 'begin dit jaar' was meer dan genoeg. Ze richtte haar vermoeide ogen weer op de langzaam voorbijrollende film en liet ze steeds schuin van boven naar beneden over het grote scherm glijden. En had het haast gemist.

Man dood door val van veerpont

Gisterochtend is een man gedood door een val van de veerpont van Stornoway naar Ullapool. Het betreft de heer Danny Rintoul, een 41-jarige pachter van Calanais, Isle of Lewis.

Het drijvende lichaam van de heer Rintoul werd ruim acht mijl van de haven van Ullapool ontdekt. Een woordvoerder van Alba Line Ferries heeft gezegd dat er een grootscheeps onderzoek naar de toedracht van de zaak zal worden uitgevoerd door het leidinggevend personeel, politie en ambtenaren van de afdeling Veiligheid.

De heer Rintoul was ongehuwd. Hij was afkomstig uit Edinburgh, maar was al vijftien jaar woonachtig op zijn kleine boerderij op het eiland.

Een onderzoek naar het ongeluk zal volgende week in Stornoway gehouden worden.

Ze draaide de spoel snel door naar de week daarop. Voor de tweede keer sprong de naam haar in het oog.

Val van veerpont: zelfmoord

Het gerechtelijk onderzoek naar de dood van Danny Rintoul, 41, uit Calanais, heeft uitgewezen dat het hier een geval van zelfdoding betreft. De heer Rintoul, een ongehuwde pachter, viel vorige week van de pont van Stornoway naar Ullapool.

De onderzoekscommissie kwam te weten dat de heer Rintoul een eenzaam bestaan leidde maar op goede voet stond met zijn buren, de heer en mevrouw Mackay, van de nabijgelegen Borasdaleboerderij. De heer Mackay, 53, vertelde dat de heer Rintoul diverse keren had gezegd dat hij niet kon zwemmen en watervrees had. Het onderwerp kwam een paar keer ter sprake toen de Mackays het over hun dochter hadden, die badjuffrouw van het Stornoway-zwembad is.

De huisarts van D. Rintoul, dr. Archie Fairbairn, vertelde dat de heer Rintoul de weken voorafgaand aan zijn dood diverse malen bij hem was geweest met wat hij noemde 'psychosomatische klachten'. Hij was van mening dat de heer Rintoul depressief was en aan angstaanvallen leed, maar zijn patiënt had altijd ontkend dat hij op dat vlak problemen had.

Op de dag van zijn dood was de veerpont uitzonderlijk vol, zowel met auto's als met voetgangers, en niemand van het personeel van de Alba-lijn kon zich herinneren de heer Rintoul waar dan ook op de boot gezien te hebben. Dood door ongeval werd uitgesloten nadat onderzoek had uitgewezen dat ondanks de ruwe zee op de betreffende dag, de veiligheidsrelingen op alle passagiersdekken ruim boven de geldende veiligheidsnormen lagen; per ongeluk overboord slaan kon uitgesloten worden.

De heer Rintoul had geen naaste familie.

Ze draaide nogmaals heen en terug, maar dat was alles wat ze kon vinden over Danny, op een kort berichtje over de begrafenis na, die blijkbaar door de familie Mackay georganiseerd was. Ze mochten hem blijkbaar graag. Wie zou gedacht hebben dat Danny als pachter aan het eind van de wereld zou eindigen? Toch was het niet zo verwonderlijk. Danny was altijd al een *lo-*

ner geweest. Ondanks het zedenmisdrijf waardoor hij op de Unit terechtgekomen was, was hij eigenlijk een zachtaardig iemand. En af en toe hartverscheurend zorgzaam en lief. Zoals die keer dat hij een nieuwe hamster voor Lydia gekocht had, nadat de vorige gestorven was omdat haar ouders vergeten waren iemand te vragen hem eten te geven toen ze op vakantie gingen. Daar sprak hij met niemand over.

Maar Lydia, die smoorverliefd op hem was geworden na het drama, had Innes alle details over het voorval verteld tijdens hun vaak gedeelde slapeloze nachten.

En als je hoorde wat voor leven hij had gehad! Alles kwam eruit tijdens de eindeloze groepssessies met Laurie – dr. Adrian Laurie – medisch directeur en 'god' van het personeel van de Unit. Laurie wist meedogenloos alle smerige, gruwelijke details over zijn jeugd – Danny was misbruikt – uit hem los te peuteren. Elk snippertje privé-informatie werd met een roodgloeiend mes uit zijn ziel gesneden, als een ritueel waarbij je van alle kwaad gezuiverd werd. Wat had ze dokter Laurie gehaat in die periode. Maar later gedurende haar therapie had ze begrepen waarom hij dat deed. Waarom hij dat bij iedereen deed.

Met moeite richtte ze haar gedachten weer op het heden, printte de twee krantenberichten uit het microfilmapparaat en leunde achterover met een zucht van uitputting en verwarring die een andere bibliotheekbezoeker scheen te ergeren. Ze betastte de warme fotokopieën. De overeenkomsten. Zelfmoord. Depressiviteit. Angsten. Water. Verdrinking. En Danny en Isabella hadden elkaar opgezocht. In het geheim, zo leek het wel, want de rechercheur had gezegd dat niemand die Danny kende van haar gehoord had. Of andersom.

Maar er moest iets gaande zijn geweest tussen die twee. Ergens vond ze het niet vreemd dat ze contact hadden. Maar dat ze allebei dood waren was wel schokkend. Allebei zelfmoord in depressieve toestand. Ze leken op meerdere manieren voor elkaar bestemd. Het was zo logisch – voor haar tenminste – vanaf het allereerste begin...

6

Anna was aan het 'losmaken'. Innes zei het nog eens tegen zichzelf. Al die technische psychiatrische termen waar ze aan moest wennen. Anna had een assistente, Sarah. Sarah Melville was aan haar voorgesteld als een 'stagiaire'. Maar Isabella had haar verteld dat ze gediplomeerd verpleegster was die zich wilde specialiseren in de psychiatrie, in het bijzonder op het gebied van jongeren. Waar je zin in hebt, dacht Innes. Sarah was aantrekkelijk op een sportieve, fanatieke gymjufmanier. Maar ze gedroeg zich als een man. Ze had altijd vale, strakke spijkerbroeken aan en geborduurde hemden van ongebleekt linnen. Ze leek best aardig. Maar Innes vertrouwde haar niet. Vertrouwde momenteel eigenlijk niemand, eerlijk gezegd. Behalve Isabella misschien, of 'Abby' zoals ze genoemd wilde worden. Ja, Abby was wel oké.

Ze lette op wat er in de zaal gebeurde en deed mee. Anna had haar sari verwisseld voor een versleten spijkerbroek, strak T-shirt waarin haar borsten goed uitkwamen en een wijd open geknoopt overhemd. Haar gebruikelijke sexy outfit voor het psychodrama van donderdagochtend, had Danny haar weinig subtiel maar fluisterend meegedeeld, met een brutale blik. Ze zag dat niet alleen zíjn ogen Anna's lange, welgevormde lichaam aftastten, toen ze tussen hen in op de vloer kwam zitten. De nu al snikhete ochtend had Anna een dun, glanzend en onmiskenbaar sensueel laagje zweet op haar gezicht en bovenlip bezorgd, waardoor haar warrige haar op haar voorhoofd bleef plakken, dat ze af en toe opzij schoof met een sierlijke beweging van haar pols. Als er gestemd werd over het sekssymbool van de Unit, zou Anna beslist als nummer één uit de bus komen. En dat scheen ze te weten ook. Al zou Sarah een hele goede tweede zijn. Zowel voor jongens als voor meisjes. Maar Innes dacht dat ze die gedachten maar beter voor zich kon houden.

Ze waren klaar met de ontspanningsoefening. Daarvoor moesten ze gestrekt op de vloer liggen, alle spieren aanspannen en zo veel mogelijk lichaamsdelen boven de vloer houden. De hele oefening duurde zo'n twintig minuten, terwijl Anna, de 'losmaker', op blote voeten met felrode nagellak tussen hen rondwandelde en iedere patiënt vriendelijk toesprak. Ze hielp hier een been wat lager te brengen, en daar een arm wat hoger te houden. Ze raakte je aan, was kalm, geruststellend. En vooral veilig. Of dat was de bedoeling tenminste. Innes voelde zich zowel nerveus als kritisch bekeken, want dit was haar eerste keer.

Ze voelde meer dan ze zag dat Anna de verduisterde ruimte gadesloeg. Innes deed een oog half open en nam het schouwspel in zich op. De vloer was bezaaid met patiënten die op hun rug lagen, armen en benen wijd en ontspannen, als lijken op een slagveld, iedereen met de ogen dicht. Iedereen met zijn eigen gedachten. Sommige bekend bij iedereen. De meeste privé.

Zonder een woord te zeggen hoorde Innes hoe Anna de gordijnen opendeed van de grote ruimte op de begane grond, waardoor ze opzettelijk de serene sfeer doorbrak die over de zaal was neergedaald. Het was tijd om het licht binnen te laten. Zowel letterlijk als figuurlijk.

Anna sprak nu hardop om hen wakker te schudden. 'Zo! Opstellen in een kring alsjeblieft. In kleermakerszit. We weten hoe het gaat, op Innes na dan. Dus als een van jullie nu even in het midden wil gaan zitten, dan laten we haar zien hoe het werkt.' Ze keek de kring gezichten rond en stopte bij een van hen. 'Wat denk je ervan, Alex? Je bent al in geen eeuwen in de kring geweest.'

Alex krabde op haar geschoren hoofd, de dikke littekens op haar onderarm waren opvallend zichtbaar in het zonlicht dat vanuit de tuin de zaal in viel. 'Ik wíst godverdomme wel dat je mij eruit zou pikken! Verdomd, ik wíst het! Nou, je kunt de vinkentering krijgen. Ik ga níét in de kring!'

Innes voelde de spanning in de kamer hangen. Iedereen keek

naar Anna om te zien hoe ze dit zou afhandelen. Maar Anna bleef Alex ontspannen gadeslaan.

Innes dacht over het meisje Alex na. Ze was vergeten plat te praten. Wanneer ze kwaad was, verried Alexandra Baxendales lage stem altijd uit welke klasse ze afkomstig was. Dat had ze al eerder gemerkt. Ze had opgevangen dat Alex op een dure kostschool had gezeten maar zich bij een skinheadbende had aangesloten toen ze dertien was – 'rebels', 'bikkelhard' gedrag. Klaarblijkelijk vastbesloten mammies en pappies reputatie eens goed te verpesten.

Totdat de bende waarbij ze hoorde een 83-jarige bejaarde helemaal verrot had geslagen. De andere bendeleden, die een paar jaar ouder waren, gingen naar de jeugdgevangenis. Alex werd veroordeeld tot de Unit. Nog een geluk, als je naging wat die bende nog meer had uitgehaald. En waarmee ze mooi weggekomen was. Iedereen wist dat ze door de mazen van het justitiële net geglipt was door in de Unit te worden geplaatst. Nou ja, de patiënten wisten het in elk geval wel. Abby had haar verteld dat de staf waarschijnlijk geen idee had van wat Alex nog meer geflikt had in haar 'psycho-toestand'. Je moest uitkijken wanneer ze dat knopje omdraaide. Nooit je rug naar haar toedraaien. Je kon haar beter niet voor de voeten lopen wanneer ze zo'n bui had.

Anna probeerde het nog maar eens een keertje. 'Kom op, Alex. De anderen zijn allemaal onlangs aan de beurt geweest.'

Alex negeerde haar. Maar toen zag Innes Carrie een beweging met haar vuist maken. Of ze de lucht een kaakslag verkocht. 'Yés! Niet opgeven, Alex.' Ze had Alex' blik weten te vangen en probeerde haar door haar strak aan te blijven kijken op de knieën te krijgen.

'Rot nou toch gauw op, Carrie! Ga zelf maar in dat kutkringetje zitten!'

Innes verschoof ongemakkelijk op haar stoel. Elke spier en zenuw in Alex' armen, benen en kaak stond gespannen. Ze zag eruit alsof ze een plotselinge uitval zou doen. Naar Carrie. Of wie dan ook. En ze verspreidde een geladen sfeer door de hele zaal. Een opgewonden geladen sfeer. Het leek wel of sommige van hen van de vertoning genoten. Innes liet haar ogen van Alex afdwalen. Abby had haar gewaarschuwd. Kom niet in Alex' vuurlinie terecht. Bukken als ze een scène trapt.

En net toen ze dacht dat Alex op haar wilde gaan inhakken, zag Innes opgelucht dat Carrie alle aandacht naar zich toetrok, door haar snerende opmerkingen in Alex' strakke gelaat te slingeren.

'Heb ik vorige maand al gedaan. Juffertje Alexandra is een grote schijterd!'

Danny knipoogde naar Innes, alsof hij wilde zeggen 'nou moet je opletten'. Hij stak zijn magere, maar gespierde arm naar Alex uit en raakte haar zacht aan. 'Niks aan de hand. Niks van aantrekken.' Hij keek alsof hij zich schrap zette voor een aanval vanuit Carries hoek.

Maar Isabella stak er een stokje voor. 'Ik ga wel. Ik heb het wel gedaan toen ik hier een paar maanden geleden kwam, maar het maakt me niet uit om het nog eens te doen.'

Stilte. Bij iedereen. Innes keek naar Anna. Ze leek het te laten komen zoals het kwam. Stagiaire Sarah probeerde dat ook, maar ze had een koortsige blik in haar ogen. Jezus! Het leek wel of Sarah op het punt stond klaar te komen door het hele spelletje. Hoewel Anna Sarah maar een subtiel knikje gaf, zag Innes het toch. Anderen waarschijnlijk ook. De stagiaire nam het over. 'Waarom wil je het nog eens doen, Abby?'

Abby legde haar benen naast elkaar en stak in rode sokken gestoken tenen naar het midden van de kring. 'Nou, iedereen schijnt het vaker dan één keer gedaan te hebben. Behalve Innes, natuurlijk. Maar zij is nieuw en als Alex niet wil, doe ik het wel.'

Anna keek Sarah even aan en nam het woord weer. 'Goed, Abby. Kom maar in de kring. Allemaal opstaan.'

Innes keek wat iedereen deed. Ze stond op en schuifelde net als de anderen naar het midden, zodat er een nauw kringetje om Abby werd gevormd. Ze keek verwonderd op toen Sarah ook in de kring ging staan en heel teder, bijna liefdevol, haar handen rond Abby's middel legde om te zien of ze stevig stond. Toen bond ze haar een dunne zwartzijden blinddoek om. Net zo teder droeg ze Abby vervolgens over aan Anna, die haar op haar beurt overgaf aan de volgende in de kring. Het tempo waarmee Abby de kring ronddraaide werd verhoogd, maar ze bleef slap en vol vertrouwen in wie haar ook maar opving. Innes zag dat eerst Danny, toen Alex Abby's slanke lichaam iets te stevig tegen zich aandrukte, voor ze haar met tegenzin, scheen het, doorgaven.

Het 'spel' leek op een onzichtbaar teken te stoppen, terwijl het rondgaan vertraagde en Anna Abby hielp door haar nog steeds in het centrum van de cirkel op de grond te laten zitten. Anna gaf met haar handpalmen naar beneden gericht aan dat ook de anderen op de vloer moesten gaan zitten. Net als een priester in de kerk, wanneer hij zijn schaapjes beduidde te gaan zitten na een psalm. Sarah schoof naar voren en knoopte de zwarte sjaal los, en streek over haar donkere, iets in de war geraakte haar.

Innes werd aangestoten door haar buurman. Het was Simon, met een zelfgenoegzaam lachje rond zijn lippen. 'Het heet een "vertrouwensspelletje". Je snapt wel waarom. Het is de bedoeling dat we één kleffe massa worden als groep, en spanningen of onuitgesproken vijandigheden laten verwateren of onschadelijk maken. Snap je? Net als op de kleuterschool.'

Carrie stiet een harde lach uit. 'Ha! Goed gezegd, Si! Simon zal de vloer nog aanvegen met dat psychogedoe van jullie wanneer híj eenmaal psychiater is. Yés, Doctor Si in de koppologie!'

Innes zag hoe een wat duizelige Abby wat makkelijker probeerde te gaan zitten. Anna stak haar hand uit en raakte haar schouder aan. 'Gaat het, Abby?'

Abby glimlachte. Voornamelijk in Danny's richting. 'Ik voel me... ópgelucht. Opgelucht dat niemand me liet glippen!'

Danny kon zijn ogen niet van Abby afhouden. Hij lachte om haar opluchting. 'Weinig kans op, Abby! Ik zou iedereen afmaken die jou liet vallen.'

En Innes was ervan overtuigd dat hij het meende ook, toen ze de blik in zijn ogen zag.

7

Het was ongewoon helder en mooi weer voor zo'n vroege lentedag. Ze was op de achtersteven blijven staan tot de witte kustbebouwing van Ullapool niet meer was dan een stel speelgoedhuisjes. Ze had geen idee hoever acht mijl van de kust was, de plek waar het gebeurd moest zijn. Maar ze stond gebiologeerd naar het schuimende water te kijken waardoor de motor en de schroeven het kielzog van de ferry door het glasheldere oppervlak van de Minch trokken.

'Niet zo sombertjes. Dat maak je niet vaak mee, hoor.'

Innes keek om en zag een man van middelbare leeftijd naar haar glimlachen. 'Wat bedoelt u?'

Hij had een steenrode kleur van het buitenleven. 'De Minch, meidje. Als een spiegel zo glad. Heel ongewoon. Maar mooi, niet dan?'

Ze glimlachte terug. 'Ja, het is prachtig. Maar ik stond te denken aan die man die hier zelfmoord gepleegd heeft. Van de veerboot gesprongen of zo. Eerder dit jaar, geloof ik.'

Het rode gezicht verloor onmiddellijk zijn gelukkige uitstraling. 'O, ja. Die jongen van Rintoul. Uit Calanais, ja toch. Arme knul.'

'Kende u hem?'

'Niet echt. Maar ik wist wel van hem af. Alle eilanders weten wel wat van iedereen af, meidje. Was een pachter. Had een klein huisje. Lustte een borrel. Zijn buren mochten hem graag.

Hij liep zo over de stuurboordkant naar de voorsteven en sprong zo het water in. Nou ja, niemand die het echt gezien heeft. Het was veels te koud om aan dek te gaan, en het dek van de pont is lawaaiig genoeg. De wind, dat geklots van die golven tegen de romp... Weinig kans dat iemand die arme man erin hoorde vallen, toch. Zou gewoon een golf tussen alle andere geweest zijn. En volgens mij moet je springen, wil je over die reling heen komen, zie je wel? Maar goed, hij werd gelukkig niet naar onderen gezogen anders hadden ze nog een smerig karweitje gehad om hem te identificeren.'

'Hoe weet u dat allemaal?'

'Nou, kijk, mijn achterneef die helpt aan dek op deze vaart. Zat niet op deze boot toen het gebeurde, maar hij ving natuurlijk wel het een en ander op. Maar goed, dat is achter de rug. Geniet van de tocht, meidje. Dag.' Hij hief een vereelte hand ten afscheid en verdween het trapje af, de romp van het schip in.

Ze ging op een van de door weer en wind gehavende plastic zitjes zitten die op de achtersteven waren gericht en verbaasde zich over de schoonheid van het uitzicht, terwijl de boot zijn weg langs een massa kleine eilandjes volgde, waarvan ze de namen noch kende, noch had kunnen uitspreken – van het Gaelic wist ze ondanks haar voornaam net zoveel af als van het Gujarati.

Ze trok de ritssluiting van haar regenjack hoog op en sloot haar ogen. Het vriendelijke gebrom van de motoren en de golvende beweging van het water brachten haar eindelijk tot rust. Zorgen over haar werk vraten aan haar. Ze had moeten liegen. Ze loog tegen de dokter over een of ander virus dat ze meende te hebben. De dokter vond haar klieren en temperatuur normaal, maar haar pols was veel te hoog en hij had haar het voordeel van de twijfel gegeven. Ze mocht een week thuisblijven. Was ze dan nog ziek, dan zou ze bloedtestjes krijgen en 'nader onderzoek'. Ze had zich met een schuldig gevoel uit de voeten gemaakt, ervan overtuigd dat de dokter haar wel doorhad en ze van het lijstje zieken geschrapt zou worden. Maar een uur later was ze weer kalm en rationeel geweest toen ze besefte dat die overwerkte huisarts haar zo snel mogelijk de deur uit had willen werken. Als daar een ziekmelding voor nodig was, vond hij dat geen probleem.

Haar baas was nijdig dat het zoveelste personeelslid door ziekte geveld was. Maar ze stemde erin toe Innes de komende week niet te storen, wat inhield dat ze geen ongemakkelijke telefoontjes zou krijgen om te zien of ze echt wel in bed lag. 'Word nou maar snel beter. We hebben je zo spoedig mogelijk weer nodig. Begrepen?' Nog meer schuldgevoelens. Ze had een paar etentjes afgezegd, een schouwburgvoorstelling, en een paar vrienden die mogelijk zin kregen om langs te komen om haar op te vrolijken verteld dat ze een paar dagen naar een rustig hotelletje zou gaan. En dat was dat. Bedrog volbracht.

Terwijl ze gehaast een dubbele vlucht van Londen naar Glasgow, en van daar naar Inverness regelde, was ze ervan overtuigd dat ze het nodig had om er even tussenuit te gaan. Even weg uit Londen. Even weg van haar normale leventje. Om dít te doen! Pas toen ze haar huurauto had opgepikt in Inverness en door het adembenemende landschap naar de haven van de Ullapool Ferry reed, met af en toe een arend die haar blik kruiste, begon ze te twijfelen.

Ze was lichtelijk verbaasd dat ze hieraan begonnen was. Ze had zichzelf toegestaan om iets impulsiefs te doen. Natuurlijk had ze nagedacht wat ze met dit Isabella/Danny-gedoe aan moest. Ze kon aanvaardbaar maken dat ze wilde weten waarom Isabella zichzelf gedood had. Zou zichzelf min of meer kunnen overtuigen dat ze Abby in de steek had gelaten door niet terug te bellen. Al stond ze in haar recht en had ze redenen genoeg om dat niet te doen. Een geest uit het verleden, een verleden dat zij, en ze nam aan veel van de anderen, wilden begraven en met rust wilden laten. Psychiatrische geschiedenissen leken je altijd te vervolgen in je latere leven. Het was een vloek, een stigma. Dat zij die in haar tienerjaren beleefd had, had ze altijd minder erg gevonden. Het was enigszins te verwachten. Ze wist ook wel dat dat een excuus was om zichzelf te rechtvaardigen. Waar het om ging was dat ze geestelijk niet in orde geweest was toen ze vijftien was (en waarschijnlijk al eerder, misschien later ook nog wel) en in een psychiatrische kliniek was gestopt. Hoe je er ook over sprak om dat te verhullen – 'experimentele unit', 'vernieuwend programma', de behoefte van iedereen daar om een IQ van boven de 145 te hebben, want hoe slimmer de patiënt, hoe beter hij of zij reageerde op de behandeling, werd er verteld – het bleef een plek waar ziekte heerste. Maar ze was toch beter geworden, niet dan? En ze was het al bijna helemaal vergeten. Ze had een carrière opgebouwd... was getrouwd geweest... en weer gescheiden... had vrienden en vriendinnen... soms een minnaar... had geld... had gereisd... had een goed leven... *Hou op!*

Ze deed haar ogen open en kneep ze half dicht tegen het zich plotseling verspreidende zonlicht. Ze stond op en wandelde naar de reling; ze zag de schroef schuim voortbrengen. Ontkennen was geen optie. Waaraan ze begonnen was, was heel vreemd. Zo absoluut niks voor haar dat het op het randje van waanzin leek. Ze had haar veilige huis en ordelijke leventje opgegeven om spoorzoekertje te spelen. Welk spoor? Wat kon die Isabella haar eigenlijk schelen? Heel droevig, en schokkend, dat ze zichzelf om het leven had gebracht. En Danny ook. Maar als ze eerlijk was, had de dood van Danny en Abby haar bang gemaakt voor iets kwetsbaars wat haar zelf betrof: had de Unit hen voorgeprogrammeerd om zelfmoord te plegen halverwege hun leven? Of was een geheimzinnige *folie à deux,* die al die jaren geleden was opgebloeid, nu tot een natuurlijk en noodlottig einde gekomen? Of was het het resultaat van die destijds 'vernieuwende' therapie waarvoor de patiënten jaren later het gelag moesten betalen? Doodeng.

Ze glimlachte als ze aan Danny dacht. Danny Rintoul. Hij was een van de mensen die ze het meest mocht in de Unit. Een verkrachter van veertien jaar. Schokkend. Voor sommigen.

Maar op de een of andere manier was het leuke van de Unit dat niets je meer schokte. Iedereen keek over zijn eigen of andermans misdaden en idiote gedrag heen. Sommigen, altijd vlak nadat ze opgenomen waren, hadden geprobeerd ze te ontkennen of te negeren. Maar niet voor lang. Dat was strikt verboden. Kop op en doorgaan, daar ging het om.

Achteraf bezien had ze Danny eigenlijk wel érg graag gemogen. Hij zag er niet uit om over naar huis te schrijven. Maar... hij had iets liefs. En hij had zijn leven echt gebeterd. En ze deelden ook iets. Iets dat hen verbond. Iets dat hun allebei tot in de Unit had gebracht. Moeders. Een bepaald soort moeders. Allebei matriarchen. Dictators die regeerden over hun angstige enig kind en zwakke echtgenoot en vader die geen bescherming bood. De uren die ze met hem in de muziekkamer had doorgebracht, met al die gruwelijke singletjes van afschuwelijke glamrockgroepen uit de jaren zeventig. En die oneindige avonden bij de schommel, pratend over hun familie. Die van hem: incest en zo arm als de neten. Die van haar: koud, nee-dank-u-we-komen-niets-te-kort. Allebei een beschadigende, verwoestende opvoeding gehad.

Zijn ouders moesten nu wel gestorven zijn. In de krant stond dat hij geen familie had. Ouders dood. Net als die van haar. Ze vroeg zich af hoe hij daarop gereageerd had. Geen ouders meer hebben. Triomfantelijk? Opgelucht? Of, zoals zij, in de war en met schuldgevoelens. Onopgeloste kwesties.

Met moeite liet ze die gedachten los en keek weer op naar het omringende landschap. Danny. Lieve, dode Danny. Danny die verliefd geworden was. Niet op haar. Maar op Isabella. Knappe, dode Abby.

Abby was al snel haar vriendin geworden. Wat haar een vertrouwd en haast... nou ja, haast een veilig gevoel gegeven had in die eerste weken dat ze in de Unit zat...

8

'Ze moedigen je aan om iedereen te vertellen waaróm je hier zit. Of waarom je dénkt dat je hier zit. Als je genezen bent kunnen dat soms heel verschillende dingen blijken. Misschien kom je binnen om met één bepaalde zaak geconfronteerd te worden, maar dan trek je misschien wel een blik vol onvermoede rotzooi open. Heb ik tenminste gehoord.'

Innes voelde zich bijna gelukkig. De zonsondergang was adembenemend en de avond geurde naar de tuin. En het was warm. Zo warm. Ze keek naar Abby die zachtjes heen en weer schommelde, met haar hoofd achterover, terwijl ze de laatste gouden stralen opving. Het klikte tussen hen. En ze begon een beetje te wennen. Ze bleef bij sommige mensen uit de buurt. Maar Abby leek normaal. Al had dokter Laurie haar aan het huilen gekregen die ochtend, bij groepstherapie. Afschuwelijk was dat. Hij had Abby zover gekregen dat ze vertelde over haar vader die haar een dag en een nacht in de kelder had opgesloten. Omdat ze alleen maar een zevenenhalf voor haar geschiedenisopstel had gehaald. Híj had opgesloten moeten worden. Maar, had Laurie verteld, haar vader, een gerespecteerd advocaat, had dat verhaal van de hand gewezen als een 'verzinsel van zijn gestoorde dochter'. En haar moeder? Abby had gezegd dat dat een verwaand, egoïstisch en zwak mens was.

De sessie was in meer dan één opzicht een openbaring voor Innes geweest. Het was vreselijk om te horen wat Abby vertelde over die klootzak van een vader, maar het was nog erger geweest om haar te zien huilen. Maar Laurie had haar een beetje tot bedaren gebracht. Wilde het hebben over Abby's 'reactionele gedrag op wat er thuis aan de hand was', zoals hij het op zijn geaffecteerde, vreeswekkende toontje formuleerde. En Abby's 'reactionele gedrag' had Innes nogal verrast. Op het eerste gezicht leek Abby het gewoonste, volwassen, knappe, zelfs mooiste meisje van de wereld. Maar ze had een achtergrond van weglopen van huis en, net als Innes, veelvuldig spijbelen. En ze had nog een ander, vreemd probleem, maar dokter Laurie zei dat het 'geenszins ongewoon was en meestal veroorzaakt werd door een hoge mate van stress en/of emotionele chaos in iemands leven. Mensen die lijden aan obsessies en dwanghandelingen zoeken naar orde in hun leven, om grip te krijgen op het leven van alledag dat hen anders, zo vrezen ze, totaal ontglipt.' Hij had het gehad over Abby's overdreven gevoel voor orde en netheid. Zo moest alles op haar nachtkastje precies op een bepaalde plaats staan, en waste ze ieder kwartier haar handen. En als ze dit ordenend gedrag niet kon uitvoeren, werd ze totaal gefrustreerd, trok ze zich terug omdat de wereld dan een uiterst beangstigende omgeving voor haar werd. Laurie vertelde dat het grootste deel van Abby's overdreven ordelijkheid zich in Abby's eigen hoofd afspeelde, in haar gedachten. Want in haar normale gedrag merkte je nauwelijks iets van die ordelijkheidsdwang. Innes vond het dan ook allemaal nogal ongeloofwaardig, maar toen Abby's huilbui eindelijk over was, had Abby weinig moeite gehad het allemaal toe te geven. In de uren daarna had Innes zich niet in kunnen houden om Abby's nachtkastje te bekijken, en ze merkte op hoe pijnlijk netjes en keurig recht alles erop stond.

En nu ze naar Abby keek, schommelend in het vervagende licht van de ondergaande zon, zag ze hoe Abby in haar zakken wriemelde om zich ervan te verzekeren dat alles zat waar het moest zitten. Toch leek ze nu zorgeloos en sprak ze luchtig over de redenen waarom de anderen hier waren. Ze schraapte met haar voeten langs de grond om de schommel tot stilstand te brengen en grinnikte even.

'Nou, je moet "zwaar gestoord zijn en losgeslagen gedrag vertonen", zoals dokter Laurie het zegt. Of alleen maar gestoord, maar dan wel zo erg dat je onhandelbaar bent voor je ouders of anderen, zoals onderwijzers en zo. En we vallen toevallig wel allemaal in die categorieën, op wat voor manier dan ook!' Ze zweeg en glimlachte naar Innes. 'Goed, Lydia heeft dus een eetstoornis. Dat lijkt me wel duidelijk. Maar voor de rest is ze een vreemd geval. Ze is een nakomertje, haar moeder is stokoud. En ze is enig kind en dus door en door verwend. Laurie heeft een paar sessies gehad waarin hij Lydia helemaal uitgehoord heeft. Haar vader schijnt belachelijk jaloers te zijn geweest na de geboorte van Lydia en hij behandelde moeder en dochter vanaf die dag als een tiran. Lydia kreeg daar ontzettend last van. Manisch-depressief, eetproblemen, en dat was niet eens alles. Ze heeft ook iets met brandstichting. Heeft zonder succes geprobeerd het ouderlijk huis in de fik te steken. En ze heeft brand gesticht in haar oude school. Dat is nu wel over. Maar het blijft wel een gevaarlijk kantje aan Lydia. En verder is ze bloednieuwsgierig. Dus pas op je tellen!

Nou, dan heb je Simon. Helemaal volgens het boekje, als je het mij vraagt. Een van een tweeling. Geweest, omdat die ander gestorven is. En daarvan heeft die trut van een moeder Si de schuld gegeven en ze zit hem sindsdien op zijn kop. Zijn vader is altijd van huis. Een bekend natuurkundige of zoiets. Altijd in het buitenland. Hoe dan ook, Si heeft een minderwaardigheidscomplex. Zonde, want hij is superslim. En hij ziet álles! Hij weet een heleboel van dingen die we eigenlijk niet mogen weten van de staf. Hij heeft zelfs dossiers gezien. Misschien snuffelt hij daar binnenkort weer eens in. Als we aardig tegen hem zijn. Eigenlijk is hij een beetje bang voor de meiden. Vooral voor Carrie en Alex. Dat wordt nog eens een hopeloze huisvader!'

Innes lachte. De eerste echte lach sinds ze hier was. 'En Carrie? Hoe zit dat met die drugs waar ze het vanmorgen over hadden?'

'O, Anna checkte gewoon even of Carrie geen stuf had gescoord toen ze naar het winkelcentrum ging. Dat heeft ze al eens eerder gedaan. Carries moeder is een junk. Een vader heeft ze niet. Nou ja, ze weet niet wie haar vader is. Haar moeder weet het ook niet. Carrie wordt al sinds het jaar nul door haar moeder en haar moeders vriendjes in elkaar geslagen. En volgens mij is ze ook... je weet wel.'

Innes trok een wenkbrauw op. 'Misbruikt of zo?'

Ze zag hoe Abby gegeneerd haar schouders optrok. 'Ja. Sommige vriendjes van haar moeder vonden Carrie aantrekkelijker dan moeder zelf. Ik denk niet dat Carrie daarom vroeg. Die... vriendjes waren geen lekkertjes, de meeste dan. Maar goed, dat verklaart Carries agressieve gedrag voor het grootste deel. Laat haar maar met rust. Net als Alex. Van Alex snap ik eigenlijk geen bal. Het personeel volgens mij ook niet. Ik heb haar vader en moeder eens gezien. Heel rijk en normaal. Alex is zo anders dan haar oudere broer en zus. Die zijn heel conventioneel. De ene zit op de universiteit, die doet medicijnen, de ander is accountant of zoiets dufs. Alex... Alex, daar zit gewoon iets heel slechts in.'

Innes had het idee dat Abby helemaal opging in het onderwerp Alex. Niet verwonderlijk, natuurlijk. Alex Baxendale was misschien de intrigerendste patiënt – waarschijnlijk omdat het moeilijk te zien was hoe ze in elkaar zat en je haar daarom nauwelijks kon begrijpen.

Abby scheen haar gedachten te lezen. 'Kijk, Alex zal nooit of te nimmer eens wat "geven". Je hebt nooit het idee dat ze wel eens normaal kan zijn, vriendelijk, of aardig. Jezus, zelfs Carrie heb ik wel eens zien janken met Si, ergens achter in de tuin. En Si heeft wel eens op het punt gestaan in te storten tijdens een van dokter Lauries sessies. Bij de anderen zie je tenminste iets... iets menselijks zo af en toe. Maar Alex... wat zegt Laurie ook weer? O ja, hij zegt dat Alex "de rolluiken heeft neergelaten". En dat klopt. Je krijgt nog geen krasje op die gepantserde buitenkant van haar. Een tijdje geleden hoorde Simon en ik toevallig de zusters over haar praten. Ze hadden het over hoe essentieel het was om die "psychologische barrières" te doorbreken. Ze kwekten maar door over dat dat de enige manier was om haar beter te maken. Haar "psychopathie" te genezen. Si heeft zo'n psychologisch woordenboekje en we hebben het opgezocht. Het betekent dat ze behoorlijk getikt is.

Maar Si zegt dat je ons allemaal wel zo kunt beschrijven, afhankelijk van hoe je ernaar kijkt. Hoe dan ook, geen dokter of zuster is tot nu toe door die muur rond Alex heen gekomen. Lukt ze nooit.'

Innes knikte en bracht iets ter sprake wat haar al een tijdje bezighield. 'En die littekens? Op haar armen?'

Abby haalde weer haar schouders op en begon weer zacht te schommelen. 'O, die. Heeft ze zelf gedaan. "Zelfverminking" heet dat. Niet goed bij d'r hoofd. En je hebt wel gezien dat ze er als een jongen uitziet. Ze is net als zuster Sarah, in feite. Je weet wel.'

Innes ging liever niet op die roddels in. Meiden en meiden, jongens en jongens, dat vond ze allemaal maar vreemd. Ze stapte vlug over op een ander onderwerp. 'En hoe zit het met Danny? Hij heeft iemand aangerand toen hij veertien was?'

Ze voelde Abby's stemming meteen omslaan. Ze praatte zo makkelijk over Alex en de anderen, maar dit was iets anders. Innes voelde zich ongemakkelijk, en ongerust. Had ze Danny niet ter sprake moeten brengen? Het was toch duidelijk dat ze... nou ja... iets met elkaar hadden. Maar Abby glimlachte terug; alleen haar handen die zich vaster om de ketting van de schommel klemden, verrieden haar spanning. 'Tja, daar zit wel een beetje meer aan vast. Het lijkt erop dat het meisje het uitlokte. En er veel, veel ouder uitzag dan ze was. Dat was gewoon een misverstand. Ik vind dat Danny hier eigenlijk niet thuishoort. Trouwens, vertel jij eens wat over jezelf. Je weet wel. Waarom zit je hier?'

Innes aanvaardde de onhandige poging om van onderwerp te veranderen en ging achter Abby staan, en gaf haar regelmatige, rustige zetjes. 'Nou, ik ben een jaar lang niet naar school geweest. Ik schreef mijn eigen ziekmeldingsbriefjes en vervalste mijn vaders handtekening. Ik ben naar bed geweest met mannen die twee keer zo oud waren als ik, in het bed van pa en ma. Ik heb een kruk naar mijn biologieleraar gegooid en heb mijn wiskundelerares in haar gezicht gespuwd. En ik ben van school gestuurd. Ik werd beoordeeld door een stel kinderartsen, die bestempelden me als "onhandelbaar".'

Innes deed een stap naar achteren toen Abby de schommel stilhield en zich naar haar omdraaide. Met een verbaasde blik? Of was het bewondering? Misschien verwarring.

'Jemig! Te gek zeg. Maar waarom?'

'Waarom ik dat gedaan heb? Waarschijnlijk omdat mijn moeder een geschifte, dominante psychoot is die mij, en dat is echt waar, háát. Laurie heeft haar daar ook echt van beschuldigd een tijdje geleden. Zei het recht in haar gezicht, op die zachte, dodelijke toon van hem. "Mevrouw Haldane, ik denk dat u jaloers bent op uw dochter. Jaloers op haar en op de kansen die nog voor haar openliggen in dit leven. Kansen die u nooit gehad heeft. In tegenstelling tot de meeste ouders die het beste voor hun kinderen wensen, misgunt u dat Innes. Misschien moet u daar eens over nadenken. Heel lang. En eerlijk. Die haat jegens uw dochter is een zware last voor het hele gezin. En meneer Haldane? Ik geloof dat u bang bent voor uw vrouw. Dat is begrijpelijk. Maar het heeft wel een rampzalig effect op uw dochter. En dat is precies waarom ze nu hier blijft."

Dus mijn pa is als de dood voor haar. Maar mij maakt ze niet bang.'

9

'Denk eraan, je moet echt naar Scarista. Het strand uit je dromen. Je zou eigenlijk alle stranden moeten bekijken. Veel tijd kost het niet. Dan, ongeveer een halve mijl van het keerpunt van Scarista, zie je een bordje met Scarista Lodge erop. Daar woont Ian Gallagher. Veel succes, meidje.'

Ze knikte in zichzelf toen ze in haar hoofd de woorden van Danny's dichtstbijzijnde buurvrouw, Rena Mackay, herhaalde.

Een vriendelijke vrouw met wie Innes die morgen had gepraat, zonder veel wijzer te zijn geworden. Volgens mevrouw Mackay was hij nu eenmaal een kluizenaar, en vertelde hij nooit veel over zichzelf.

Innes stopte de auto en keek naar het uitzicht over zee. De kleuren. Dat er hier zoiets prachtigs bestond, daar moest je inderdaad even bij stilstaan. Ze had er wel eens over gehoord van andere bezoekers, vrienden die hier hun vakantie hadden doorgebracht, maar had aangenomen dat het de gebruikelijke toeristenoverdrijving was.

De tocht van Danny's buurvrouw op Lewis, over de grillige landengte naar het gebied dat officieel te boek stond als het eiland Harris, had haar naar de stranden gevoerd. Ze hadden het allemaal. Een turquoise zee als in het Caribisch gebied. Wit zand als op de Bahama's. Adembenemend. Zelfs de zon bleef erboven hangen zolang ze keek. Hoewel de warme Golfstroom hierlangs stroomde, was het water dat over haar pootjebadende voeten spetterde ijskoud. Ze keek vol verbazing naar de sigaarvormige lijven van pijlsnel vallende jan-van-genten die hun perfecte duiken uitvoerden, om boven te komen met hun zilverachtige, kronkelende vangst. Vanaf de duinen kon ze de totale lengte en breedte van de zo te zien eindeloze bleke kustlijn overzien. Geen levende ziel te bekennen.

Ze ploeterde terug naar waar ze haar schoenen had laten staan. Tijd om Rena's tweede advies op te volgen.

'Goed dat je pas na vieren komt. Dan hou ik op met werken. Maar ik moet de honden uitlaten. Op het strand. Dat zul je wel gezien hebben onderweg.'

Innes lachte. 'O ja. Dat kun je niet missen. Ik heb even gepootjebaad.'

'Nou, dan kun je het nog eens doen, als je wilt.'

Het was natuurlijk een déjà vu, maar deze keer bleef ze weg bij het water, en liep ze lekker blootsvoets over het harde witte zand. Ian Gallagher was lang, slank, halverwege de dertig, dacht ze. Donker Keltisch haar, een Ierse naam. Ook het accent, dat af en toe opdook tussen de keurige volzinnen waarin hij een samenvatting van zijn leven gaf, had iets Iers.

'Ik ben half Iers, half Welsh. Mijn moeder kwam uit Swansea. Maar goed, ik verdiende mijn brood in Londen. Ik had kunstgeschiedenis in Dublin gedaan, op Trinity, en kwam in Londen terecht, waar ik leefde van hogelijk gewaardeerde maar slecht betaalde klusjes voor een stuk of wat galeries. Zette daar een punt achter en ben een paar jaar kunsthandelaar geweest, erg lucratief. En toen had ik het helemaal gehad met Londen.'

Hij wierp een controlerende blik naar zijn twee bruin-witte spaniëls, die over het uitgestrekte strand dartelden, leek tevreden met wat hij zag en vervolgde zijn verhaal.

'Mijn zus, Sian, ging al jaren steeds weer naar de Hebriden. Ze was er verliefd op geworden. En ik ook. Zo erg dat ik dit huis hier heb gekocht. Ik doe nog steeds zaken, moet af en toe naar Londen, Edinburgh en het vasteland. Maar sinds vijf jaar is dit mijn thuisbasis. Ik heb ook een parttime baantje als curator van het Schotse Erfgoed, hou een oogje op hun spullen. Echt een geweldig leven heb ik hier.'

Ze liepen zwijgend verder. Ze voelde dat hij er klaar voor was om iets verder te gaan dan hun kennismakingsgesprek, toen ze het verhaal herhaalde dat ze ook Rena Mackay had verteld, namelijk dat ze een 'oude vriendin' van Danny was.

Maar ze wilde er nog een extra draai aan geven. 'En eigenlijk was ik al eeuwen van plan om hier op vakantie te gaan. Het was een hele klap toen ik dat over Danny hoorde, maar nu ik hier toch ben vond ik dat ik op zijn minst even moest praten met degenen die hem kenden. Die hem mochten. Ik vind zelfmoord altijd een beetje ongeloofwaardig, behalve bij mensen die ten dode zijn opgeschreven of onbeschrijflijk emotioneel leed te verduren hebben. Heel raar, maar de Danny die ik kende... nou ja, dat is onzin. Dat was zo lang geleden. Maar het hangt ervan af of je gelooft dat bepaalde trekjes van mensen altijd onveranderlijk blijven... Sorry, ik klets uit mijn nek. Wat ik probeer te zeggen is dat ik het onbegrijpelijk vind dat de Danny die ik kende zelfmoord gepleegd heeft.'

Zonder dat ze het opmerkte leidde hij haar naar een laag duin, waar ze gingen zitten en over de eindeloze kust met de dollende, spelende honden uitkeken. Hij plukte een lange grashalm en trok er groeven in met zijn duimnagel. 'Ik snap waar je heen wilt. Ik heb twee andere mensen gekend die er een eind aan gemaakt hebben, onder meer een ex-vriendje van me dat hiv-positief bleek te zijn in de dagen dat dat nog een zekere dood betekende. Ik begreep waarom hij het deed. Voor negenennegentig procent. Maar zelfmoord zal altijd wel een puzzel blijven voor een gezond of relatief gelukkig mens. Maar het punt bij Danny Rintoul was dat híj de puzzel was. Ik denk dat mijn zus zich daarom zo tot hem aangetrokken voelde. Hij was niet het type dat zich vastlegde, laat staan in een relatie. Dat kwam Sian mooi uit. Ze had een puinhoop van een huwelijk en een nog rampzaliger scheiding een paar jaar geleden. Vrijheid, dat wilde ze. Daarom is ze nu op reis naar God weet waar. Ja. Vrijheid. Danny en zij waren hetzelfde wat dat betrof.'

'Dan moet ze wel kapot geweest zijn toen hij stierf.'

Hij knikte naar de grasspriet. 'Was ze ook. En verrast. Totaal. Al had ze hem niet zo vaak gezien voor zijn dood. Ze hadden zo hun periodes 'om af te koelen'. Volgens mij trok een van de twee zich altijd terug wanneer het emotioneel een beetje te dichtbij dreigde te komen. Misschien hadden ze andere minnaars in die periodes, daar weet ik niets van. Fascinerende relatie hadden ze. En het werkte nog ook; ik was er een beetje jaloers op. Die goeie ouwe Danny. Ik mis hem. Een echte maat. Maakte geen probleem van mijn seksuele voorkeur. Dat maakte hem gewoon niet uit. En hij kon zijn mond houden. Ik heb een vriend op dit eiland, maar we moeten wel oppassen. Het is hier prachtig maar wel behoorlijk behoudend. Tja, ik betwijfel of ik hier ooit nog iemand zoals Danny zal tegenkomen. Ik zal dat jochie wel missen.'

Innes verwonderde zich erover dat deze man haar zomaar van alles toevertrouwde, alsof ze zijn vertrouwen waardig was, en ze vatte het maar als een compliment op. Maar toch leek het wel of Ian Gallagher iets achterhield. Twijfelde hij ergens aan? Wilde hij nog iets vertellen? Ze spoorde hem voorzichtig aan. 'Maar?'

Hij keek even naar haar, en toen weer naar zijn grassprietje. 'Als ik eerlijk moet zijn, was ik nou ook weer niet zó verbaasd om wat Danny deed.'

'Nee?' Dit kwam onverwacht.

Hij keek even of alles goed was met de honden. En ging verder, met zachte stem, bijna of hij fluisterde. 'Nee. Luister. Ik was gewend om zo nu en dan bij Danny binnen te vallen voor een "slokje". Een paar weken voor zijn dood stopte ik voor zijn boerderijtje. Meestal klopte ik en deed meteen de deur open. Dat doen we hier allemaal. Maar toen was zijn deur op slot. En hij was wel binnen. Ik hoorde hem, hij belde. Hij praatte met iemand. Een man. Nou ja, dat denk ik. Hij noemde hem "jongen". Ze maakten ruzie. Nee... dat is wat te sterk. Diegene met wie hij sprak vroeg hem steeds maar weer hetzelfde. Danny zei herhaaldelijk: 'Hé joh, doe nou maar rustig, het is allemaal in orde, eerlijk.' Een beetje slijmerig. Wel gek. Ik ben maar weer vertrokken. En ik ben nooit meer met Danny alleen geweest. Hij bleef verder uit mijn buurt, kwam niet meer langs voor een borrel, ook niet bij anderen, voorzover ik weet. Hij werd nog meer een kluizenaar dan hij al was.'

'En heb je het daar met iemand over gehad? Over wat je hoorde?'

'Ik heb het Sian verteld. Dat is het wel. Ze had geen idee waar het over ging. Al kan het de verhuurder zijn geweest met wie Danny mot had. Er was net een huurverhoging geweest. Maar dat was zo onvoorstelbaar. Danny betaalde altijd vooruit. Pietje Precies wat geld betrof, al stond hij altijd rood. Pachters hebben het verdomd moeilijk hier.'

Ze stonden vrijwel tegelijk op en liepen langzaam terug. Ze lachte toen de honden op hen af kwamen rennen, het zachte haar van hun buikjes in druipende pieken veranderd. In gedachten verzonken over wat ze zojuist had gehoord, klopte ze de opgewonden dieren op hun rug. Ze wilde nog één ding weten. En ze moest het zo tactvol mogelijk brengen.

'Danny's naam kwam naar voren bij een ander zelfmoordonderzoek, in Londen. Van een vrouw die Isabella heette. Ze kende hem blijkbaar. Ooit van haar gehoord?'

Hij tuitte zijn lippen, en keek haar fronsend aan. 'Ja... Ik heb daar iets over gehoord, en het is een compleet raadsel. Niemand, en ik bedoel níémand, weet ook maar iets van haar af. Misschien is dat een misverstand. Ik heb het vermoeden dat zij... die Isabella, hier een huis wilde kopen. En Danny kluste er zo nu en dan wel eens bij. Misschien dat ze zijn nummer van iemand heeft gehad, om dat huis op te knappen of zo. Misschien kenden ze elkaar helemaal niet.'

Innes knikte en loog. 'Zou kunnen, zou heel goed kunnen.' Ze liepen zwijgend de weg af en het zat haar niet lekker dat ze gelogen had.

Zou goed kunnen. Ja ja. Alleen kenden Danny en Isabella elkaar al sinds 1977.

10

De schommel hing in het maanlicht. Hij bewoog langzaam mee met het zwaaien van de bomen eromheen. Een slinger. Opeens zat ze erop. Heen en weer. Heen en weer. Hoofd geheven naar de sterren. Hoofd laag bij het gras. De wind was warm. Een zoete geur.

La-la-la-die-da. La-la-la-die-da. Het geneurie klonk in haar hoofd, maar haar mond was dicht. Hoe kon dat? Ze hield de schommel stil. Nee. Het geneurie was búíten haar hoofd. Kwam van achteren.

'Hallo?'

'La-la-la-die-da.'
'Wie is daar?'
'La-la-la-die-da.'
Ze draaide zich om, de kettingen maakten een piepend geluid tegen haar oor. 'Hallo?'
Daar was hij. Hij rookte.
'Danny. Wat doe je daar?'
'Niks. Dacht dat je Abby was.'
'Kom op, laten we maar teruggaan. Het is bij tienen.'
'Best, Innes. Zal ik je nog één zetje geven?'
Ze glimlachte van ja. Toen stond hij vlak achter haar, duwde zacht tegen haar schouders. Toen wat harder. Toen nog harder. Toen te hard. 'Danny? Niet zo hard. Hou nou op! Ophouden!'
Toen duwde hij een laatste keer hard in haar rug en ze hoorde hem weglopen. Ze sprong van de schommel, wankelend om in evenwicht te blijven. 'Danny, wat is er? Danny!'
Hij draaide zich om. Zijn gezicht was veranderd. Opgezwollen..., rottend..., walgelijk. 'Ik ben dood, Innes. Zie je het niet? Ik ben dood. Verdronken...'

'Wa... O, jezus!' Ze graaide naar de hoorn, om dat helse gerinkel te laten stoppen, en liet zich weer in haar kussens vallen. Zweterig en misselijk. Ze had dat tijdelijke waar-ben-ik-gevoel en toen wist ze het weer: ze herkende de aangename omgeving van het enige redelijke hotel op Lewis.
Ze drukte de hoorn tegen haar oor. 'Ja?'
'Mevrouw Haldane, goedemorgen, met de receptie. We hebben een pakje voor u.'
Ze woog het pak in haar handen. Nogal zwaar. De kleine witte envelop die aan het pak vastzat bevatte een prentbriefkaart. Een sierlijke aquarel van het strand bij Scarista.

Hierbij stuur ik je Danny's 'bezittingen' – die hij aan mijn zuster, Sian, heeft nagelaten. Wat ze wilde hebben, heeft ze er al eeuwen ge-

leden uit genomen, zei dat ze verder niets hoefde. Ik had je er wel over willen vertellen toen we elkaar spraken, maar wilde er even over nadenken. Volgens mij ben je een echte vriendin van Danny. En het is wel een cliché, maar ik hoop dat je vindt wat je zoekt. Het is wel duidelijk dat je Danny net zo graag mocht als ik. Ciao, Ian G.

Met een glimlach viel ze terug in de kussens. En weer bekroop haar een schuldgevoel. Ze had gelogen tegen deze vriendelijke en zachtaardige man. Had zijn vertrouwen gewonnen. Had informatie uit hem losgekregen. Precies wat dat graven in haar verleden betekende: leugen op leugen. Net zoals ze gelogen had tegen haar echtgenoot met wie ze twaalf, wat haar betrof onbevredigende jaren getrouwd was geweest. Net zoals ze gelogen had tegen vriendinnen, minnaars, collega's. Ze had haar jeugd herschreven, haar volwassenwording. Ze herdefinieerde en gaf een nieuw beeld van zichzelf als een volwassene met wie klaarblijkelijk alles in orde was. En ze waren er allemaal ingetrapt. Zeker haar man, als je af mocht gaan op de schaarse maar gepassioneerde brieven die hij haar schreef over zijn nieuwe leven in Canada; hij klampte zich nog steeds vast aan een liefde waarvan ze nu wist dat hij beslist nooit wederkerig was geweest. En haar vriendinnen, minnaars, collega's – ze leken allemaal tevreden met die tweedimensionale versie van haar. Dat leverden leugens je op – halve relaties. En nu loog ze weer tegen die Ian Gallagher. Een vreemde, maar wel een aardige vent die om Danny gegeven had. Liegen ging haar wel heel makkelijk af, al was ze zich daar tot nu toe niet bewust van geweest.

Ze moest zelfs toegeven dat normale morele omgangsvormen steeds verder naar de achtergrond verdrongen werden. Het waren de geesten van meer dan een half leven terug die belangrijk waren geworden, actueler dan al het andere dat er nu speelde. En het kostte haar weinig moeite om te liegen om die geesten op de hielen te zitten. Een maand geleden zou het onvoorstelbaar geweest zijn dat ze haar baan, haar carrière zomaar in de steek zou laten. Maar nu ze dood waren, leefden Danny en Abby voor haar, op dezelfde manier waarop ze toen, in de Unit levend waren geweest. Ze had haar therapeut, die ze al in geen eeuwigheid gezien had, niet nodig om dat te verklaren. Ze geloofde er geen bal van dat er geen verband bestond tussen de dood van deze twee mensen. Dat moest wel. Dat verband was de Unit. En of ze het nou leuk vond of niet, zij maakte deel uit van de Unit.

Ze richtte haar aandacht weer op het pakje en scheurde het dikke bruine papier eraf. Wat erin zat trok meteen haar aandacht: een mahoniehouten kistje, ongeveer dertig bij twintig centimeter, met een koperen hengsel en een open hangslot.

Bij de eerste blik op wat erin lag voelde ze zich meteen weer dat meisje van tientallen jaren geleden. Ze dacht terug aan de middag dat de foto werd genomen. De laatste dag voor de vakantie. Het was mild voor november. En zonnig. Lydia had twee dagen vrijwel aan één stuk door gehuild omdat ze een gat in haar knie had gekregen vanwege een klimtouw dat weigerde haar gewicht te dragen, waardoor ze op de grond gevallen was. Het witte verband prijkte midden op het groepsportret.

Ze liet haar ogen over de drie rijen gezichten gaan, een klein glimlachje dook op toen ze degenen ontdekte die een speciaal plekje in haar hart hadden. En die dat niet hadden. Ten eerste de staf. Ranj, Anna en Sarah. Ze waren best aardig op hun manier, dacht ze, vooral Ranj. Hoewel Anna achteraf bezien erg goed in haar werk was geweest. Van Sarah kon ze nog steeds niet veel zeggen. Met haar had ze ook nooit veel te maken gehad. Dan de patiënten. Carrie met haar zure bek. Gevoelige Simon. Agressieve, ondoorgrondelijke Alex. En toen zag ze hen. Naast elkaar. Een zesentwintig jaar jongere uitgave van zichzelf stond tussen hen in. Isabella en Danny. En met de ogen strak op de jonge gezichten, merkte ze iets op dat ze nooit eerder had gezien toen ze de foto bekeek, tientallen jaren geleden. Afgezien van Lydia's gejank was het een vrolijke dag geweest. Ze gingen naar huis, of op zijn minst terug naar de Unit, na wat een behoorlijk mislukte 'vakantie' was geweest. Dus waarom hadden zoveel gezichten een... terneergeslagen, gespannen, ongemakkelijke uitdrukking?

Ze legde de foto apart, peinzend over de sfeer die eruit sprak. Misschien waren ze down omdat de vakantie voorbij was. Dat was logisch. Het was nu eenmaal een verongelijkt stelletje, als ze maar even de kans kregen. Zij incluis. Met een zucht begon ze in het kistje te grabbelen. Er was een portefeuille met foto's van een heel knappe vrouw, waarschijnlijk Sian Gallagher. Ze leek beslist veel op haar broer. Er waren nog andere typische zaken, zoals het pachtersboekje van het boerderijtje, betaalde rekeningen voor gas, water en licht, APK-kaart, kentekenbewijs, en dat soort papieren. Ze waren samengebonden met een groot elastiek.

Er bleef nog één verkreukelde envelop over. Ze voelde dat er een hard vierkantje in zat. Ze schudde de floppy eruit. In rode viltstiftletters stond er maar één woord op het label: BOEKHOUDING.

Ze keek naar de zwarte tas op de bodem van de hotelkast. Ze had getwijfeld of ze haar laptop wel mee moest nemen. Maar ze was er nu eenmaal aan verslaafd. Drie minuten later maakte ze het enige bestand van de diskette open.

De eerste naam kon niet missen. En die bevestigde haar zwartste veronderstellingen over de geesten die ze zojuist op de foto had gezien...

II

Na vier maanden begon ze door te krijgen dat altijd wanneer er slecht nieuws of potentieel vervelende berichten waren, ze door Ranj werden verteld. Voluit heette hij Ranjit of zo, maar niemand noemde hem zo. Gewoon Ranj. Ze werd pas een maand na haar aankomst aan hem voorgesteld, want hij had ergens een cursus gehad. Hij had een aardig gezicht met fijne trekken tussen de baard en de donkerblauwe tulband. Hij leek ontspannen, toegankelijk.

Ze merkte dat hij wachtte tot de ochtendtherapie voorbij was. Hij, Anna en Sarah zaten met hen in een kring. Ze hoorde Simon zuchten voor hij van start ging. Scherp Schots accent, zijn kostschoolkleren als om door een ringetje te halen. 'Daar gaan we weer! Wat is nu weer het grote nieuws? Eerder naar binnen? Omdat Lydia deze week twee keer te laat is binnengekomen?'

Iedereen begon te mompelen en alle ogen waren op Ranj gericht, die koel en onaangedaan bleef als altijd. Hij kuchte beleefd en sloeg terug. 'Kom op, dat is oneerlijk en dat weet je best, Simon. Nee. Ik heb goed nieuws voor allemaal.' Hij zweeg veelbetekenend. Hij liet ze wachten. 'We gaan met zijn allen op vakantie.'

'Wat is dat nou weer voor klotestreek! Ben je helemaal van de pot gerukt? Over twee minuten is het november verdomme! Begint die kutwinter!'

'Precies! Compleet achterlijk!'

Innes keek Abby snel glimlachend aan. Zoals altijd opgezweept door het gejoel van Carrie, Danny en Alex deden ze allemaal een duit in het zakje, maar Ranj hield de zaak onder controle. Hij liet ze even uitrazen. Wachtte kalm af tot al het overdreven gesteun, gekreun, en dof gemompel weer voorbij was. Anna keek hem op haar eigen bazige manier aan en nam het over. 'Eigenlijk gaan we kamperen.'

Ze stak beide handen in de lucht om de protesten te smoren. 'Het is alleen wel wat flitsender dan kamperen, al nemen we tenten mee voor het geval we een stukje verderop willen kijken en een nachtje onder canvas willen slapen. Maar we zullen voornamelijk in hutten van een verafgelegen bungalowparkje slapen. Verwármde hutten. Met koud en warm stromend water en een keukentje. We zullen veel buiten kunnen ondernemen. Kanoën, bergbeklimmen, spoorzoeken. In het hoofdgebouw staat ook een tv, dus je hoeft *Top of the Pops* niet te missen, oké?'

Innes zag hoe chagrijnige Carrie weer uitbarstte. 'Waar staat die huttenellende dan wel? Moeten we godverdomme allemaal mee? Een georganiseerd, truttig groepsreisje? Kon je niks saaiers bedenken?'

Maar Anna had haar antwoord al paraat, negeerde de tweede vraag en gaf opgewekt antwoord op de eerste. 'Vlak bij Argyll. In de buurt van Inveraray. Ranj, dokter Laurie en ik zijn erheen geweest om het te bekijken. Het is er prachtig, in welk seizoen dan ook. We hebben een langetermijnweersverwachting bemachtigd en de winter is daar nog niet doorgebroken. Koud, maar mooi weer dus.'

Nu was Danny aan de beurt. 'Wanneer gaan we dan? Krijgen we daar wel vrij voor?'

Ranj gaf hem snel antwoord, vastbesloten niemand een mogelijkheid te geven de zaak te ontduiken. 'Over twee weken. En maak je geen zorgen, we hebben een herfstvakantie geregeld. Aangezien jullie alleen maar 's middags naar school gaan, was dat geen probleem. Oké? Goed, dat was het dan.'

De bijeenkomst was over en iedereen dromde naar buiten. Innes bleef in de gang hangen en zonder dat iemand het zag, keek ze naar Anna die meubilair tegen de wand schoof.

'Nou, Ranj?'

Ranj had één kant van de bank vast en duwde er hard tegenaan. 'Je weet het niet. Volgens mij is het net wat ze nodig hebben. Wat we allemaal nodig hebben. Soms lijkt het hier net een vulkaan die op het punt staat uit te barsten.'

Anna hield op met waar ze mee bezig was en keek hem nadrukkelijk aan. 'En jij denkt dat we die vulkaan niet met ons meenemen?'

Innes liep op de trap af. Ze hadden gelijk. Er hing hier een gespannen, prikkelbaar sfeertje. Altijd. En ze had geen flauw idee waarom.

Angst

Zesentwintig jaar later – 2003

Verslag van zuster Anna Cockburn voor Staf Observatiearchief
11 oktober 1977
Betreft: Patiënt, Simon Calder (geb. 23-8-1960)

Simon heeft twee slechte dagen achter de rug. De gezinstherapie met de familie Calder verliep de laatste keer niet best. Mw. Calder volhardt in haar onbegrip over waarom er regelmatig van deze sessies met de ouders gehouden moeten worden wanneer haar zoon hier intern is. Ze houdt vol dat ze gewoonweg geen tijd heeft om één uur per veertien dagen aan haar zoons welzijn te besteden, want ze vindt dat nu geheel onder de verantwoordelijkheid van de PUA vallen. Mw. Calder schijnt dus steeds heftiger te ontkennen dat ze een rol speelt in Simons ziekte, en geeft er de voorkeur aan zijn bestaan te ontkennen zolang hij bij ons onder behandeling is. We moeten dit in toekomstige gezinssessies aanpakken en ons uiterste best doen om mw. Calder toch te bewegen om te blijven komen.

Niet verwonderlijk dat Simons problemen met zijn zelfwaardering acuter zijn dan ooit. Hij brengt zijn tijd steeds vaker alleen door, waar we tegenin moeten gaan. De staf moet zich veel met hem inlaten en hem ook bezig laten houden door andere patiënten. Zijn relatie met Carrie is zoals bekend zijn sleutelrelatie, maar zij geniet ervan, eveneens als bekend, hem flink op te jutten. Wanneer hij het gevoel heeft dat niemand van hem houdt, gedraagt hij zich nog meer dan anders als een omgevallen boekenkast, om te laten zien dat hij ten minste goed is in één ding. Dit wekt weer de woede van anderen zoals Danny op, die zich qua kennis en intellect de mindere van anderen voelt (correct wat het eerste betreft, maar met zijn intelligentie is niets mis) en dan volgt weer een uitbarsting.

Ik stel voor Simon de komende dagen goed in de gaten te houden. Hij blijft een patiënt met acute angstaanvallen.

CC: Daglogboek; Nachtdienst, Bijzonder Verslag
CC: Dossier S. Calder

12

Meisje ontvoerd – Politie somber

Een vierjarig meisje uit het pittoreske vissersplaatsje St. Monans, Fife, is gistermiddag ontvoerd. Katie Calder, leerling van de exclusieve St. Kilda's Kleuterschool in St. Andrews, wachtte in gezelschap van twee oudere meisjes op haar moeder bij het schoolhek, toen een man van middelbare leeftijd haar oppakte en meenam.

Een politiewoordvoerder meldt dat ze verbijsterd zijn door het gebeurde en ze maken zich toenemend zorgen over Katies veiligheid. Hij betuigde dat de politiezoektocht ieder uur wordt uitgebreid, en dat er extra politiemensen van andere regio's zijn ingezet om te helpen bij het onderzoek. De woordvoerder zei dat het 'te vroeg' was om te zeggen dat Katies verdwijning in verband staat met een reeks onopgeloste kinderontvoeringen die de afgelopen twee jaar in het noordoosten van Engeland en aan de Schotse grens hebben plaatsgevonden.

Onderwijl helpen Katies twee vriendinnetjes de politie met het maken van een composietafbeelding van de ontvoerder. Katies ouders, dr. Simon Calder, klinisch psycholoog, en zijn vrouw Rachel, hebben een tweede dochter, Lily (6). Buren zeggen dat de familie 'er kapot van' is en 'wanhopig verlangt naar nieuws omtrent Katie'.

'Weet je zeker dat ze in orde is, Simon? Het is nu bijna twee weken geleden en je laat haar nog steeds niet naar school gaan. Is dat nu wel goed? Moet ze niet weer met vriendinnetjes omgaan, om even aan wat anders te kunnen denken?'

Aan wat anders denken! Hij vervloekte haar fijngevoeligheid, die nog het meest weg had van een botte bijl. En hij vervloekte zichzelf. Dr. Simon Calder, klinisch psycholoog. 'Geneesheer, genees uzelf.' Je lacht je rot. Hoe kon hij in godsnaam nog iemand genezen in deze staat? En met háár in de buurt? Zijn helleveeg van een moeder. Maar zo was de toestand nu eenmaal. Het was kwart voor twaalf en hij was het zat. Voor de tachtigste keer keek hij de twee weken oude krant in en smeet hem de kamer door, de kop gebrand in zijn geest, dankzij de dagelijkse gewoonte om alles wat er verschenen was over zijn dochter te lezen en te herlezen waardoor het een ingesleten, niet te genezen neurose geworden was.

Hij drukte de hoorn vaster tegen zijn oor. 'Moeder, Lily's zusje is gekidnapt. Ze wíl niet naar school. Trouwens, ze heeft ook vriendinnen in het dorp en bovendien is ze is niet de enige die wegblijft van school, geloof me. De twee meisjes die erbij waren toen Katie meegenomen werd, worden ook nog steeds thuisgehouden. Luister, mijn mobieltje gaat. Ik moet ophangen. Als er nieuws is, hoor je het meteen van me.'

Hij hing op. Zijn mobieltje stond zwijgend in de oplader, maar hij voelde zich geen moment schuldig om zijn leugentje.

Zijn moeder deed gewoon wat ze het beste kon. Zich ermee bemoeien. Ondermijnen. Hem het gevoel geven dat hij stuntelde. Elke normale moeder zou haar onvoorwaardelijke steun over hem en zijn gezin uitstorten. Maar zijn moeder was nu eenmaal nooit normaal geweest. Nou ja, niets aan te doen. Maar hij was drieënveertig, geen veertien. Hij kón zijn eigen beslissingen nemen zonder haar goedkeuring. Kón hierdoorheen komen zonder haar.

Hij liep de studeerkamer uit en liep zacht de trap van zijn geliefde huis op. Het spectaculairste aspect ervan, het uitzicht over de monding van de Firth of Forth, die daar de vaak woeste Noordzee in vloeide, was ongeëvenaard. Vannacht was er niets te zien. Alleen te horen. De golfslag was rustiger dan gewoonlijk, maar hypnotiserend in zijn troost. Zijn eerste stap op de overloop was de ouderlijke slaapkamer. Met Rachel was alles in orde. En ook weer niet. Hij merkte de snelle oogbeweging onder de trillende oogleden op. Ook zij was zo ongerust dat er geen woorden voor waren. Twee weken waren voorbijgegaan sinds de gebeurtenis, en zijn vrouw wist zelfs in haar onbewuste dat hoe langer het duurde, hoe erger de uitkomst. Hij deed een stap naar voren om haar op de wang te kussen en ging naar de andere bewoonde slaapkamer.

Heel even was hij jaloers op de ogenschijnlijk onbezorgde sluimering van zijn dochter. Lily lag op haar rug, armen wijd alsof ze gekruisigd was, dekbed weggetrapt. Ze zag er net zo vredig uit als ieder ander zesjarig meisje er in haar slaap uit moest zien. Maar hij had er zijn professionele vaardigheden niet voor nodig om te weten dat dit een schijnwaarheid was. Hij knielde neer naast het smalle bed, naast de tekenfilmfiguurtjes van het nachtlampje die vrolijk en geruststellend grijnsden. Hij kuste het meisje op haar voorhoofd, en voelde haar lijfje haast onmerkbaar bewegen. Hij vermeed angstvallig het derde, lege, kamertje binnen te gaan, maar knikte goedkeurend toen hij zag dat Katies nachtlampje haar schijnsel in een smalle streep over de overloop legde.

Weer terug in zijn studeerkamer deed hij het raam open. Hij deed dat hoe het weer ook was, overdag en 's nachts, tot de wind zijn documenten wegblies, of de regen of de druppeltjes zeewater spetters op zijn bril achterlieten en zijn zicht verstoorden. Maar het was zomer, en goed weer. Hij deed ook het laatste knoopje van zijn overhemd open en blies wat lucht op zijn verhitte borst. De whisky die onaangeroerd naast zijn elleboog stond, eiste zijn aandacht op. Gulzig dronk hij hem in één brandende teug op en vulde het glas haastig bij, waarbij een paar gouden druppels op de zoom van zijn korte broek vielen. Toen boog hij het hoofd naar voren, draaide de dop van zijn vulpen af en was gereed voor zijn nachtelijke poging tot catharsis.

Zondag. Middernacht
Het is nu bijna twee weken geleden dat Katie werd ontvoerd. Als ze niet dood is, dan moet ze volgens ons minstens aangerand zijn. We hebben vandaag gruwelijk nieuws gekregen. Ze hebben Katies sokjes en rokje gevonden. Iedereen denkt dat ze dood is. Het wordt moeilijker en moeilijker. Iedereen gaat kapot aan het wachten. De politie wil het niet bevestigen. Maar ik voel het wel aan, lees het van hun gezichten af, hoor het aan de andere klank van hun stem. Onofficieel leggen ze een verband tussen Katies verdwijning en die van de anderen – waarvan er niet een goed afgelopen is. Al die kleintjes zijn dan wel teruggekeerd, maar ze zijn wel hevig beschadigd teruggekeerd.

Waarom? Van alle kinderen in de hele wereld... maar nee, ik mag dit niemand anders toewensen. Wat wreed, wat onrechtvaardig. Ik weet wel waarom. Ik verdien het, maar mijn kleine Katie toch niet. Waarom heeft het noodlot zich dan niet rechtstreeks *op mij gewroken? Ik kan dit niet verdragen. Help me. Help ons allemaal.*

Maar niemand kan helpen. Zelfs deze vreemde handeling kan mijn last niet verlichten. Het komt me vreemd voor dat ik sinds ik volwassen werd een dagboek heb bijgehouden. Nogal ouderwets eigenlijk. Maar het is zo vaak mijn redding geweest. Zelf-psychoanalyse. Een rechtbank voor mijn verwarde gevoelens. Ik genoot er-

van terug te zien op crisissen die ik op die manier overwon, maar ik heb mijn twijfels over het overwinnen van deze crisis.

En het ergst zijn de herinneringen. Aan Die Tijd. Niets heeft die verschrikkelijke gevoelens van die tijd kunnen bedaren. Mijn werk niet, het helpen en genezen van anderen. De liefde van mijn knappe vrouw niet. De geboorte en het opgroeien van mijn twee dierbare dochtertjes niet. Die tijd is altijd aan me blijven knagen, hoe diep die ook in me begraven ligt.

Ik slaap nauwelijks meer. Vanwege de nachtmerries. Deze gebeurtenis heeft ze na al die jaren teruggebracht. Rachel weet van hun bestaan niet af. Ze neemt de pillen die ik haar elke avond sinds Katies verdwijning geef dankbaar aan. Ik drink te veel. Vroeger kon drank me niet schelen. Kon het makkelijk laten. Maar nu niet meer. Ook daarvan weet Rachel niets. Ik koop het heimelijk – buiten het dorp – en ik gooi de lege flessen ook heimelijk weg. Allemaal bedrog, leugens, schuld.

Het had allemaal veel erger kunnen zijn. De politie wilde, stond er bijna op, dat we hier dag en nacht een agent zouden krijgen. Moet er niet aan denken! Ik heb mijn poot stijf gehouden. Gelukkig stond Rachel helemaal achter me, wat dit betreft. We willen geen indringers. We hebben er al genoeg. Al zijn ze onzichtbaar.

En wat werk betreft? Het is een geluk dat mijn collega's zoveel begrip tonen. De druk van de patiëntenlijst is dankzij hen even van me afgenomen. Waar het om draait is dat niemand ook maar een flauw idee heeft waarom deze gebeurtenis me zoveel harder raakt dan wie dan ook. Rachel kan het niet weten. Niemand kan het weten. Dat is niet helemaal waar. Er zijn een paar anderen.

Ik begin me af te vragen of God misschien toch bestaat. Als dat zo is, lacht Hij/Zij/Het toch maar het best. Wreed doch rechtvaardig, inderdaad. Zo duidelijk als wat. Katies lot is mijn schuld. Mijn straf. Mijn verdiende loon. En nu is het tijd om naar bed te gaan. Tijd om te dromen.

13

Uiterst zacht klopklop. Hij wist dat zij het was. Ergerlijk genoeg wachtte ze nooit op antwoord. Zwaaide gewoon de deur open en wandelde zijn kantoor binnen. Hij leunde achterover in zijn bureaustoel en probeerde een dun glimlachje. Hij keek toe hoe dokter Sheena Logan, hoofd Psychologische Dienst, Externe Patiënten, een stoel tegenover hem nam en ging zitten.

'Simon, jongen toch. Kun je het wel aan, weer aan het werk te gaan? Geen nieuws, vrees ik?'

Hij schudde het hoofd, en rolde zijn stoel een paar centimeter verder af van de overweldigende aanwezigheid van zijn baas. Ze leek meer plaats in beslag te nemen dan hij en de laatste tijd vond hij haar overduidelijke bezorgdheid en dagelijkse bezoekjes aan zijn kantoor vrij benauwend. 'Eh... nee, Sheena. De politie heeft niets kunnen vinden. En ik... ik blijf echt liever aan het werk. Gewoon administratief werk, rapporten schrijven. Natuurlijk is het uitstekend dat ik mijn patiënten voorlopig niet zie... Dat ben ik helemaal met jou en de afdeling eens... en ik eh, ik houd mijn uren beperkt. Zo kan ik meer bij Rachel en Lily zijn.'

Ze knikte, leek tevredengesteld, stond op en liep terug naar de deur. 'Goed zo, Simon. Je gezin is het allerbelangrijkste in deze tijden. Jullie moeten elkaar veel troost bieden. Goed, ik ga ervandoor. Zorg echt dat je je niet overwerkt. Begrepen? Tot ziens dan maar weer.'

Hij schoof zijn stoel weer naar voren, zijn hoofd rustte in zijn handen. Godzijdank liet ze hem weer vierentwintig uur lang met rust. Hij wist maar al te goed waarom ze zo overbezorgd was om zijn welzijn. Hij had het haar verteld. Nou ja, er íéts over verteld, toen hij deze baan achttien maanden geleden aangeboden had gekregen. Hij had haar over zijn psychiatrische verleden moeten vertellen. Anders had hij het niet aangedurfd een aanstelling aan te nemen in dezelfde kliniek waar hij eens patiënt geweest was. Al was het dan meer dan een kwart-eeuw geleden. Al waren dokter Laurie en de verpleegkundigen niet langer werkzaam. Als hij het niet had verteld, dan had dat een te groot risico voor zijn carrière kunnen vormen. De psychologisch/psychiatrische gemeenschap was maar een klein wereldje in Edinburgh.

Maar Sheena had het goed opgepakt, en zei luchtig dat hij niet de enige was op het gebied van geestelijke gezondheid die de patiëntenwereld 'van binnenuit' had leren kennen. Ze had er het gebruikelijke cliché aan toegevoegd dat hij daardoor waarschijnlijk alleen maar een betere psycholoog was geworden. *Jezus, als ze nu zijn gedachten eens had kunnen lezen.*

Hij trok de bureaulade open. De foto raakte behoorlijk beduimeld. Daar waren ze. Staf en patiënten. Opgesteld in rijen, als een voetbalteam, verdorie. Met het glasachtige wateroppervlak van Loch Fyne op de achtergrond. Hij liet een vinger over de gezichten dwalen. Een plaatje vertelt nooit het hele verhaal. Deze foto al helemaal niet. Een willekeurig iemand zou alleen maar een groepje tieners en een handvol volwassenen zien, genietend van hun vakantie. Je moest heel precies kijken, en weten waarnaar je zocht, wilde je door de buitenkant heen kijken om te zien wat er werkelijk aan de hand was.

Arme Ranj. Het was zijn super-de-luxe camera, en hij had hem op de zelfontspanner gezet en was teruggerend om zich bij hen te voegen aan het eind van de achterste rij. Een week later, weer terug in de Unit, had hij iedereen trots een afdruk gegeven. Carrie had de hare theatraal in duizend stukjes gescheurd en ze ten overstaan van iedereen in de afvalbak laten vallen. Echt Carrie. Maar voorzover hij wist, hadden alle anderen hem bewaard. Voorspelbaar gedrag, vanuit het oogpunt van een psychiater.

Hij stak zijn hand dieper in de la. Ze lagen netjes chronologisch gerangschikt. Het was hem gelukt ze te vinden en ze in een handomdraai te stelen. De archiefafdeling hier was gruwelijk beveiligd. Hij had verwacht dat ze vernietigd zouden zijn, maar nee. Iemand had ze over het hoofd gezien en ze lagen als door een eekhoorn verstopt, vergeten, met dikke lagen stof erop in een ongebruikt deel van de kelder. De dossiers waren incompleet. Maar het was genoeg. Vreemd, al had hij die documenten nu langer dan een jaar, en de foto bijna zijn hele leven, hij had ze in geen tijden aangeraakt. Tot Katie was meegenomen. Toen was hij naar de kluis van zijn studeerkamer gegaan en had ze eruit gehaald. Ze waren tegelijkertijd een vloek en een talisman voor hem. Een knoop in zijn zakdoek.

Omdat hij niet helemaal achterlijk was, vroeg hij zich vaak af, terwijl hij gesolliciteerd had naar de baan en hem nog gekregen had ook, hoe sterk hij daartoe gedreven was door de Unit. De keuze voor zijn carrière was duidelijk gerelateerd aan zijn verleden. Hij wilde helpen en, waar mogelijk, genezen. Maar om daarvoor nu naar hetzelfde ziekenhuis terug te gaan? Het ultieme 'klaarkomen met je verleden'? De apotheose van 'afsluiten'? Zo simpel lag het nu ook weer niet. De Unit lag op het terrein van de kliniek en had nooit deel uitgemaakt van het hoofdgebouw. Feitelijk was het gebouw van de Unit niet eens meer van de kliniek, al stond het er nog steeds. In verwaarloosde staat. Vaak merkte hij op dat hij ertegen opzag erlangs te lopen, en hij verzon de raarste omwegen om het gebouw niet eens te hoeven zien. Maar hij was bezig met een plan om over die vreemde fobie heen te komen.

Hij streek een vergeelde pagina voor zich glad.

Verslag van zuster Anna Cockburn aan dr. Adrian Laurie, adviseur/medisch directeur, PUA
15 oktober 1977
Betreft: Groepsgedrag binnen PUA

Er is een grens overschreden binnen de groepsdynamica in de Unit, en na overleg met mijn hoofdverpleegkundige en ander verplegend personeel, ben ik van mening dat we binnenkort problemen kunnen verwachten. De groep heeft de afgelopen weken een uitgesproken seksualisering ondergaan, ruwweg sinds de toelating van Innes Haldane. Het is mijn mening dat haar opname de katalysator is voor een aantal andere gebeurtenissen, zoals met Lydia Young, die altijd op zoek is naar aandacht, door bijvoorbeeld te zeggen dat ze 'de tent in de fik zal zetten' op dezelfde dag dat er een half blik benzine en een zak met oude lappen op het terrein werd gevonden. Hoewel deze gebeurtenis aan de opname voorafging, viel het wel samen met de aankondiging van haar aanstaande komst. Volgens mij staan deze gebeurtenissen in verband met elkaar.

Ik geloof echter dat de aanwezigheid van Isabella Velasco de voornaamste oorzaak is van de seksualisering. Haar opvallend aantrekkelijke verschijning is sommige patiënten niet ontgaan, en dit heeft geleid tot diverse seksuele 'spelletjes'.

Ik heb al eerder rapport uitgebracht over de verschillende toespelingen en opmerkingen van seksuele aard die dagelijks genoteerd kunnen worden. Ook bestaat er de te verwachten seksuele fixatie op stafleden zoals we zagen in het 'seksuele psychodrama' waarvan ik vorige week heimelijk getuige was, net als de intimidaties met een gewelddadige inslag, met name van Caroline.

De beschouwing van stafleden als seksuele objecten is natuurlijk niet ongewoon en het is meestal een uitbreiding van de emotionele band die patiënten met de staf onderhouden. Het ontwaken van de seksuele dynamiek tussen de groepsleden onderling heeft enige verontrusting gewekt bij mij en mijn team.

Met name Danny Rintoul moet m.i. nauwlettend in de gaten worden gehouden (met in het achterhoofd dat het nog maar negen maanden geleden is dat hij een meisje van zijn school heeft aangerand toen hij nog maar veertien jaar was). Verder Caroline Franks en Lydia Young. Misschien moeten we de medicatie enigszins aanpassen.

CC: Daglogboek
CC: Dossiers D. Rintoul; C. Franks; L. Young

Voorzichtig schoof hij de foto en de documenten in de la en deed hem op slot. Al dat materiaal zou thuis moeten liggen. Waarom had hij het eigenlijk meegenomen? Zodat hij de herinneringen boven kon laten komen, zijn gedachten de vrije loop kon laten? Nu, dat kon. Hij zag er geen been in om ze stop te zetten. Dat verloor je bij voorbaat. Hij stond zichzelf toe te denken aan die ene dag waaraan zuster Anna had gerefereerd, en vroeg zich af hoe ze daarachter was gekomen.

Hij wist dat het ongewoon was om allemaal tegelijkertijd in één ruimte te zijn, tenzij ze groepstherapie hadden of psychodrama of een bijzondere bijeenkomst. Maar het was donderdagavond. *Top of the Pops* was afgelopen. Het enige programma waar iedereen naar keek. Op Lydia na. Hij wist, net als de anderen, dat wanneer ze in de downfase van haar manische depressie was, ze altijd naar haar kamer ging en zich verborg na een bezoekje aan haar geheime bergplaats van chips en chocola. In haar eentje. Knorrig. Haar handigheid in het verstoppen van snoep en zoutjes verbaasde hem, en hij wist dat iedereen zich eraan ergerde, zowel de patiënten als de staf; patiënten omdat zij ze wilden stelen, staf omdat Lydia's vreetbuien zowel haar geest als haar lichaam aantastten. Gedurende deze perioden moesten ze aanzien hoe ze vanachter een gordijn van ongewassen haar naar hen loerde. Het was een onophoudelijke strijd tussen haar en Hen. De staf. De anderen. Iedereen probeerde haar te bespieden. Maar zij bespiedde ook hen. Ze zag alles, ze wist alles. Maar daar was hij toch net iets beter in. Simon-de-spion. Hij wist meer van alles hier dan zij ooit te weten zou komen.

Hij voelde hoe Carrie hem in zijn buik zat te porren terwijl hij probeerde een boek te lezen. Hij wist wat ze wilde. Tijd voor een rondje Simon pesten. Marteltijd. Ze schetterde in zijn oor. 'Haha! Oké dan, stuudje. Je hebt die stomme geschiedenis- en aardrijkskundewerkstukken allang af. Je hebt nu een hele tijd geen huiswerk. Ga je weer naar je schoolconcertje? En wie neem je mee? Waarom vraag je Isabella niet?'

Verdomme! Hier had hij nu even helemaal geen zin in. Hij vond het zo vreselijk als ze weer in zo'n bui was. Hij fluisterde haast. 'Carrie. Alsjeblíéft.'

Hij zag hoe Alex Carrie aankeek en bleef aanstaren. 'Dat meen je toch niet, Carrie! Hij maakt geen schijn van kans. Abby is echt Eerste Divisie-werk, Si.' Daar gaan we weer, dacht hij. Alex had er lol in hem wanneer ze de kans schoon zag de grond in te boren. Ze was erger dan Carrie. Er zat een in- en insadistisch trekje in haar dat ze uitspeelde wanneer ze het op je voorzien had. En eerlijk was eerlijk, ze nam iedereen wel eens op die manier onder vuur van tijd tot tijd. Ze leek geen persoonlijke vendetta's te hebben.

Maar hij was wel opgelucht dat hem de slachting van Alex vandaag bespaard bleef, omdat Carries valse trekje opspeelde en ze naadloos overging van de rol van zijn kwelgeest in zijn beschermer. Ze richtte haar pijlen liever op Alex dan dat ze hem bleef pesten. Behoorlijk tevreden keek hij toe hoe Carrie schor uitstootte: 'En wat bedoel je daar verdomme mee, stom kutwijf met je kale harses? Niks mis met Si, toevallig. Een paar goeie kleren, naar een goeie kapper en hij is oké. Hij ziet er in elk geval stukken beter uit dan jij. Jij ziet eruit als een vent, kale kuttenkop!'

Hij voelde dat de zaak nu een beetje uit de hand ging lopen, maar ook de tweede keer werd zijn smeekbede genegeerd. 'Carrie, alsjeblíéft. Laat nou maar.'

Danny stak er eentje op, een bruingevlekt, half opgerookt sjekkie. Hij hoestte de eerste rookwolk uit die zijn longen had gepasseerd. Altijd dat gore roken, een sjekkie dat met chirurgische precisie aan zijn lip werd gekleefd, dag en nacht. Ergens anders zou dit als uitdagend gedrag worden opgevat, maar hier hield de staf zich met zulke kleinigheden niet bezig. Logisch eigenlijk. Als roken onder de zestien alles was waar ze zich druk over moesten maken... mooi niet.

Hij keek toe hoe Danny zijn sjekkie oprookte en vermoedde wat er nu zou komen. Ja, nu zou Danny hem eens een hak zetten. 'Hé, Si? Waarom vraag je dat stuk van een zuster Anna niet? Of misschien is zij ook een beetje te hoog gegrepen voor jou?' De rest van de groep begon te giechelen omdat hij zo lekker in de zeik werd genomen.

Carrie wierp haar haar aan beide kanten over haar schouders. 'Leuk hoor, Danny. Je denkt zeker dat Anna liever zo'n flinke knul als jij heeft, hè?'

Er klonk een stem uit de hal. 'Nou, Danny? *Zou je dat willen*? Haar eens lekker pakken, bedoel ik?'

Simon liet zijn ogen van Danny naar de deur glijden. Lydia was terug en liep op de half afgemaakte, oude versleten puzzel van de Bay City Rollers af die op een wandtafel lag uitgespreid. Blijkbaar verveelde ze zich boven. En was ze eenzaam. Tijd om een beetje onrust te stoken onder de rest. Danny slenterde op haar af, en boog zich iets naar voren zodat hun gezichten op één lijn stonden. 'Wanneer word je nou eens volwassen, Lydia! Laat ons alsjeblieft met rust. Ga toch naar boven en stop je vette pens nog eens lekker vol.'

Hij schudde het hoofd naar Danny. Dat zou Lydia niet pikken. En ja hoor, daar gingen de puzzelstukjes en ze begon zenuwachtig heen en weer te wippen op haar stoel. 'Lazer toch op, Danny!' Ze keek iedereen stuk voor stuk aan, stond op en begon een vreemde rondedans, als een tol ronddraaiend, tot ze duizelig was. En nu had ze die bekende manische uitdrukking gekregen. 'Ga dan door! Hup dan. Met wie zou iedereen wel eens willen... willen...' Ze sprak het uit alsof het de eerste keer was dat ze het woord zei. 'Met wie van de staf zou iedereen wel eens willen *neuken*! En als je d'r niet mee wil neuken, wat zou je dan met ze willen doen?'

Niemand bewoog. Niemand maakte geluid. Lydia keek hem smekend aan met een ernstige blik en een frons op haar voorhoofd. Maar Simon keek meteen naar de vloer. Hij voelde dat de anderen hetzelfde deden.

'Hé, wat is er nou? Waar blijven jullie?' Lydia's wangen werden rood van opwinding. Hij wou dat ze weer naar boven ging.

Hij hoorde Carries hese lach. Verdomme! Je hoorde haar diep ademhalen zoals altijd wanneer ze opgefokt was. 'Yés! Voor één keer heeft Lydia eens gelijk! Kom op, we doen het. Ons eigen gore psychodrama! Dat wordt vet lachen! Kom op, zakkenwassers!'

Hij ging bij hen staan, terwijl ze allemaal hun schoenen uitdeden en in een kring gingen staan. Hij zag Isabella en Innes aarzelen, maar ze spoorden elkaar aan met heimelijke blikken.

'Wie eerst? Ikke!' Die trut van een Carrie wilde niet op een andere vrijwilliger wachten en sloeg haar lange benen al over elkaar heen in kleermakerszit, in het midden van de kring zodat ze iedereen kon aankijken. 'Oké. Start!'

Hij was verbaasd dat Alex de eerste was die begon. 'Dokter Laurie. Wat zou je met hem doen?'

Een lachje gleed over zijn gezicht terwijl Carrie haar kin in haar hand nam, haar ogen naar het plafond opsloeg alsof ze zeer ernstig nadacht. Ze liet hen allemaal wachten. En toen vertelde ze het. 'Misschien eens goed vrijen. Maar niet neuken. Hij is kaal, gadverdamme!"

Iemand anders riep: 'Ranj!'

Carrie joelde. 'Tongzoenen! Misschien neuken.'

Het commentaar kwam uit alle kanten van de kring.

'Maar hij heeft een baard! Afschuwelijk!'
'Maar die is zacht. Best lekker.'
'Jagh!'
'En wat dacht je van die broeder, Sam, van de kliniek? Die ze soms hier laten helpen?'
'Vergeet het maar, ik zou nog wat van hem oplopen!' Carrie ging de kring uit en duwde hem naar binnen. 'Kom op, Si, grote jongen. Jouw beurt!'
Hij klemde zich aan haar vast toen ze hem begon te duwen. 'Nee, Carrie, alsjeblieft, nee!'
Maar Alex stak haar hand op. 'Hebben we niet iemand vergeten?'
Carrie snauwde terug: 'Zoals?'
'Zoals Anna en Sarah.'
Carrie was verstijfd, half binnen, half buiten de groep, met nog steeds één hand om zijn pols. Ze wierp haar haar naar achteren, of ze Miss Nonchalance zelf was. 'Doe niet zo aachterlijk, Alexaaanderaaa! Dat zijn meiden. Idiooot!'
Hij zag hoe Alex Carrie aankeek. Het was puur uitdagend. 'Nou én, Carrie? Je moet wel zeggen wat je met ze zou doen....'
Een verwrongen grimas verving Carries vaste sneer. 'Ik zou die kuthoofden van ze intrappen.'
Alex zat haar op te jutten, haar ogen glommen van opwinding. 'Dat betwijfel ik. Ze zouden je in een nekgreep nemen en tot je oogballen vol Largactil spuiten voor je wist wat er gebeurde. Trouwens, we hadden het over neuken, weet je nog wel?'
Simon kromp ineen maar wist wel beter dan ook maar één woord te zeggen. Jezus! Hou er nou eens over op, kreng! Hij schudde het hoofd, en vervloekte Alex' moedwillige en voor iedereen merkbare wens om rotzooi te trappen. Ze wilde mensen in verlegenheid, verwarring en God weet wat nog meer brengen. Hij wilde dat ze haar mond hield. Laat ze, laat ze allemaal met rust. Waarom moest ze altijd alles op stelten zetten?
Maar binnen een seconde bleek Danny de hele zaak over te

nemen en ermee op de loop te gaan, met een grote grijns. 'O, Anna en Sarah? Pfoei! Ik zal je één ding vertellen, die Sarah die lust er wel pap van, en ik weet precies met wie ze die naar binnen wil werken.' Zijn ogen gleden langzaam de hele kring rond en weer terug, en bleef plotseling steken bij een van hen.

Hij keek weg van Danny. Er was nu echt rotzooi in aantocht in de Unit. Daar hoefde je niet aan te twijfelen. Iedereen haatte of hield van elkaar, een van de twee. De ergste combinatie die je kon bedenken. Een combinatie die alleen een verdomde hoop gelazer zou geven...

Simon schudde zijn hoofd alsof hij de herinnering weg wilde vagen, en heel langzaam begon hij zijn tas in te pakken, deed zijn bureaulamp uit en ging met tegenzin de ellende waaruit zijn huis bestond tegemoet.

14

Hij begeleidde zijn moeder naar haar ouderwetse Daimler. Zwijgend deed ze het portier open, gaf een pets op de helpende hand die hij toestak met een scherp: 'Ik red me wel!' Behoedzaam stapte ze in, uit angst om haar rok te kreuken en startte de motor.

'Sim...'

'Toe nou, moeder. Er valt niets meer te zeggen. Je hebt alles al gezegd.'

Zonder zelfs maar zijn gebruikelijke 'Rij voorzichtig' te zeggen draaide hij zich om en beende terug, het huis in, zich bewust van Rachels bleke gezicht dat door een spleet tussen de gordijnen van de slaapkamer opdoemde. Hij keek op de klok in de vestibule. Tien over halftwaalf. Hij hoopte vurig dat Lily sliep. Hij liep naar zijn studeerkamer en zette ritueel het raam open. Een zilte windvlaag liet zichzelf binnen, ritselde door de papieren op zijn bureau en verdween zo snel dat hij het zichzelf verbeeld kon hebben.

Hij zat in zijn stoel en staarde uit over zee, die maar een paar meter verderop lag. Hij kon golven als witte paarden zien die te pletter sloegen tegen de rotsen. Hij kon de hele nacht goed overzien. Hij deed het licht niet aan en schonk een glas voor zichzelf in, en zonder dat hij zich ervan bewust was, wiegde hij voor- en achteruit in zijn stoel, terwijl hij de gebeurtenissen van het afgelopen uur overdacht...

Hij was niet van haar geschrokken. Hij wist dat ze daar al een tijdje stond. Hij had haar willens en wetens genegeerd. 'Simon, ik ga maar eens vroeg naar bed. Ga alsjeblieft even bij je moeder zitten. Ze zit in haar eentje voor de tv met de hond als gezelschap.'

Hij negeerde de stekelige opmerking. Hij voelde hoe ze op hem afkwam en dook ineen. Zijn stem was opzettelijk koel. 'Waarom heb je Moeder die dingen verteld? En zeg alsjeblieft, alsjeblieft niet "wat voor dingen". Die ouwe taart heeft me er net van langs gegeven. Dus wat mij betreft kijkt ze maar lekker tv tot ze eindelijk oprot. Niet te geloven dat je me zo ondermijnt, juist in deze tijd. En dán bij Moeder! Je weet toch hoe ze is. Je weet toch wat ze me heeft aangedaan!'

Hij had dit haar allemaal gezegd met zijn rug naar haar toe, in het donker, met zijn gezicht naar zee. Langzaam had hij zijn stoel gedraaid en het lampje aangeknipt, en de gele gloed viel over zijn magere gezicht. Hij zag zijn weerspiegeling in het donkere raam. Een doodshoofd. Zag zij hem ook zo? 'Rachel, waarom heb je verdomme tegen Moeder gezegd dat ik er niet voor je was? Je niet steunde? Dat is toch ongelofelijk!'

Ze was in het midden van de kamer blijven staan, haar zijden pyjama benadrukte de rondingen van haar lichaam, in een onbewuste overdracht van krachtige seksualiteit. Dat was altijd haar specialiteit geweest. Sensueel zonder het te weten. Ze zag er beter uit dan nu zou mogen. Maar hij was momenteel ongevoelig voor haar charmes. Hij zat te wachten op haar antwoord.

Ze zei: 'Het is waar. Het lijkt net of je niet hier bent, met mij en Lily in deze nachtmerrie. Je zegt de juiste dingen, doet de juiste dingen, maar je hart is er niet bij. Jíj bent er niet bij. Ik ken je al heel lang, Simon, en je lijkt er niet bij betrokken. Ons kind wordt vermist. Ik denk dat ze dood is. Ik ben niet bang om het uit te spreken, merk je dat? Ik heb nog nooit zo'n pijn gehad. Maar ik huil. Ik praat met mijn vrienden en vriendinnen. Ik houd Lily vast. En jij? Jij bent koud. Je bent beleefd. Je toont verdriet op een huichelachtige manier. Ik ken je zo helemaal niet, Simon.'

Ze beheerste zichzelf geweldig. Dat moest hij haar nageven. Alleen haar mondhoeken gaven aan dat ze straks, alleen, in bed, een huilbui zou krijgen...

Hij verbeeldde zich dat hij het huilen kon horen. Hij legde zijn hoofd in zijn nek, staarde naar het raam, alsof hij door de lagen pleisterwerk en hout heen kon kijken om zijn vrouw in foetushouding te zien liggen, zichzelf in slaap wiegend.

Hij schonk nog eens bij, duwde het raam nog een paar centimeter wijder open, verwelkomde de bries. Treurig dat zijn huwelijk zo diep gezonken was. Het was geen geheim dat de ouders van ontvoerde kinderen konden rekenen op de afbrokkeling van hun huwelijk. Maar dat was gewoonlijk een tijd na de gebeurtenis. Gewoonlijk klampten ze zich eerst aan elkaar vast, werden ze intiemer dan ze ooit geweest waren. Voor een tijdje dan, totdat het kind teruggevonden werd, levend of... Nee, hij wilde het zelfs niet tegen zichzelf uitspreken.

En ze waren toch gelukkig geweest? Hij en Rachel? Tot nu toe. Hij in elk geval wel. En dat hij haar niet verteld had over zijn jeugd? Nou, dat was een bedrog dat zo oud en versleten was, dat je het nauwelijks meer bedrog kon noemen. Nee, Rachel was écht gelukkig geweest met hem. Het was haar tweede huwelijk. Ze zag uit naar stabiliteit, en tederheid, en kinderen. Hij had haar dat alles gegeven. Ook omdat hij dat zelf wilde. En dat had gewerkt. Ze pasten goed bij elkaar. Toen ze elkaar ontmoet hadden, hij halverwege de dertig, zij iets jonger, had hij een carrière, een vaste aanstelling. Hij had aan zichzelf gewerkt, innerlijk en uiterlijk. Hij zag er goed uit, meer dan goed. Pas de laatste jaren zag hij er zo fit en modieus uit, maar hij genoot ervan, niet in het minst van de vrouwelijke aandacht die hij ermee won. Al waren de ontmoetingen met die vrouwen, zelfs die van langere termijn, nogal leeg geweest. Tot Rachel kwam.

En die eerste ontmoeting! Bij een liefdadigheidsdiner voor de geestelijke gezondheid in Glasgow, waar hij toen werkte. Ze was daar met een bevriende psychiater, die dacht dat hij haar in zijn zak had. Maar daar dacht zij anders over. Die vent had nooit meer een woord tegen hem gezegd. En toen ze achteraf met Simon naar huis was gegaan, had ze met haar prachtige glimlach gezegd: 'Je bent anders. Ik weet niet waar het aan ligt, maar anders.' Het had als een cliché kunnen klinken, maar zo was zij beslist niet. Ze was direct, oprecht, wijs. Maar niet wijs genoeg. 'Je bent anders.' En ze had gelijk. Hij was anders...

Boven hem klonk geluid. Rachel die heen en weer liep naar de badkamer. Ze was wakker. Hij stond half op. Hij moest naar haar toe... moest haar troosten... misschien zou zij hem wel troosten... Maar nee... Hij ging weer zitten. Het had geen zin. Het zou niet genoeg zijn en huichelachtig. Van zijn kant.

Nog even en hij zou zijn hoofd over zijn bureau buigen om aan het werk te gaan. Aan zijn dagboek.

15

Katie gevonden –
Politie zoekt serie-ontvoerder

De vierjarige Katie Calder, uit St. Monans, Fife, is weer thuis na tweeënhalve week gevangen gezeten te hebben bij een ontvoerder.

Gisteren bevestigde de politie dat de ontvoering in verband moet staan met de verdwijningen van vier andere meisjes die de afgelopen twee jaar in het noordoosten van Engeland en aan de Schotse grens hebben plaatsgevonden. Dit is de eerste keer dat de ontvoerder zo noordelijk heeft toegeslagen, en geen van de andere ontvoeringen duurde zo lang. Hoewel alle meisjes zijn teruggekeerd, bevestigde de politie dat ze allemaal seksueel misbruikt zijn, ook Katie. Een woordvoerster van de politie zei: 'We zijn er zeer op gebeten deze man te vinden. Zijn misdaden worden steeds erger en we vrezen dat de volgende ontvoering in een drama kan veranderen.' Er wordt naar een man van middelbare leeftijd gezocht die in verband met de ontvoeringen staat.

Wat de ontvoering en de opsluiting betreft zijn er maar enkele vage aanwijzingen, maar de politie zou gistermiddag na een anoniem telefoontje getipt zijn. Men neemt aan dat de ontvoerder zelf heeft gebeld; het gebeurde op dezelfde manier als de andere ontvoeringen. Katie werd in een parkeerhaven aan de B940 aangetroffen met een puppy die haar blijkbaar gezelschap had gehouden tijdens haar opsluiting. Het boerderijtje waarvan men denkt dat Katie er opgesloten heeft gezeten werd brandend aangetroffen toen de politie er arriveerde; de brandweer stelt dat de brand is aangestoken.

Gisteravond richtte Katies vader, dr. Simon Calder, klinisch psycholoog, vanuit zijn huis in St. Monans emotioneel het woord tot de pers:

'We zijn buitengewoon opgelucht dat we onze lieve Katie weer terug hebben en we richten ons voorlopig alleen maar op de lange weg terug naar lichamelijke en geestelijke gezondheid. Mijn vrouw Rachel en mijn andere dochter Lily willen de gemeenschap graag danken voor hun medeleven en steun gedurende deze vreselijke tijd. We danken ook de media voor de publicaties over deze zaak. Maar we zouden nu graag een tijdje door de pers met rust gelaten willen worden zodat we onze wonden kunnen likken.'

De politie meldt dat ze binnenkort met nadere details over de verdachte naar buiten zal treden.

Hij verfrommelde het knipsel dat hij gekoesterd had en de afgelopen drie maanden keer op keer herlezen had en gooide het propje in de wind. De bijtende kou voelde hij niet. Het was het adembenemendste kerkhof dat hij ooit had gezien. Hij keek op naar de zwarte kolos van de Auld Kirk die aan de rand van de landtong opdoemde. Sommigen zouden het hier maar griezelig vinden, zo rond het spookuur. Maar hij niet. Hij genoot van de wind die zichzelf schor schreeuwde boven het ritmische geweld van de golven hier beneden hem. Hij wurmde zijn capuchon naar beneden, schudde zijn haar los, stak zijn gezicht naar voren om de zachte, prikkelende nevel van zilt water te voelen dat opgeworpen werd door de brekers die kapotsloegen tegen de rotsen.

Hij legde zijn handpalm op een van de oudste grafzerken, waarvan de vaardigheid van de steenhouwer langgeleden al uitgewist was door de elementen. Hij zou het niet onaangenaam vinden hier begraven te worden. Hij zou gelukkig zijn. Gelukkiger dan nu. In dit leven. Waarin geen geluk meer te vinden was. Hij liep naar de beschutting van het kerkportaal, een dimlichtje bood een mager welkom aan nachtelijke bezoekers. Hij sjorde aan de hoge, door weer en wind geteisterde houten deur en ging de kerk binnen. Toen hij de deur achter zich dicht liet vallen, tegen de windstoten en de regen in, stond hij daar in de doodse stilte. De storm was vergeten, ver weg, buiten.

Hij zeeg neer in een kerkbank halverwege het korte middenpad. Er was nauwelijks licht. Hij was alleen. Glimlachend begon hij nogmaals te bidden tegen een God in wie hij nooit had geloofd – tot drie maanden geleden dan. Hij vervloekte de duivel waarin hij wel altijd geloofd had.

Katie is terug. Dank u. Dank u. Hij tastte binnen de lagen van regenkleding en wol naar de roodbruine lok haar, samengebonden met een lichtgeel lintje. Hij kuste Katies haar en drukte het tegen zijn vochtige wang. Uit dezelfde binnenzak haalde hij de foto. Twee symbolische helften van zijn leven. Hij hield ze beide vast en strekte zijn armen. En sloot zijn ogen om de tranen binnen te houden.

De mengeling van wat de politie had bekendgemaakt over de vorige ontvoeringen, en wat Katies therapeute, Debbie Fry, uit zijn dochter had losgekregen na intensieve gesprekken, wervelde weer door zijn hoofd. Hij had een paar puzzelstukjes over haar gevangenschap bij elkaar weten te brengen, maar uiteindelijk zou dat misschien eerder zijn fantasie blijken te zijn dan een feitelijk beeld...

De man zou het keffen van het hondje hebben gehoord terwijl hij de boodschappen uit zijn auto haalde. Een tweedehands four-wheel drive: tweedehands (en contant betaald bij een louche zaakje, 's avonds laat) omdat hij onmogelijk zijn normale dagelijkse auto kon gebruiken; en een four-wheel drive omdat de plek opzettelijk zo onbegaanbaar mogelijk gekozen was. Waarschijnlijk de meest afgelegen plek van de Fife-kust. Perfect. Hij tilde de zware zakken de keuken in en werd begroet door de puppy die woest aan de deurpost krabbelde in de afgesloten slaapkamer van het meisje.

Hij draaide de sleutel om en daar was ze. Een schatje met haar nieuwe korte broekje aan, zodat haar spillebeentjes wat kleur kregen als ze buiten was, en een felgestreept T-shirtje. Kleren die de man voor haar had gekocht. Ach, ze kon wel wat nieuwe kleren gebruiken.

'Hé, die Katie. Hoe is het met Bobby? Is hij zoet geweest? Heeft hij geen plasje of zo gedaan in je kamer?'

'Nee hoor. Bobby is een braaf hondje.'

Hij had haar het waterijsje gegeven en keek toe hoe ze het papier eraf trok en er snel van begon te likken, waarbij haar gezichtje meteen onder de rode en oranje vegen kwam te zitten. Maar dat was niet genoeg natuurlijk. Hij zag aan de frons wat er nu kwam.

'Komen mamma en pappa nu? En Lily? Waar is Lily, komt ze ook?'

'Met Lily is alles goed, lieverd. En mamma en pappa komen nu ook snel. Heel snel, goed? Beloof ik. Zo, nu kunnen jij en Bobby even lekker achter spelen. Maar gooi de bal niet over het hoge hek. Want dan kunnen we hem niet meer pakken. Alleen zee en rotsen daar. Snap je?'

Ze knikte en nam met tegenzin de ijslolly uit haar mond. 'Dan kunnen ze allemaal Bobby zien. Lily vindt hem vast heel lief en dan nemen we hem mee naar het strand bij ons huis, en dan kan hij in zee met ons, want honden houden van de zee.'

Hij bewaarde zijn ongeduld en glimlachte en aaide haar zachte haar. 'Heel snel, Katie. Heel snel.'

Hij ging verder met het uitpakken van de boodschappen en liep haar kamertje in. Het was er een chaos. Zij en Bobby waren blijkbaar druk bezig geweest met het speelgoed, want er was op gekauwd of het was opengescheurd, waardoor de vulling op het bed en de vloer gevallen was. Hij had het snel even opgeruimd en ging toen weer naar de keuken om de kipnuggets en de ovenfrietjes uit de vriezer te halen.

Vijf minuten later zat hij in de kleine woonkamer, met een beker oploskoffie, en pakte de ochtendkrant om het voorpagina-artikel te lezen: 'Grote bezorgdheid over ontvoerd meisje'.

Ruim twee weken later, de laatste dag, had hij hen zo lang mogelijk in de achtertuin laten spelen. De stank van benzine moet overweldigend zijn geweest. De man zou een laatste, spijtige blik op haar kamertje, haar speelgoed, haar boekjes hebben geworpen. Dan zou hij zijn hoofd door de achterdeur hebben gestoken. Zij en Bobby lagen over elkaar in het gras, in het zonnetje.

'Oké, jullie. Het is tijd.'

Hij was uiteraard in het voordeel. Het vuur zou zich snel ver-

spreiden en het huisje zou een ruïne zijn voor de brandweer gewaarschuwd was. Hij zou naar een telefooncel zijn gewandeld; hij zou handschoenen hebben aangehad zodat hij zich geen zorgen hoefde te maken dat hij sporen zou achterlaten.

Hij belde 999 en er zou onmiddellijk opgenomen worden. 'Ja, de politie alstublieft. Het gaat over dat ontvoerde meisje. Katie Calder.'

Een gierende windvlaag die toch het heiligdom binnengekomen was, deed hem opkijken. Met trillende handen stopte hij de twee voorwerpen behoedzaam terug in zijn verwarmde borstzak. Dicht bij zijn hart. Met tegenzin liep hij het gangpad weer af en stapte de wervelwind weer in. Hij wierp een blik op zijn huis, dat vlakbij stond. Een lamp scheen over de Firth. De lamp in zijn studeerkamer. De enige ruimte in zijn huis waar hij het uit kon houden. Het was weer een ellendige avond geweest.

Het rumoer van het gezinsleven. Het gegil van de meisjes wanneer Rachel ze naar boven jaagt om ze klaar te maken om naar bed te gaan. Gevolgd door de waggelende, kwispelende achterkant van de bejaarde blonde labrador, de puppy op een holletje erachteraan. Hij had niets tegen Rachel gezegd toen ze de keuken weer binnenkwam, waar hij de uitgedroogde restanten van een gebraden kip in de vuilnisbak gooide. 'Wat zijn jullie laat... Het eten is verpieterd, het spijt me.'

Ze keek hem strak aan, wachtte tot hij naar haar keek. Maar in plaats daarvan had hij haar de rug toegekeerd en begon hij de braadslee af te wassen, overdreven schrapend en boenend.

Haar stem klonk ijzig. 'We hebben al gegeten. We zijn naar de film geweest en toen hebben we pizza gegeten, na de therapie. Je moeder heeft ons opgehaald met de honden.' Toen lachte ze kort en verbitterd. 'Haha. Ironisch, niet? Die honden zijn toch zo'n troost voor je moeder. Had ze tenminste gezelschap terwijl wij in Frankrijk waren. En Katie is ook gek op ze.

Beslist heel ironisch. En, Simon? Waarom ben je nu weer weggebleven bij de sessie? Dokter Fry zei dat je haar twintig minuten voor we zouden beginnen afgebeld hebt. Spoedgeval op het werk. Ik wist niet dat je oproepbaar was in het weekend. Want daarom heeft dokter Fry ons bij uitzondering op zaterdag ingeroosterd. Wat behoorlijk lastig voor haar is, aangezien ze gewoonlijk geen consult op zaterdag heeft.'

Hij draaide zich om, slordig zijn handen aan de theedoek afdrogend. 'Echt waar? Ik ken een hele zwik kinderpsychologen die consult houden op zaterdag, gewoon omdat ze hun patiëntjes niet uit de routine van school willen halen. Blijkbaar denkt Debbie Fry daar anders over.'

Hij volgde haar zwijgend de keuken uit, en ving haar woorden op toen ze de trap op liep. 'Ik ga de meisjes instoppen. Trouwens, dokter Fry zegt dat Katie nauwelijks vooruitgang heeft geboekt de afgelopen drie maanden en dat dat geheel te wijten is aan jouw afwezigheid bij de familietherapie. Ik hoop dat je daarmee kunt leven. Welterusten.'

Zonder enige haast wandelde hij door de zeemist en de bijtende regen terug naar huis, ritste zijn regenjack open en hing hem druipend aan de kapstok. Zonder erbij na te denken sloeg hij rechts af zijn studeerkamer in en deed de deur dicht; hij schoof de onlangs aangebrachte grendel ervoor. Nog steeds had hij behoefte aan lucht. Het raam werd wagenwijd opengegooid, de wind deed een greep naar zijn papieren en de gebruikelijke chaos wervelde over zijn bureau. Hij ging zitten en begon ritueel zijn vulpen open en dicht te schroeven. Toen legde hij hem neer en liep naar zijn kluis toe.

De brief was maar een paar maanden oud, maar omdat hij hem zo vaak herlezen had was hij gescheurd en groezelig geworden.

Beste Simon,

Ik wil even zeggen hoezeer het me spijt over wat er met je dochter-

tje is gebeurd. Ik heb het vreselijke nieuws gisteravond in de krant gelezen. Ik kon niet geloven wat ik las. Het leek zo onecht. Maar ik weet dat het waar is. Het kon overal gebeuren en nu gebeurt het daar. Ik kan me nog steeds niet voorstellen dat er zoiets in jouw deel van de wereld gebeuren kan.

Ik zal nooit die dag vergeten dat we die reüniepicknick hadden in St. Monans. Jij koos de plek uit en je zei dat je op een dag in de oude pastorie bij de kerk zou wonen. En je zei dat je psycholoog zou worden. Je zat in je tweede jaar op de universiteit. Je zei die twee dingen met zo'n ernstig gezicht dat ik je meteen geloofde. Gek hoe dingen je bij kunnen blijven, hè?

Ik weet ook dat ik geen contact met je zou moeten opnemen maar ik doe het toch. Ik denk dat het nogal logisch is. (Zijn er niet altijd een soort voorzorgsmaatregelen geweest voor noodgevallen als deze? Ja toch?) En anders... nou ja, je snapt vast wel wat ik bedoel. En als je contact met mij wilt opnemen, dan vind ik dat prima natuurlijk. Misschien kan je er het best met mij over praten, als je begrijpt wat ik bedoel. Wil je het niet, dan is het ook goed.

Zoals je wel weet woon ik nogal ver van de bewoonde wereld, op het eiland Lewis. Ik leid een rustig leventje. Een leven waarbij ik veel kan nadenken. Misschien kan ik je helpen.

Hoe dan ook, Simon, ik hoop dat alles goed afloopt.

Danny R.

018513 0055787

Vanavond was hij ervan overtuigd. Geen dramatische bliksemflits in de kerk, meer een langzaam opkomend gevoel. Het was tijd de brief te beantwoorden. Maar eerst moest hij de avond bijschrijven in zijn dagboek. Het formele verslag van zijn troosteloze dagelijks leven.

Ik draag een dubbele schuld. Het staat nu vast dat Katie niet zal herstellen omdat ik de sessies met haar psychotherapeute niet wil, niet kán bijwonen. Dus ben ik het niet alleen zelf die denkt dat Katies toestand door mij veroorzaakt wordt, ook Rachel en dokter Fry denken dat. Hoe durft Debbie Fry zoiets tegen Rachel te zeggen? De gotspe! Ik heb eigenlijk veel zin om– nee, laat ik dat maar niet doen. Ik denk niet dat ze het woordelijk op die manier heeft gezegd. Rachel zal het wel weer overdreven hebben. Omdat ze ervan geniet mij te kwetsen.

Maar hoe kan ik het haar uitleggen? Wat kan ik doen? Hoe kan ik ooit zo'n gezinstherapie bijwonen? Dat zou een belachelijke vertoning worden! Een wrede duivelse grap! Jazeker, Nemesis – of God – of de duivel – of alledrie – zit gezellig bij me en verlaat me niet, in geen eeuwen. De ontvoering én de terugkeer van mijn schatje was het teken. Het teken dat het tijd wordt dat ik die verfoeilijke actie onderneem.

De Juiste Actie.

16

Morningside. Hij had het vermoeden dat er in deze wijk van Edinburgh evenveel psychotherapeuten per vierkante centimeter werkzaam waren als in Manhattan. Het was een teken van de welvaart van de stad dat ze allemaal voldoende werk hadden. Sommigen waren natuurlijk beter dan andere. Debbie Fry was, volgens velen, een van de beste kinderpsychotherapeuten in de wijde omtrek. Hij had zijn huiswerk op dat vlak wel gedaan. Na haar doctorstitel in de psychologie, stapte ze over op psychotherapie, aan de Tavistock te Londen, en aanvankelijk specialiseerde ze zich in de behandeling van tieners. Ze was betrokken geraakt bij kindertherapie, vooral slachtoffertjes van seksueel misbruik en andere ernstige delicten. Ze was een erkend getuige-deskundige, en de politie deed vaak een beroep op haar.

Sheena, zijn baas, had aangeboden hem bij haar te introduceren, waarvoor hij haar dankbaar was. En ook weer niet. Dat

Katie behandeld zou worden bij de beste in het vak was natuurlijk geluk hebben. Dat hij bij geen enkele sessie aanwezig was geweest en men hem beleefd doch dringend verzocht had dit te verklaren was minder mooi. Hij had het sterke vermoeden dat dokter Fry en zijn vrouw diverse malen achter zijn rug om over hem hadden gepraat. De gedachte daaraan versterkte zijn vrees toen hij aan de ouderwetse trekbel trok.

Hij bekeek de klok op haar schoorsteenmantel. Ze hadden zich nu al tien minuten op de vlakte gehouden. Ze had een samenvatting gegeven van Katies vorderingen en de prognose. Ze waren allebei gunstig, in tegenstelling tot Rachels beweringen die daar tegenin gingen. Er was echter één 'maar'. Hij leunde naar achteren en wachtte op de nadere toelichting van Debbie Fry, al wist hij wat er zou komen. Hij keek nog maar eens rond in de fraai ingerichte behandelkamer. Het hoge plafond, met twee schuiframen die uitzagen op de tuin. En wat voor tuin. Het leek een wilde tuin, met hoge grassen, zilverberken, een paar rotstuintjes waar twee Siamese katten in rondslopen. Toen hij zich weer op het interieur richtte, vroeg hij zich af waar de gebruikelijke gereedschappen van de kindertherapeut waren. De anatomisch correcte poppen en dergelijke. Misschien was dit haar behandelkamer helemaal niet.

Hij keek haar weer aan. Hij gokte dat ze in de tweede helft van de veertig was. Zeer aantrekkelijk, waarbij veel aantrekkelijkheid voort leek te vloeien uit het feit dat ze zo fit en kerngezond was. Om die indruk nog te versterken, bleek uit alles dat ze heel wat tijd doorbracht in de zonnige delen van de wereld, gezien haar gebruinde gezicht en armen. En wat droeg er nog meer aan bij? Ja, die hele uitstraling van zelfvertrouwen. Seksueel zelfvertrouwen. Gekleed in een iets te zomerse outfit van strak T-shirt, Levi's spijkerbroek en sandalen, toonde ze haar slanke en lenige lichaam zonder zich ervoor te schamen. En het maakte haar niet uit dat er grijze strepen door haar korte dikke zwarte haar liepen. Een goed standpunt, vond hij.

'Waar het om gaat, Simon, en dat heb ik ook tegen Rachel gezegd, is dat ik het gevoel heb dat Katie sowieso langzaam, dus op lange termijn zal herstellen, maar het zou beter gaan als de héle familie bij het proces betrokken is. Ik weet dat juist jij heel goed begrijpt hoe essentieel het voor een getraumatiseerde patiënt is om degenen die van haar houden dicht bij zich te hebben gedurende het genezingsproces. Zou het helpen als ik de behandeltijden zou veranderen zodat je in elk geval kunt komen? Werk je nu weer fulltime, en ook met patiënten? Ik weet dat de werkdruk behoorlijk zwaar is.'

Hoezo wist ze van het hervatten van zijn volledige taak en nam ze aan dat hij toen hij weer begon maar een deel van zijn taak op zich had genomen? Een goede gok? Rachel? Hij hoopte maar niet dat Sheena Logan het met Debbie over hem gehad had. Dat zou wel heel onfatsoenlijk zijn. Bovendien, zijn weigering om deel te nemen aan Katies sessies zouden Sheena de indruk kunnen geven dat hij er nog niet aan toe was om weer zijn volledige dagtaak op zich te nemen. Nee, Debbie Fry kon beter niets met zijn baas bespreken. Hij besloot dat het tijd was.

'Het spijt me, Debbie. Ik wil de zaak graag een beetje ophelderen, wat natuurlijk geheel vertrouwelijk moet blijven, net als de rest van dit gesprek. Ik heb mijn redenen om aan te nemen dat het het beste is om voort te gaan met Katies behandeling zónder mijn inbreng. Persoonlijke, diepgewortelde redenen. Ik kan best tijd vrijmaken om erbij te zijn. Maar ik wil het gewoon niet.'

Ze zette haar benen naast elkaar en leunde voorover in haar stoel, met een indringende blik. 'Mag ik vragen of Katies ervaring een echo is van iets uit jouw verleden?'

Dit was zo precies waar het om ging dat hij er beduusd van was. Sheena Logan had het haar verteld. Dat moest wel. Had haar verteld dat hij in zijn jeugd behandeld was, al was het meer dan een kwarteeuw geleden. Te erg voor woorden! En als Debbie het Rachel nu had verteld? Het was een nachtmerrie. Hij moest het er met Sheena over hebben. Zij kende ook geen details, maar wanneer Sheena en Debbie het over hem hadden gehad, dan namen ze natuurlijk geheel onterecht aan dat zijn adolescente ziekte voortkwam uit die heilige graal van kindertherapie – seksueel misbruik. Oké, hij was misbruikt. Maar veel onzichtbaarder, met de psychologische botte bijl bewerkt en ondermijnd door een kreng van een moeder.

Hij moest een eind maken aan dit gesprek. 'Je hebt natuurlijk het volste recht om daar een aanname over te doen, maar ik wil daar liever niet op ingaan. Wat mijn redenen ook mogen zijn, ik ga daar op mijn eigen manier mee om.'

Hij wist dat het klonk alsof hij haar een standje gaf, maar ze leek niet in het minst beledigd. Ze glimlachte warm en stond op. 'Dat maakt me helemaal niet uit, Simon. Het komt desondanks wel goed met Katie. Daar kun je van op aan. We gaan gewoon verder, en bel me alsjeblieft als je wilt weten hoe de zaken er voorstaan.'

Hij was buitengewoon opgelucht door wat ze zei. Natuurlijk was dit voor een therapeut de enige juiste manier om te reageren. Ze had nu eenmaal geen enkel pressiemiddel. Als hij zei dat hij diepgravende persoonlijke redenen had om niet bij de sessies van zijn dochter aanwezig te zijn, dan kon ze alleen haar schouders maar ophalen. Ze moest hem wel aan haar kant houden, als deel van de therapie. Het laatste wat ze wilde was nog meer barsten aanbrengen in een familie waar al haarscheurtjes in zaten.

Toen ze in de grote hal stonden, hoorde hij sleutels in het slot.

'O god, sorry, Deb. Ik wist niet dat je nog afspraken had vanmiddag.'

Hij keek naar de glimlachende vrouw die binnen was gekomen. Ze zag er vrijwel hetzelfde uit als Debbie Fry: sportief, gebruind, vrijetijdskleren. Een zus misschien?

Debbie glimlachte terug naar de vrouw. 'Nee, nee, geen probleem. Ik werk niet. Eh... sorry, Simon. Dit is mijn partner. Sarah... Sarah Melville.'

De barman begon hem vreemd aan te kijken. Het was zijn derde dubbele whisky binnen twintig minuten. Hij pakte zijn borrel en nam hem mee naar een tafel achterin, in het donkerste hoekje. De dichtstbijzijnde pub bij Debbies huis was de Hermitage, een café dat hij maar al te goed kende, uit de tijd dat hij Rachel het hof maakte. Het was een ritueel om zaterdagmiddag naar het filmhuis verderop in de straat te gaan en dan hier een paar biertjes te drinken. Een gelukkige tijd. Verleden tijd.

Hij nam zijn gevoelens onder de loep. Hij probeerde rationeel te denken over wat er zojuist gebeurd was. Het wereldje van de psychologie was nogal klein in dit dichtbevolkte deel van Schotland. De wereld van psychotherapie lag op de lijn Edinburgh-Glasgow, en was als elitair wereldje natuurlijk microscopisch. Debbie Fry was befaamd. Van Sarah Melville had hij nog nooit gehoord, maar ze had iets gezegd over een docentschap in therapie, dus moest zij ook geen onbekende zijn. Nee, het was bepaald geen verrassing.

God, en toen begon het hem te duizelen! Maar hij had snel nagedacht en de situatie doortastend aangepakt, hoopte hij. Het was een schot voor open doel geweest...

'Hemel! Sarah Melville? Ja, je bént het! Je zult het je wel niet meer herinneren maar ik was je patiënt, langgeleden. Negentienzevenenzeventig? Op de PUA?'

En na een paar verbaasde uitroepen en het geven van handen en vrij gespannen lachjes van beide vrouwen, was ze losgebarsten. 'Simon, wees niet zo bescheiden. Je was een van onze modelpatiënten. We hebben je vorderingen in de klinische psychologie allemaal gevolgd. We hadden elkaar al veel eerder ontmoet als ik in de verpleegkunde was gebleven, maar ik ben gevallen voor psychotherapie en heb niet achterom gekeken.'

Toen was het even stilgevallen. Hij wist dat ze het alledrie een zeer bijzondere samenloop van omstandigheden vonden. Hij had het goed opgepakt, had zich goed in de hand. Maar plotseling werd de spanning hem te veel. En was hij naar buiten gevlucht...

En binnen vier minuten zat hij al hier, borrel na borrel bestellend. Ze was ook wel een kouwe geweest. Hij twijfelde er niet aan dat de staf van de Unit blij was geweest met zijn vorderingen, lang na zijn ontslag. Ze hadden waarschijnlijk een kaartsysteem bijgehouden, of in elk geval aantekeningen gemaakt van ex-patiënten die opgestoten waren in de vaart der volkeren. Zijn intrede in een tak van medicijnen die een relatie had met die van hen zou veel voor hen betekend hebben. Ze voelden misschien dat ze wat bereikt hadden. Zeker gezien de aspiraties van de Unit. Nee, dat klonk allemaal zeer aannemelijk. En ze leek ook compleet op haar gemak over haar relatie met Debbie. Ze waren er heel open over en waarom ook niet, in het tegenwoordige bourgeois wereldje van Edinburgh? Het bevestigde alleen maar wat hij toen ook al had gedacht over Sarah. Dat ze geïnteresseerd was in vrouwen. Al was daar geen aanleiding toe geweest overigens, niet in relatie met patiënten in elk geval. Niet eens naar Alex toe, die, achteraf gezien, waarschijnlijk niet eens wist waarnaar haar seksuele voorkeur uitging. Nee, homoseksualiteit en de sociale aanvaardbaarheid waren beslist onbekende grootheden in die tijd. Als Sarah toen al homoseksueel actief was geweest, zou ze het goed voor iedereen verborgen hebben. Dat zou veel te riskant zijn geweest.

De onverwachte ontmoeting had een bende vragen en zorgen bij hem opgeroepen. En daarom zat hij nu midden op de dag in een kroeg. Het was duidelijk dat de twee vrouwen het over hem zouden hebben. Hij vreesde al dat hij over de tong ging bij Debbie en Sheena, net zoals Debbie met Rachel over hem sprak. Hoeveel zou Sarah tegen haar partner over hem loslaten? Ze had verteld dat de tijd in de Unit nu wel erg lang geleden was, en dat was natuurlijk waar. Bovendien had ze daar lang gewerkt en had ze vast ettelijke patiënten gehad die vele malen interessanter waren dan hij. Ex-patiënten gaven veel meer betekenis aan hun tijd in de Unit dan leden van de staf – die deden gewoon hun werk en ze konden zich onmogelijk iedereen herinneren en wat er speelde in de maanden dat zij daar rondhingen.

Hij liet die gedachtegang los. Natuurlijk wilde hij, móést hij wel denken dat dit de waarheid was. Ook in zijn eigen praktijk herinnerde hij zich sommige patiënten veel beter dan andere. Maar waar het om ging was: waren hij en zijn collega-patiënten nu echt zoveel anders dan andere, in de herinneringen van de staf van de Unit? Hij hoopte maar van niet. Nee, Sarah kon zich vast maar heel weinig over hem herinneren. Maar dat ze met Debbie over hem zou praten stond vast. Erger was het idee dat als zij de artikelen over Katie in de pers had gelezen, ze het beslist al eerder met haar partner over hem had gehad. En Fry zou dan wel melden dat zij Katie behandelde! Hij had echter geen enkele aanwijzing gezien dat Sarah niet compleet verrast was hem te zien. En Fry had hen formeel voorgesteld, en had ook niet laten merken dat ze wist dat er een verband tussen hen bestond.

Hij moest nodig kalmeren. Er was geen enkel bewijs dat Sarah wist waarom hij daar op bezoek was geweest. Officieel mocht Fry ook helemaal niets zeggen over waarom hij bij haar geweest was. Maar zo nauw nam ze het waarschijnlijk niet. En nu kwamen de zorgen weer op over wat Fry tegen zijn vrouw of zijn baas zou vertellen...

Hoewel, ze zou natuurlijk heel voorzichtig zijn met wat ze Rachel over hem vertelde. Sheena was een ander geval. Hij was een gewaardeerde medewerker en hij had haar verzekerd dat alles nu weer op rolletjes liep en dat hij weer volledig aan het werk kon. Hij wilde geenszins dat zij hem vragen zou gaan stellen over zijn afwezigheid bij Katies gezinstherapie. Misschien maakte hij zich druk om niets, en zou het zover helemaal niet komen. Hij had duidelijk gemaakt dat hij vertrouwelijk met Fry gesproken had. Dat kon ze niet gemist hebben, ondanks wat er een halfuur geleden in de hal gebeurd was.

Toen stak de angst de kop op dat Sheena het met Sarah over hem zou kunnen hebben. Dat zou pas een nachtmerrie zijn! Gelukkig had zijn baas niet de indruk gegeven dat ze zo'n dikke vriendin van Debbie was dat ze ook haar partner goed kende.

Hij dronk zijn borrel op. Het effect van de snelle opeenvolging van de alcoholische versnaperingen midden op de dag begon nu goed merkbaar te worden. En hoewel hij behoorlijk aangeschoten was, bleef er toch iets knagen over de ontmoeting met Sarah. Er was iets... iets heel subtiels. Hij analyseerde de ontmoeting alsof hij een nieuwe patiënt kreeg. Alles was belangrijk: haar gedrag, wat ze zei, hoe ze het zei, de lichaamstaal, de toon van haar stem, de gezichtsuitdrukkingen, haar ogen... dat was het. Haar ogen. Stralend, gezond, glanzend, alert. En een glimp van iets anders. Nieuwsgierigheid? Paniek? Nee, hij wist wat het was en hij wist niet waarom hij het had gezien. Maar hij was ervan overtuigd dat wat hij gezien had te maken had met grote ongerustheid, zelfs angst. Waarom?

Hij haalde zijn schouders op en maakte aanstalten om op te staan. Belangrijker dan al dat gepieker was het vreemde toeval dat hij iemand uit díé periode juist nú moest ontmoeten. Weer zo'n symbool. Zoals Katies ontvoering. Het was duidelijk dat hij iets aan zijn verleden moest doen. Te beginnen met het beantwoorden van Danny's brief. Misschien moest het gewoon zo zijn. En Joost mocht weten waar het allemaal toe zou leiden.

'Ongelukken'

Zes maanden later – 2004 en 1977

Overdrachtsmemo, zuster Anna Cockburn aan zuster Sarah Melville
2 november 1977
Betreft: Staf vakantie in Argyll

Ik ga vanavond eerder weg dan jij met je nachtdienst begint, dus geen tijd om overdracht mondeling te doen.

Ik heb met Adrian en Ranjit beraadslaagd en we zijn het er allemaal over eens dat je echt met mij en Ranjit mee moet komen als derde staflid tijdens de vakantie. Ik geef toe dat er verpleegkundigen in het hoofdgebouw te vinden zijn die ervaring hebben met patiënten op groepsvakantie, maar Adrian benadrukte dat er geen verdere barsten in de groep moeten ontstaan, gezien de huidige sfeer in de Unit. Een nieuw tijdelijk staflid kan een ernstige kloof tussen de patiënten laten ontstaan.

Ranj wees er overigens op, en dat ben ik met hem eens, dat je erg goed opschiet met Alex; ze begint af en toe wat positief gedrag te vertonen. Dat willen we niet weer terugdraaien. Dat doe je echt goed.

En wie weet, misschien wordt het voor ons nog leuk ook!

CC: Overdrachtsmemo's

17

Of er een bom ontploft was. Elke foto, elke snipper papier, elk velletje aantekeningen leek haar aan te staren. Ze schonk onhandig het bodempje uit de tweede fles wijn in haar glas. Rustigjes dronken geworden. Alleen en ladderzat. Een goed gevoel. Een gevoel waar ze aan toe was. Afgesneden van de rest van de wereld in dit te dure, maar troost schenkende hotel. Bezoek niet welkom, maar ook niet verwacht. Geen telefoontjes die beantwoord hoefden worden. Innes Haldane was weg. Er helemaal uit.

Ze betastte de oude foto. Eens had hij bij Danny aan een muur gehangen. Op de achterkant zaten de vieze, roze klompjes Buddies. Wie had die foto van hun laatste vakantiemiddag genomen? O ja... Ranj met zijn dure camera. Hij had hem ingesteld en was naar de groep teruggerend om zijn plaats bij hen in te nemen. Nu wist ze het weer. Hij had hen allemaal een afdruk gegeven. Kort na haar ontslag uit de Unit had ze hem verbrand. Zonder twijfel in een poging om het verleden te ontkennen en weg te vagen. Ontkenning en vernietiging die ze met zich mee had gedragen tot de afgelopen weken. Ze schudde haar hoofd tegen de foto.

Jezus, die godvergeten kampeervakantie! Nou ja, wel niet echt kamperen, behalve die ene rampzalige nacht waarvan ze had afgezien, door haar verkoudheid voor te doen als een griep in aantocht. Het huisje was op zich best aangenaam geweest. Al moest je niet vies zijn van wat primitiviteit.

Ze sloeg haar drankje achterover, er sijpelde een straaltje langs haar kin – drup drup drup op de foto. Tegelijkertijd begonnen ook de tranen te rollen. Waar was ze ook mee bezig, ze wist verdomme toch hoe sentimenteel ze werd door te veel drank! Beheers jezelf eens een beetje!

Ze liet haar hand over Danny's bezittingen glijden. En de print van die diskette. Er stonden helemaal geen huishoudelijke of zakelijke rekeningen op, al stond dat op het label. Deed Danny zijn best de inhoud te verbergen? Want al met al was het een bijzondere lijst. Heel speciaal. Van namen die haar terugvoerden naar haar late tienerjaren.

CAROLINE FRANKS. Overleden. Overdosis, Edinburgh, 1984.
ALEXANDRA BAXENDALE. Gehuwd (tweede maal) maar houdt meisjesnaam. Internetondernemer (vroeger effectenhandelaar). Woont: 112 Gamekeeper's Gardens, Edinburgh. Tweede huis in Sussex – zelden gebruikt.
DANNY RINTOUL. Ongehuwd. Pachter op het eiland Lewis. Woont: 'Sula', Calanais, Lewis.
*INNES HALDANE. Rechten gestudeerd; gespecialiseerd bedrijfsjuriste. Senior manager op Algemeen Bureau voor Curatoren. Gescheiden. Geen kinderen. Woont: 29 Primrose Hill Gardens, Londen NW3
*LYDIA YOUNG. Gehuwd (heet nu Shaw). Drie kinderen. Woont: 'Craighleith', Dunes Road, Yellowcraigs, East Lothian, Schotland.
??ISABELLA VELASCO. Tandarts. Gescheiden. Geen kinderen. Woont: 12 Belsize Park Square, Londen NW3
DR. SIMON CALDER. Klinisch psycholoog in Edinburgh. Gehuwd, twee dochters. Woont: 'The Old Manse', Filian's Lane, St. Monans, Fife. Tweede huis in Frankrijk.
ANNA COCKBURN. Overleden. Verkeersongeluk, 1989.
DR. ADRIAN LAURIE. Sinds 1996 hoogleraar in Adolescentenpsychiatrie, Universiteit van Chicago, VS.
RANJIT SINGH. Vroeger algemeen hoofdverpleegkundige. Adres onbekend. Stopte eind 1978 met zijn werk in de Unit. Staat niet meer in Verpleegkundig Jaarboek.
SARAH MELVILLE. Vroeger stagiaire als psychiatrisch verpleegkundige. Eind jaren tachtig gestopt met verpleegwerk. Omgeschoold tot psychoanalytisch psychotherapeute, praktijk in Glasgow.

Gedurende de hele terugtocht per ferry op weg naar het vasteland had ze op de lijst zitten turen, en haar emoties waren op en neer gegaan als de golven van de zee. Dit leek mijlenver weg van de warme knusheid van het moderne hotel in Edinburgh waarin ze momenteel haar intrek had genomen. In aanmerking genomen waarnaar ze zocht, was er geen denken aan dat ze klaar was om weer naar Londen af te reizen.

Ze liet haar blik weer op de lijst rusten en ze voelde zich precies zoals de eerste keer dat ze hem had gelezen. Ze stond voor een raadsel wat Danny ermee had gemoeten. De tweede pagina bevatte meer details; volledige adressen, vaste en mobiele nummers, ook die van haar. Hij kon hem niet zelf hebben samengesteld, want dan had hij zijn eigen gegevens er niet in hoeven zetten, hoewel toen ze het opzocht bleek dat de lijst vlak voor zijn dood nog was bijgewerkt.

Ze schudde voor de zoveelste keer haar hoofd, verbaasd over het feit dat ze zo dicht bij Isabella had gewoond maar haar nooit had gezien. Of waren ze elkaar wel eens gepasseerd op straat, in een winkel, koffiehuis of café? De gedachte was te vreemd en treurig om lang over door te mijmeren. Een ander deel van haar geest verwonderde zich erover wat voor vreemde richtingen de levens van die mensen waren ingeslagen. Niet verwonderlijk dat Simon nu 'doctor in de koppologie' was zoals Carrie altijd al had voorspeld. En Alex? Ook niet zo verrassend. Door die ingewortelde agressie van haar was ze natuurlijk een keiharde tophandelaar op de beurs geweest, en ze was nu vast en zeker net zo'n succes als internetondernemer. Hoe toepasselijk. Innes stond even stil bij de treurige onvermijdelijkheid van Carolines lot. Ook niet zo vreemd. En toen speelden de emoties wat betreft de anderen langzaam op. Geschoktheid door Anna's dood. Verwarring om de betekenis van de sterretjes en vraagtekens, zeker de asterisk bij haar eigen naam.

Maar dat verbleekte allemaal bij het echte drama. Ze had er twee krantenknipsels over gevonden in een opgevouwen gasrekening. Gedateerd een paar weken voor Danny's dood. Ongelovig las ze ze nogmaals.

Vader en drie kinderen dood in kerstbrand — toestand moeder 'kritiek'

Een vader en zijn drie kinderen zijn gisteravond omgekomen bij een brand die hun huis volledig in de as legde. De moeder heeft het overleefd, maar ligt in kritieke toestand in het East Lothian General Hospital. De brandweer was niet in staat Robin Shaw (44), marine-officier, en de drie kinderen Angus (12), Harriet (9) en Hamish (5) te redden uit de vuurzee van 'Craigleith', een vrijstaand huis aan de Dunes Road, met uitzicht op het spectaculaire strand van Yellowcraighs.

Lydia Shaw (42) werd aangetroffen onder een gevallen dakbalk en bevrijd door de brandweer.

De plaatselijke brandweer moet de oorzaak van de brand nog bevestigen maar een woordvoerster meldde: 'In dit stadium sluiten we opzettelijke brandstichting nog niet uit.'

Kerstbrand 'kan zijn aangestoken'

Het onderzoek naar de oorzaak van de brand in het huis van de familie Shaw gaat er nog steeds van uit dat de brand opzettelijk kan zijn aangestoken. Marine-officier Robin Shaw (44) en zijn drie kinderen Angus (12), Harriet (9) en Hamish (5) kunnen dus de slachtoffers zijn van een pyromaan die het voorzien had op hun luxe kustwoning aan Dunes Road. Hun moeder, Lydia Shaw (42), ligt nog steeds in kritieke toestand met ernstige hoofdwonden in East Lothian General Hospital, nadat ze levend onder een gevallen balk vandaan was getrokken.

Politie- en brandweeronderzoek heeft uitgewezen dat er sporen van een aanmaakvloeistof, waarschijnlijk benzine, ter plekke waren aangetroffen, die gebruikt zou kunnen zijn om de brand in de kelder van het herenhuis met zeven kamers te laten beginnen.

Luitenant-ter-zee Shaw was bezeten van raceauto's en -motoren en had er dan ook een aantal in de garage van het pand geparkeerd. Olie en benzine waren daar in kleine hoeveelheden aanwezig, dus de brand zou ook daar kunnen zijn ontstaan.

De politie heeft aangegeven dat mocht de brand opzettelijk zijn aangestoken, het hen een raadsel is waarom het 'rustige, maar sympathieke' gezin het doel van de actie geworden is. Buren en de huisarts van het gezin hebben echter een paar aanwijzingen kunnen verschaffen die mogelijkerwijs met brandstichting te maken kunnen hebben. Mw. Shaw zou de afgelopen weken last hebben gehad van neerslachtigheid en angstaanvallen. Huisarts Richard Buchanan vertelde dat zij hem kortgeleden had bezocht met ernstige symptomen van depressie en angstaanvallen; hij had haar de gebruikelijke medicijnen voorgeschreven. Theoretisch is het niet onmogelijk dat mw. Shaw de indruk had dat haar gezin werd bedreigd. Ze is echter nog altijd bewusteloos en niet in staat met de politie te spreken.

Eenieder die op zaterdagavond 12 december in de omgeving van Dunes Road was, wordt verzocht contact op te nemen met het plaatselijke politiebureau.

Het verrassende feit dat Lydia getrouwd was, drie kinderen had gekregen en zo te horen een redelijk gelukkig bestaan leidde, werd overschaduwd door de gruwelijke gebeurtenis. De wetenschap dat Lydia een fascinatie voor vuur stoken had deed een groot en kil vraagteken bij Innes oprijzen. Zou Lydia echt in staat zijn geweest haar man en drie kinderen op die manier te doden? Ze concentreerde zich weer op het hier en nu. Wat was er in godsnaam aan de hand? Drie dramatische gebeurtenissen in een paar maanden. Slechts een ervan was een 'ongeluk'. Misschien.

Ze schudde haar hoofd bij het lezen van het schokkende nieuws over Lydia. Een vreemd en nukkig meisje, dat altijd aandacht vroeg, altijd wel iemand irriteerde...

18

'O nee, hè! Godsjezuschristus! Wat heb dat mens nóú weer! Innes? Weet jij waar ze nou weer om moet janken?' Innes haalde haar schouders op ten antwoord terwijl Caroline op een pijnlijke manier de klitten uit haar natte haar aan het borstelen was en in de richting van het geluid begon te lopen. Innes besloot haar te volgen, meer uit verveling dan uit nieuwsgierigheid. Ze was snipverkouden en deed niet mee met de dropping aan het eind van de middag en zou ook niet in een tent bivakkeren die een paar mijl verderop was neergezet. Dat was wel het laatste waar ze zin in had, dus begon ze voor de tigste keer omstandig haar lopende neus te snuiten. Ze haatte kamperen en ze haatte het ruige buitenleven. Het gegil en geschreeuw deed denken aan dat van een woeste bosgeest. Ze zag Anna en Ranj bij een nu op een haar na hysterische Lydia staan, die op haar zij heen en weer rolde, met haar handen om haar linkerknie.

'Het klimtouw is gebroken! Mijn knie! Hij bloedt! Wahaha!'

Caroline had de borstel in haar achterzak van haar spijkerbroek gestoken en wreef over het gerafelde eind van het touw dat aan een tak van een stevige eik geknoopt was. Op hatelijke toon zei ze: 'Vind je het gek. Het was niet bedoeld voor olifanten. Je bent gewoon te vet! Daarom brak-ie. Rund dat je bent.'

Maar Anna wendde zich naar haar toe. 'Ophouden, Carrie. En doe eens iets nuttigs, voor de verandering. Ga Sarah halen en zeg dat ze de EHBO-koffer mee moet brengen. Hup, rennen!'

Innes zag Caroline weg slenteren, de laatdunkendheid sprak uit elke stap. 'Sorry hoor, ik wist niet dat je kwaad werd, Zus.'

Een halfuur later voegde Innes zich bij een groep rond een laaiend kampvuur, en begon ook van haar soep te slurpen. Lydia hield vol dat haar stelling klopte, een stelling die in de plaats was gekomen voor het snikken en kreunen. 'Geloof me nou, iemand heeft dat touw half doorgesneden. Ze wilden dat ik mijn nek zou breken!' En toen liep ze hinkend naar haar bed in de gezamenlijke slaaphut om te gaan zitten mokken.

Alex kwam naar voren klossen, met de capuchon van haar anorak over haar geschoren hoofd getrokken. Ze had vrijwel de hele ochtend in de hut gezeten en had nog geen boe of ba gezegd. Maar nu vond Innes haar plotseling onverwacht geanimeerd. Ze schudde heftig haar hoofd en zei tegen niemand in het bijzonder: 'Nou? Als we iemand niet konden gebruiken vandaag was het Lydia wel. Ze zou een ramp geweest zijn.'

Innes luisterde naar het algemeen instemmende gemompel van Danny, Simon en Carrie. Ze trok een wenkbrauw naar Isabella op, die de onvermijdelijke vraag stelde.

'Wat? Dus jíj hebt met dat touw zitten klooien! Dat is wel een beetje link. Ze had echt iets kunnen breken.'

'Gelul!' Carrie wiep een broodkorst in het vuur en zag toe hoe hij verkoolde. 'Zo hoog was het verdomme nu ook weer niet. Luister, dit droppinggedoe vandaag en vanavond is onze enige kans op een beetje keten voor we teruggaan. Dat varken zou ons alleen maar ophouden. Ik sta achter Alex. Met dit clubje kan het tenminste wat worden, op jou na dan, Innes. Hoe is het trouwens met die "griep" van je? Je drukt je weer mooi, hè?'

Innes voelde dat ze knalrood werd. Pissig dat haar spelletje zo snel doorzien was. Maar ze probeerde het af te doen met een nonchalant schouderophalen. 'Ik voel me echt klote, Carrie, wat je er ook van denkt. Zonder mij ben je heus beter af. Dus veel lol, straks. Ik ga naar bed.' Ze stond op, en glimlachte samenzweerderig naar Abby. Ja, ze hoopte dat Abby op zijn minst een leuke avond zou hebben.

Ze schrok wakker door het geschreeuw en gebonk, haar hart sloeg tegen haar ribben omdat ze uit zo'n diepe en broodnodige slaap gehaald werd. Het was pikdonker. Haastig klom ze uit haar stapelbed en deed een lichtje aan. Het was vijf voor halfelf op haar horloge. Ze had al uren geslapen! Buiten onderscheidde ze Sarah die op de deur van de stafhut bonkte.

'Anna! Anna! Kom gauw!'

Lydia was naast Innes komen staan, in een enorme badhanddoek gewikkeld, met druipend haar. 'Wat is...'

Innes liet haar in de deuropening staan en liep over het gras naar Sarah toe, net toen Anna de deur opendeed. 'O god, Anna!'

Innes kon Sarahs gezicht nu duidelijk zien in het gele licht dat uit Anna's hut op haar viel. Ze was bleek, bang, haar gezicht was vertrokken.

Anna keek haar slaperig aan. 'Wat doe jíj hier? Jij en Ranj moeten bij de kinderen blijven. Wat is er in...'

Maar Sarah greep haar al bij beide schouders. 'Ze zijn verdwenen, Anna. Weg! We zijn ze kwijt! Ranj rijdt op de hoofdweg rond in de Land Rover.'

Anna stapte de hut uit en duwde Sarahs hand weg. 'Goddverdomme, Sarah! Hoe kon dat nou gebeuren? Jezus. Goed. Kom op! Haal Lydia en Innes. We kunnen ze hier niet alleen achterlaten. We nemen de andere Land Rover en gaan zoeken. Zo ver kunnen ze niet zijn.'

Innes glipte de slaaphut binnen en leunde tegen de deur aan. Dat was te verwachten geweest, dat er zoiets zou gebeuren. Terwijl ze haar spijkerbroek en een warme trui aantrok, dankte ze haar goede gesternte dat ze hier gebleven was. Joost mocht weten wat er met dat stel gekken was gebeurd in die wilde bui van hen. Even dacht ze bezorgd aan Abby, maar ze schudde haar hoofd. Danny was erbij en die zou haar nooit, maar dan ook nooit iets laten overkomen.

Met die opgeluchte gedachte stapte ze naar buiten.

19

Ze had er niet aan moeten beginnen. Het was veel te lang geleden sinds ze zichzelf in een dergelijke toestand had gebracht.

Innes dwong zichzelf de marteling van een lauwe douche te ondergaan, omdat ze zo wanhopig graag wakker wilde worden. Keek vervolgens toe hoe de twee tabletten sissend oplosten in het glas. De kamer was een zwijnenstal. De lege wijnflessen weerkaatsten de felle zonnestralen in haar richting. Beschuldigend. Niet dat het nodig was. Haar hoofd en maag vormden genoeg straf. Ze vroeg zich af waarom ze hier weer was. De moederstad die ze de rug had toegekeerd toen haar ouders gestorven waren. Geen enkele reden om er af en toe eens heen te gaan. Tot nu toe dan.

De kater was erger dan ooit. Helse pijn. Ze kreeg het nauwelijks voor elkaar naar beneden te stommelen om de huurauto te bereiken. Waarschijnlijk nog steeds te veel alcohol in haar bloed. Maar ze moest erheen. In twintig minuten was ze er. Daar lag het. Ze voelde haar hart bonzen, haar keel was droog, ze legde een koele hand op haar zak waar het papieren zakje geruststellend kraakte. Het bakstenen landhuis lag aan het einde van een doodlopende straat. Haar huis. Al was het dat nooit geweest. Gelukkig was moeder het eerst de pijp uit gegaan, gevolgd door een gebroken en van kanker vergeven vader, zeven maanden later. Binnen een week was het huis leeg geweest. Ze had drie dagen en nachten door de lege gangen en kamers gedwaald. Had het toen te koop aangeboden en er nooit meer een voet in gezet.

Er woonden nu kinderen in het huis. Twee driewielertjes leunden schots en scheef tegen de met klimop begroeide voorkant, en ze hoorde golven gelach uit de open zijdeur komen. Het was een huis vol geluk. Meer dan ze ooit had meegemaakt gedurende de helse tijd dat zij er leefde...

'Je bent een gemeen, lelijk kind. Ik schaam me ervoor dat jij mijn dochter bent. Ik wou dat je nooit geboren was. En nou opgedonderd. Naar je kamer. Wacht jij maar eens af. Ik zal het er straks eens met je vader over hebben...'

'...dus voor de draad ermee, Innes. Wat vertelde je moeder me nu allemaal? Je moet goed begrijpen dat je moeder... nou ja... je moeder kan... wel eens... wat moeilijk doen. Je moet gewoon heel voorzichtig zijn in haar buurt... heel voorzichtig...'

Voorzichtig! Het was haar allemaal zo duidelijk geworden toen ze eenmaal volwassen was. Moeder was geestesziek én kwaadaardig geweest; een dodelijke combinatie. Innes had het altijd een wonder gevonden dat zij of haar vader haar niet met een ijzeren staaf haar kop had ingeslagen. Ze had toch aanleiding genoeg gegeven, zou je zeggen. Ze was er nog steeds voor in therapie. Gezinnen. Een gemeenschap die van nature vrijwel nooit werkte. En dat was geen verbittering. Geen cynisme. Gewoon een feit.

Het begon harder te regenen, de druppels tikten steeds feller tegen de voorruit en wierpen een natte nevel op voor haar koplampen. Een avond in maart, maar hij was zo donker en koud als een winteravond. Niet dat het haar kon schelen, ze kon er nu niet meer mee stoppen. Ze peinsde over de schijnbare irrationaliteit van waarmee ze bezig was. Voor haar was het zo klaar als een klontje. Natuurlijk had ze geen idee of het gebouw nog bestond. Ze glimlachte zwak toen ze dacht aan een vroegere nachtelijke inspectie, jaren geleden, na een wel zeer beladen bezoekje aan het ouderlijk huis. De omstandigheden, de emotionele althans, waren op een bepaalde manier gelijk aan die van dit moment. Haar moeder was tegen haar tekeergegaan omdat ze nooit in staat was een 'succesvolle relatie' in stand te houden, want ze had heel snel doorgehad dat haar dochters huwelijk barsten begon te vertonen. Innes was het huis uit gestormd, en was keihard door de mist hiernaartoe gereden, als boetedoening en als pelgrimstocht tegelijk. Toen was het zelfs nog in gebruik geweest, het bord met PSYCHIATRISCHE UNIT VOOR ADOLESCENTEN (PUA) duidelijk zichtbaar.

De weg waaraan het gebouw stond was niet zozeer privé, maar hij werd weinig gebruikt. Je kon er de weg van het hoofdgebouw naar de aparte gebouwen mee afsnijden. Ze liet de wagen uitrijden tot hij stopte en doofde de lichten. Het gebouw stond er nog, maar het was in duisternis gehuld. Het oude PUA-bord was vrijwel volledig vernield, de houten paal droeg nog een omgebogen hoek zonder belettering.

Ze stapte de wagen uit, alle vier de oranje lichtjes knipperden toen ze de auto met afstandsbediening op slot deed. Ze stond bij de hoofdingang. Geen teken van leven of recente bewoning. Ze liep een paar meter de weg op en keek naar binnen, kneep met haar ogen om door de ramen van de begane grond iets te zien van de oude ochtendtherapie- en psychodramazaal. Bijna overal zaten luiken die bedoeld leken tegen nieuwsgierige bezoekers zoals zij. Hoe dan ook, het gebouw werd niet meer gebruikt. Er hing een trieste sfeer van vergetelheid en verwaarlozing. Een smet op het nachtelijk landschap.

Ze keek de tuin in tot het eind. Er was genoeg licht om hem te onderscheiden. De schommel hing er nog. Ongelooflijk! Ze sprong over het lage muurtje en was al halverwege het grasveld voor ze zich realiseerde wat ze aan het doen was. Jezus, het was pikdonker. Ze was een vrouw alleen. Dit was waanzin. Maar de schommel was nu zo dichtbij. Een paar meter maar. Toen ze hem bereikte trok ze even aan de kettingen, veegde met haar mouw het water van het verkleurde houten zittinkje en ging zitten.

Het overbekende gepiep steeg op toen ze haar voeten toestond de veiligheid van de modderige grond onder zich te verlaten. Langzaam, langzaam, liet ze haar hoofd achterover zakken, en keek door de overhangende bomen naar boven. Een paar sterren, dunne wolkjes en de halvemaan. Rust. Alles in rust...

Die zomer, die zomer van 1977. Iedereen had een 'zomer van', toch? Grappig dat die van haar zich afspeelde in een gekkenhuis. Die zomer die je nooit vergeet. Nou ja, wat herinnerde ze zich er nu helemaal van? Heet. Regenachtig. Alles schitterend groen. Obsceen rijk begroeid, in alle tinten felgroen. Ja, goed, maar wat nog meer? Wat was er híér aan de hand? Precies hier? Op de plek waar ze hen het eerst had gezien? Carrie, Simon,

Danny, Lydia. Samen hadden ze hier ontelbare gouden, zonnige zomeravonden doorgebracht. Lydia hield ook van de schommel. Rond het avondeten moest ze altijd eindeloos geroepen worden. Aandacht, daar was ze gek op. En wie hield nog meer van de schommel? Abby ging erheen wanneer ze alleen wilde zijn. Of alleen met Danny. Ja, dat gaf reden tot jaloezie soms. Danny en Abby. Zij schommelen. Hij duwen, af en toe. Carrie en Simon deden dat ook. Hoofden gebogen. Intieme praatjes? Samenzweringen?

Ze wiste de herinnering weg. Met haar ogen dicht genoot ze van de wiegende beweging toen er naast het piepen van de scharnieren een luid geritsel te horen was. Haar hoofd schoot omhoog en ze sleepte met haar voeten over de grond om de schommel te laten stoppen.

Ze stond op en liep in stevige pas door de tuin, maar toen ze haar auto eenmaal zag staan begon ze te hollen over de glibberige grond. Nog eenmaal keek ze over haar schouder en zag hoe een beetje maanlicht het metaal van de schommel bescheen, die nog steeds onregelmatig heen en weer slingerde.

Bij de auto bleef ze even over de motorkap gebogen staan, en haar gehijg ging over in een quasi-vrolijk, zichzelf geruststellend gelach.

'Idioot. Er is niets daar. Alleen wat ongevaarlijke oude spoken!'

Toen ze eenmaal weer warm en veilig in haar afgesloten auto zat, vertrok ze met tegenzin. Nu ze zo dicht in de nabijheid van het gebouw van de Unit was, ging haar geest makkelijker over de paden der herinnering die ze zoveel jaar met zoveel succes afgesloten had.

Ze wierp nog een blik op de schommel. Achteraf bekeken waren er meer samenzweringen geweest dan ze destijds had ingezien. Of waaraan ze aandacht geschonken had. Vooral rond die Kerstmis...

20

Vijftien centimeter! Zo'n dikke laag! Elke tak, elke grasspriet, elk vermoeden van een pad was weggevaagd.

Innes stond boven op de grashelling en keek hoe Carrie een joekel van een sneeuwbal naar Danny gooide. 'Kom op, eikel!' Maar Danny was snel en dook net op tijd weg, en hij had razendsnel teruggevuurd. 'In de roos!' Maar hij stopte opeens toen hij probeerde het grommende geluid achter zich te verklaren. 'Alex! Wat doe je nou weer, man?' Hij sloeg de sneeuwklonten van zijn doorweekte, wollen handschoenen en haalde met een verbaasde blik zijn schouders op naar Innes. Ze keken naar Alex met haar geschoren kop die rood was van de kou. Verwoed hakte ze de ledematen van een van de drie sneeuwpoppen af met een bezemsteel.

Innes hoorde Lydia naar boven hollen om bij hen te gaan staan. Ze giechelde manisch en kinderlijk terwijl ze haar arm door die van Innes stak. 'O, o. Ze heeft de pik op Anna. Wedden dat Sarah de volgende is? Dat wordt lachen, joh!'

De anderen hadden inmiddels ook gemerkt dat er iets interessanters dan een sneeuwballengevecht aan de gang was. Isabella en Simon kwamen ook de helling op gesjokt, en schudden hun hoofd naar een totaal gestoorde Alex die nu korte metten maakte met de tweede sneeuwpop. Innes had het idee dat het Alex zo'n tweeënhalf uur had gekost de drie sneeuwverpleegkundigen te maken. Allemaal goed herkenbaar: Ranj, met zijn theedoektulband; Anna met een turquoise sari aan, gemaakt van een oud gordijn, en Sarah... goh, was dat niet slim van Alex? Joost mocht weten hoe ze eraan gekomen was. In de mond van de stagiaire zat een zuigflesje vastgeklemd. Ze wisten allemaal dat Lydia Sarah vaak pestte door haar de 'babyzuster' te noemen, om haar uit haar tent te lokken. Iets wat echter nooit wilde lukken. Nu had Alex de spotnaam ook nog zichtbaar gemaakt.

Carrie wreef haar bevroren handen warm. 'Nou is Alex aan het doordraaien. Zullen we d'r iemand bij halen?'

Danny schudde zijn hoofd. 'Nee joh. Laat 'r maar lekker hakken.'

Innes deed een stap naar voren om de bovenverdieping beter te kunnen zien. Ze dacht dat ze daar iets had zien bewegen. 'Ze weten het al. Ranj staat daarboven. Sarah ook. Vraag me af wat zij ervan vindt.'

Abby ging naast haar staan. 'Wie weet. Vreemd doet ze wel, Alex. Scheppen en vernietigen. Schrijven ze vast wel in het logboek op.'

Innes was het helemaal met haar eens maar dat zei ze niet. De afgelopen weken waren behoorlijk verstierd door gewelddadige uitbarstingen van Alex. Ze was steeds humeuriger en asocialer geworden, en elke keer dat ze in de groep verscheen, werd de sfeer bepaald ongemakkelijk. Innes had geen idee waarom, maar het lag niet alleen aan Alex. Ook Carrie was agressief en snel op haar teentjes getrapt. Danny was juist ongewoon duf, er kon geen grapje meer af. Niet zoals hij geweest was. Simon? Dat lag ingewikkelder. Daar kwam hij aan.

Simon klapte vrolijk in zijn handen, en glimlachte jolig naar haar en Abby. 'Ja, natuurlijk gaat dit in het logboek! De staf zal ervan smullen! Wedden dat Laurie het morgen in de groep gooit? "Zo, Alexandra, laat maar eens horen. Waarom heb je sneeuwpoppen gemaakt die de staf dienen voor te stellen en waarom heb je je creaties met zoveel klaarblijkelijk genoegen verminkt?" Ja! Die heeft de dag van zijn leven. Ik ben eigenlijk behoorlijk onder de indruk. Alex heeft echt talent en dat heeft niemand ooit ontdekt. Ze kan beter sneeuwpoppen uit sneeuw hakken dan ze in haar armen hakt.'

Iets verderop lachte Innes met de anderen mee om de griezelig perfecte imitatie van dokter Lauries geaffecteerde stem, maar ze hoopte vurig dat Alex Simons harde commentaar over haar zelfverminking niet had gehoord. Daar hoefde ze zich geen zorgen over te maken, want Alex ging helemaal op in het onthoofden van de sneeuwverpleegkundigen.

Simon hield de sfeer luchtig, maar zijn gezicht vertelde een ander verhaal. En Innes hoorde hem tegen Carrie fluisteren: 'Alex is op haar allerergst, momenteel. Nou ja, bijna dan. Wat moeten we in godsnaam met haar beginnen?'

Carrie gaf hem bemoedigend een pets op de rug. 'Pieker maar niet. Danny en ik hebben er al over gepraat. Alex moet in de gaten worden gehouden. Ze moet gewaarschuwd worden. We moeten d'r een lesje leren. Want Alex is helemaal niet zo bikkelhard als ze wil laten voorkomen. Dat weet jij ook wel. Ze heeft haar... hoe zeg je dat... haar zwakke plekken. Ik denk dat we haar daar alleen aan moeten herinneren, op een manier dat zij het vat, dat ze een beetje moet dimmen. In het belang van ons allemaal.'

Danny schoof langs hen heen op weg naar de achteringang, terwijl hij zijn handschoenen uittrok en zijn sjaal afdeed, in zichzelf mompelend maar voor iedereen hoorbaar! 'Tering! Alex is zo geschift als een deur. Altijd al geweest. Ik ga naar binnen. Denk eraan, alsof jullie dat zouden vergeten, kerstfeest vanavond! Leut en lullige spelletjes!'

'Oké, tijd om lootjes te trekken. Goed, Anna?'

Ze had Anna nog nooit zo vrolijk gezien als toen ze knikte naar Ranj, want praten was hopeloos boven het oorverdovende lawaai. Innes stond achter haar en nam de ruimte in zich op. De groepstherapie/psychodramazaal leek groter dan ooit. Al het overtollige meubilair en de tv waren uit de weg geruimd. De nieuwe kerstboom was op zijn minst dertig centimeter hoger dan de vorige, die twee dagen geleden in vlammen was opgegaan. Er was een 'onderzoek' ingesteld, maar er was geen bewijs gevonden. Het scheen dat Anna en Ranj slaande ruzie hadden gekregen, omdat Ranj ervan overtuigd was dat Lydia weer een van haar pyromaniebuien had gehad, en Anna beweerde dat de boom in brand gevlogen was door kortsluiting in de lichtjes. Maar Innes had hier en daar wat opgevangen over het geval. Genoeg om in te zien dat Simon en Carrie erbij betrokken waren, en nog anderen misschien. Wat Simon tegen Carrie had gezegd spookte door haar hoofd: '...en dat is juist de bedoeling, dat iedereen dat denkt. Dat het Lijpe Lydia was. Dat heet de aandacht afleiden, lieve Carrie. Snappie? Kijk, onze briljante verplegers zijn vreselijk gevoelig. Ze hebben een neus voor de stemming en voor kleine veranderingen erin. Daarom werken ze hier en hoeven ze niet de billen van geriatrische gekken in het hoofdgebouw af te vegen. Ik weet toevallig dat ze dinsdag een spoedvergadering hadden. Vlak voor de brand. Ze weten dat er iets aan het handje is. En dus moesten we ze iets geven om over te piekeren, ja toch. Zodat ze de verkeerde brandjes konden blussen, als het ware...'

Het ontging Innes waar ze het over hadden. Maar het gaf wel aan dat iets helemaal scheef zat hier.

Ze richtte haar aandacht weer op de twinkelende lichtjes in alle kleuren van de regenboog. De vier lange en sierlijke boogvensters gaven een prachtig uitzicht op het gazon, nu bedekt met verse sneeuw die schitterde in het maanlicht. Binnen waren de muren nogal onorigineel versierd met zilverkleurige slingers, stralende kerstmannetjes en met glittersneeuw bedekte sneeuwpopjes.

Het versieren van de zaal was een leuke ervaring geweest. Iedereen was wel even binnen komen vallen: zelfs God – ook bekend als dokter Laurie – was de ladder opgeklommen! En over de brand zou in januari wel weer gesproken worden. Zuster Anna had die ochtend tijdens de groepsbijeenkomst nog geprobeerd om iemand erover te laten praten, maar zij en de rest van de staf wist dat ze hun tijd verdeden. Behalve Lydia, die maar bleef blèren dat zij het niet gedaan had, had geen van hen er iets over willen zeggen. Tot Innes' teleurstelling had zelfs Abby geweigerd over het geval te praten. En Innes had, hoewel ze zich schaamde, het afgeluisterde gesprek van Simon en Carrie maar voor zich gehouden.

'Anna... dansen?' Innes had een aangenaam donker plekje in

de hoek van de zaal gevonden. Met een glimlach keek ze toe hoe Adrian Laurie Anna de vloer op trok voor ze tijd had om te antwoorden. Ze verdwenen in een menigte patiënten, hun vrienden, hun broers en zussen. Geen ouders. Dat was streng verboden. Op zijn minst een goed besluit. Maar verder had ze zo haar twijfels over dit feestje. Het was hier de laatste tijd zo... bergafwaarts aan het gaan. Het was zo schijnheilig om een jolig kerstfeest te houden alsof alles in orde was. Ze wist niet eens of er ook maar één van hen 'aan de beterende hand' was. Hun individuele en collectieve hoofden werden door meer geplaagd dan door een verkoudheidje, en ze begon een beetje te twijfelen of de Unit en zijn staf wel berekend waren op hun taak.

Ze zag stagiaire Sarah iets voor zich staan terwijl ze spiedend rondkeek. Even later haalde ze een kwartliter wodka uit haar zak en schonk er een flinke plens van in haar cola. Ze nam een flinke teug, zich onbewust van Innes' kritische blikken. En toen kwam Anna naast Sarah staan, nog enigszins buiten adem van haar wilde dans met dokter Laurie. Zonder haar ogen van de dansende menigte af te wenden zei Sarah: 'Gaat niet gek, hè, Anna?'

Anna liet haar hoofd naar opzij gaan alsof de vraag haar hoofdbrekens kostte. 'Het ziet er goed uit. Maar je weet nooit wat ze zich nog in hun verdomd gestoorde hoofden halen!'

Innes zag hoe Sarah haar verbaasd aankeek, en ook Innes keek nogal op van Anna's taalgebruik. Maar Sarah moest ongetwijfeld wel dezelfde gedachte hebben gehad. Toen gaf de stagiaire haar baas een vriendschappelijke por met haar elleboog. 'Ah joh, ze gaan morgen naar huis. Hebben we allemaal even echt vakantie. Niet zoals die flater met dat uitje in Argyll vorige maand. Nou ja, volgend jaar zal het allemaal wel beter gaan.'

Anna wilde haar tegenspreken. 'Denk je? Ik zal je eens ver...'

Haar woorden werden overstemd door Ranj die op het podium was gaan staan waar het trio dat de feestelijke deuntjes te berde had gebracht net gestopt was. 'Oké, allemaal, even rustig aan! Stil...te! Tijd voor de fantastische, adembenemende ...Unieke Unit Kerstloterij! De opbrengst gaat zoals jullie weten naar de Maybury Vleugel, voor de mensen met hoofdletsel. Goede zaak, dat zullen jullie met me eens zijn.' Het laatste gefluister stierf weg en Ranj hield een kleine rode kerstmannenzak op. 'Kom maar hier, Danny. Jij hebt vorige week het kortste lucifertje getrokken, dus deel jij de prijzen uit. Nummer een!'

Innes lachte om Danny met zijn rode muts en zijn kerstboomslinger om, die het podium op stapte, terwijl hij nog een laatste hijs van zijn sjekkie nam voor hij hem onder zijn schoen uittrapte. 'We hebben drie hoofdprijzen. *Numero uno* is...' Hij stak zijn hand in de zak die Ranj voor hem ophield. Hij vouwde het papiertje open en riep luid het cijfer op: 'Nummer nul een vijf!' Innes keek haar lootjes na. Niets. Danny probeerde het nogmaals. 'Nummer nul een vijf!'

'Ik ben nul een zes! Mijn oudtante had het nummertje voor me. Maar ze kon niet komen!' Iedereen keek reikhalzend naar Lydia, molliger dan ooit in haar wijde rood-met-witte gewaad dat dienst deed als avondjurk.

Ranj zette een stap naar voren met een blik van ingehouden ongeduld die Innes kende van de momenten waarop de stemming in de Unit gespannener was dan anders. Hij stak een hand op om de zaal te laten bedaren. 'Goed, Lydia, dan leggen we deze even apart. Dan kun je het rustig uitzoeken met je tante.' Een paar protesterende klanken werden genegeerd terwijl Ranj Danny vroeg om de volgende te trekken. 'Goed. Volgende?'

Danny stak zijn hand weer in de zak. 'Jottem. Tweede prijs! Nummer nul drieëntwintig! Nul twee drie!'

'Ja! Die heb ik!' Een giechelende Sarah drong zich naar voren en stapte naast de anderen op het kleine podium. Ze stond net op het randje toen Ranj haar de prijs overhandigde. Ze trok het groene crêpepapier eraf en stak een pondsdoos After Eight en een boekenbon omhoog. 'Bedankt iedereen! Als jullie me over twee weken weer zien, ben ik tonnetje rond en scheel van het lezen! Gelukkig kerstfeest!'

Er klonk een slap applaus en toen dook Danny voor de een na laatste keer in de zak. 'Nul drie een. Numero eenendertig!'

Een klein jochie van tien wrong zich naar voren, met een lootje wuivend. Dokter Matt Benson, een Amerikaans psychiater uit het hoofdgebouw, tilde hem omhoog, en riep met een lijzig accent: 'Voor degenen die hem nog niet kennen, dit is Dale, mijn neefje. Hij woont in Londen met mijn zus, Lee-Anne, die ik een minuut geleden nog ergens zag. Lee-Anne, waar ben je?'

'Op de plee!' riep iemand en Innes lachte mee met de anderen.

Matt Benson tilde het jongetje op het podium. Ranj boog zich naar voren met een lang, dik pak. Het was veel te zwaar voor het kind. Innes bleef achteraan staan terwijl het publiek een halve cirkel vormde toen Dales oom het pak op de grond legde en uitpakte. Er kwam een feloranje tent tevoorschijn.

'Wauw!' Benson zette de jongen op zijn schouders. 'Zeg maar wel bedankt, Dale. Dale is gek op kamperen. Heeft iemand er bezwaar tegen als we hem nu even opzetten in de tuin? Grapje!'

Innes keek naar Anna die iets buiten de kring stond en Adrian Laurie even aankeek. Ze hadden het allebei onmiddellijk aangevoeld. De stemming was veranderd – ingehouden, geladen. Ze voelde hoe blikken tussen bepaalde patiënten werden uitgewisseld. Het was te donker om te zien tussen wie. Maar Ranj leek er niets van te merken en ging vrolijk verder. 'Oké! Tijd voor de hoofdprijs! Danny, aan jou de eer!'

Innes ging op haar tenen staan toen Danny, als een professionele goochelaar, met veel vertoon zijn mouw opstroopte en zijn hand langzaam in de zak stak. 'Nul nul zeven! Het geluksnummer van James Bond! Van wie?'

'Jep! Hiero!' Alex stond meteen vooraan en hees zich op het podium naast Danny en Ranj. Ranj overhandigde haar de doos die uitbundig met linten versierd was, stopte even en woog hem fronsend in zijn handen. Hij trok glimlachend zijn wenkbrauwen op en feliciteerde haar. 'Goed gedaan, Alex. Ik weet dat je hier plezier van zult hebben. Een geweldig kerstfeest, meid!'

Alle ogen waren op haar gericht, benieuwd om te zien wat ze had gewonnen. Innes dacht even aan de sneeuwmannengekte van een paar uur geleden terwijl Alex het papier woest wegscheurde, laag na laag, mompelend: 'O... ja, ik zie het al, het is weer zo'n fopcadeau. Papier na papier, doos na doos. Als die Russische klotepoppetjes! Pestkoppen dat jullie zijn! Maar hier zijn we dan.' Ze had er al drie lagen papier afgescheurd en twee dozen opengedaan. Ze trok aan het deksel, smeet de laatste laag rood vloeipapier op de grond. En staarde naar de inhoud. Met een gil liet ze doos uit haar handen vallen en ramde zich door de menigte een weg naar buiten, krijsend.

'Nee! Nee! Neeee!'

Ze keken haar allemaal na. Innes kroop naar voren, benieuwd wat er onder de doos lag. Ranj zat er op zijn hurken bij. Voorzichtig draaide hij de doos om en deinsde terug. Onder het verkreukelde papier lag Alex' prijs.

Een klimtouw en een jachtmes.

21

Innes had als een blok geslapen. Niet eens gedroomd. Dat verbaasde haar na dat bezoek aan het Unitgebouw. Ze was er behoorlijk zenuwachtig geworden. Stom eigenlijk. En er waren zoveel herinneringen in haar opgekomen. Dingen waarover ze in geen jaren had nagedacht. Maar deze ochtend had ze zichzelf toegestaan op een rijtje te zetten wat ze aan het doen was. En waarom.

Drie, dríé van de zes mensen met wie ze het leeuwendeel van een jaar had doorgebracht in een inrichting waren kortgeleden betrokken bij een noodlottig ongeval. Lydia mocht dan wel in leven zijn, maar zo te horen was de kwaliteit van dat leven ver onder de maat, zonder hoop op verbetering.

Ze mijmerde over hun leven op de Unit. Ze hadden veel idiote spelletjes gespeeld om zichzelf te vermaken, elkaar te ergeren, de staf op te hitsen, maar wie-is-er-dood-over-vijfentwintig-jaar hadden ze nooit gedaan. Niet zo verwonderlijk, want zoals alle jongeren leefden ze bij tijd en wijle of ze onsterfelijk waren. Daarentegen hadden ze in tegenstelling tot gewone tieners langdurige en zware depressieve buien, op het ziekelijke af. Maar ze zou in geen duizend jaar voorspeld kunnen hebben dat er, Carrie meegerekend, nu drie werkelijk dood zouden zijn. En de vierde kantje boord. Allemaal door eigen hand.

En daarom zat ze hier. Om halfzeven die ochtend had ze bij haar volle verstand – vond ze zelf – een beslissing genomen. Het leven van drie voormalige patiënten was in een paar maanden van de aardbodem weggevaagd. Het enige dat die mensen gemeen hadden was de Unit. Toeval was hier totaal niet aan de orde. Jezus, wat was er in hemelsnaam in die tent gebeurd dat dit het resultaat was? Voor de honderdste keer die ochtend liet ze zich weer op bed ploffen, met haar notitieblok op haar knieën, vol verwarde krabbels die begonnen te schitteren voor haar ogen.

Ze had *drugs/medicijnen* opgeschreven. Vanzelfsprekend eigenlijk. En ook weer niet, als je bedacht dat er maar heel weinig patiënten medicijnen kregen. Dat maakte deel uit van het nieuwerwetse regiem: weg met de conventionele behandelingen. Alleen als je alles geprobeerd hebt en niets effect heeft gehad, alleen als het echt nodig is, dan mag je een tijdje pillen slikken. O, er waren er een paar die medicijnen kregen, maar dan wel het absolute minimum. De 'medicinale gummiknuppel', waarop nu zo gescholden wordt maar die destijds vanzelfsprekend was in inrichtingen, was nooit vaste prik geweest in de Unit.

Later die ochtend nam haar ongeloof in een fantastische

theorie dat er 'experimentele drugs' werden uitgeprobeerd op die experimentele afdeling toe. Misschien kregen alle patiënten wel een neuro-psychologische terugslag die pas op middelbare leeftijd naar boven kwam... Misschien hadden ze allemaal wel iets in hun eten of drinken gekregen. Of misschien hadden ze stiekem hypnotherapie gekregen zodat ze zich niets van medicijnen herinnerden... Ze glimlachte even en schrapte deze excentrieke ideeën. Te *X-files*-achtig.

Maar dat andere, wazige idee bleef hangen: dat er misschien iets in hen of hun behandeling aanwezig was geweest dat onbewust een psychologische tijdbom in hun hoofd had geplaatst. Een tijdbom die uiteindelijk tot een vreselijke, roekeloze, onnodige dood zou leiden...

Een uur later reed ze de parkeerplaats van het hotel af, omzeilde de stad en ging op weg naar het zuiden. Opgelucht dat ze weer iets met haar handen en voeten deed en die ongezonde, piekerende stemming achter had gelaten in die hotelkamer. Verkeer en weer had ze mee, dus belandde ze al rond het middaguur bij de parkeerplaats aan het strand. Het waaide flink in Yellowcraigs. Ze klom naar een duintop. Vrij veel volk voor zo'n doordeweekse dag. Veel moeders met kinderen en oude mensen met hondjes. Capuchon op en hoofden gebogen tegen het opstuivende zand.

Ze liep landinwaarts naar Dunes Road. Een houten bordje bij de ingang van de oprit liet weten dat dit 'Craigleith' was. Ze nam de zwarte bouwval die eens een mooie vrijstaande eengezinswoning was geweest in zich op. En uiteindelijk het crematorium van een vader en zijn drie kinderen.

'Kan ik u helpen?'

Ze draaide zich spoorslags om en keek in het gezicht van een oudere vrouw, die het schotsgeruite riempje van een druipend West Highland-terriërtje vasthield.

'O, ik, ik, eh... sorry.'

De mevrouw knikte naar de restanten van 'Craigleith'. 'Wat een bende, hè. En wat een tragedie. Ik ben Jean Lamont, de buurvrouw. Van "Kittiwake". Bent u hier op vakantie of...?'

De kleine, keurige mevrouw liet de rest van de zin in de lucht hangen. Innes wist dat ze haar niet verdacht vond. Ze zag er blijkbaar te netjes gekleed uit voor een inbreker. Desondanks wilde de vrouw toch weten wat een vreemdeling in haar keurige straat deed.

Innes bukte zich om het kleine hondje tussen zijn oortjes te kroelen, en kushandjes toe te werpen, waardoor hij helemaal opgewonden werd en schril begon te blaffen. Ze ging weer rechtop staan en keek naar 'Craigleith'. 'Nou, ik kende eigenlijk iemand die hier woonde.'

'Mijn hemel! Toch niet die lieve Lydia? Robin?'

Innes glimlachte toepasselijk droevig, want meer niet te beantwoorden vragen over wat ze hier deed wilde ze niet aanmoedigen. 'Ja, Lydia. Wat is er precies gebeurd? Ik hoorde alleen dat er brand was geweest.'

De mevrouw ging op een stenen muurtje zitten, en gebaarde dat Innes hetzelfde moest doen, en ze begon het verhaal uit de doeken te doen, met een starende blik op de zee. Bij nader inzien zag Innes dat de dame aardig op leeftijd was. Toch zeker rond de tachtig. Haar haar was wit en de hoofdhuid schemerde erdoor. Maar ze had een mooie huid, gebruind, met rimpeltjes, gezond. Een gezicht met karakter. Ze had een beschaafd, zangerig accent. Uit het noordoosten, Caithness of Sutherland, dacht ze, toen ze luisterde naar het verhaal van de vroegere buren van de vrouw.

'Lydia was een lief mens. Had heel wat aan haar hoofd, wat wil je ook met zo'n marine-officier als man, die vaak lang van huis was. De kinderen zaten allemaal op de basisschool hier aan het eind van de straat. Ik geloof dat Angus op het punt stond naar kostschool te gaan. De kleine Hamish was de jongste en ging net naar school. Lydia was een goede moeder. Ze zei altijd dat ze alleen het beste voor hen wilde. Ik had de indruk dat ze zelf niet zo'n fijne jeugd had gehad. Ik wist niet eens, tot ik het in de krant las, dat haar ouders nog leefden. Ze had het nooit over hen en ze kwamen ook nooit op bezoek. En ze wonen in Edinburgh, dus niet eens ver weg. Ach, nou ja. Je kan nooit raden wat er in andermans gezin allemaal speelt, is het niet?'

Innes was het daar helemaal mee eens, en boog zich voorover om het hondje te aaien, zodat haar volgende vraag wat losser over zou komen. 'O, zeker. En die brand? Schijnt die niet aangestoken te zijn? Ik las zoiets.'

Jean Lamont zweeg even, en schudde verbijsterd en medelijdend het hoofd. 'In de plaatselijke krant en bij het onderzoek is dat nogal breed uitgemeten. Ik heb een kleindochter die bij de krant werkt, dus hoor ik wel eens wat er daar gefluisterd wordt. Hoe dan ook, bewezen is het nooit. Als het dus aangestoken was, weet niemand wie het gedaan heeft en waarom. Ze weten wel dat Lydia ergens door gestrest was voor het gebeurde. Een of andere bedreiging of zoiets. Ze schijnt een flinke depressie te hebben gehad, maar ze zei het tegen niemand, zelfs niet tegen haar man. En niemand die het in de gaten had. Ik ook niet. Het kwam pas naar buiten toen haar huisarts als getuige werd opgeroepen. Toen hij eens voorgesteld had om haar zorgen met haar familie en vrienden te delen, zodat de druk een beetje van de ketel ging, was Lydia helemaal overstuur geraakt. Stond erop dat niemand te weten kwam dat er iets fout zat. Maar dat is allemaal indirect bewijs, in politietermen. Het kan best toeval zijn geweest dat Lydia het moeilijk had en dat dit gebeurde. Aan de andere kant gingen er geruchten over de baan van haar man bij de marine. Iets met "topgeheim" of zo. Maar hij deed geen geheime dingen, hij was geen kapitein op een atoomonderzeeër. Hij was gewoon een officiertje op een schip. Maar er was natuurlijk dat race-gedoe van hem. Al die wagens en motorfietsen en benzine en olie in hun garage. Beetje gevaarlijk, vond ik het altijd. Maar je weet het niet...'

Innes wachtte terwijl de dame peinzend voor zich uit staarde voor ze verderging. 'Met Lydia schijnt het redelijk goed te gaan. Lichamelijk dan. Maar ze... nou, ze weten het niet precies. Ze dachten eerst dat ze een hersenbeschadiging had opgelopen en er ís ook enig letsel daar, maar het lijkt soms ook of ze echte... echte psychische problemen heeft momenteel. Ze zeggen dat het een... hoe heet dat ook weer? O ja, een posttraumatisch syndroom is. Ze ligt in een gespecialiseerd ziekenhuis niet ver hiervandaan. De Broughton-kliniek. Een paar mijl langs de kust in North Berwick. Ik ga er regelmatig even langs. Ik weet niet zeker of ze me herkent, maar wat moet je. Het was vreselijk, vreselijk.'

Jean Lamont was steeds dichter naar Innes toegeschoven. 'Maar er was wel een luchtje aan de zaak. Daar pieker ik wel eens over. Ongeveer twee weken voor de brand kreeg Lydia mensen op visite. Twee. Een man en een vrouw. Niet samen. De man heb ik niet zo duidelijk gezien. Het was avond. Maar die vrouw, die zie ik zo voor me. Heel ongewoon allemaal. Want weet u, ze kregen nooit bezoek, alleen verkopers en Robins familie eigenlijk.'

Innes haalde haar schouders op, ze wist niet waar de vrouw heen wilde. 'Maar waarom is dat zo bijzonder? Die mensen, bedoel ik?'

'Dat zal ik u zeggen. Omdat ze niet meer dezelfde was na die bezoeken. Iedere keer dat ik haar zag was ze zo nerveus. Heel raar. Weet u, ik zag haar bij de voordeur met die man. De man die ik niet goed kon zien. Je zag zo dat ze geen zin had om met hem te praten. Maar een paar dagen later zie ik haar met een vrouw. Nogal jong. Aantrekkelijk. Dure kleren. Ze stonden op de oprit te praten. Ik kon niet horen waar het over ging. Maar ik zal u vertellen: Lydia keek doodsbang. Ik kan niet anders zeggen. Ze leek misselijk van angst. Vreselijk. Alsof ze een spook had gezien.'

Een paar uur later begroette ze Jean Lamont voor een tweede keer. Tussendoor had ze bij de haven van het kustplaatsje North Berwick een onsmakelijk broodje gegeten, piekerend over de vraag of het wel goed was wat ze ging doen. Haar stemming was weer veranderd – de angst was een beetje terug. Misschien werd het tijd om weer naar Londen te gaan. Hiermee op te houden. Maar daar schoot ze natuurlijk niets mee op. Ze was nu eenmaal begonnen met deze uiterst verrassende tocht op zoek naar zichzelf. En dat moest ze helemaal alleen doen. Want het was tenslotte haar verleden waarin ze aan het wroeten was. Alleen zij kon dat doen. En het werd hoog tijd ook. Want het was er nog steeds – die vage angst die koppig in haar binnenste was blijven zeuren sinds dat bericht van Isabella op haar antwoordapparaat. Dat had alles aan het rollen gebracht. En ze kon het, wilde het niet negeren.

De oude dame ratelde maar door toen ze uitstapten op de bezoekersparkeerplaats. 'Verder mag je niet met de auto, behalve als je op doorreis bent. Maar het is best een aardig wandelingetje op zo'n dag als vandaag. De Broughton-kliniek zit in een apart gebouw. Ze hebben er ook twee gesloten afdelingen voor de echt trieste gevallen.'

De lange, semi-landelijke wandeling langs het door bomen omzoomde pad deed haar meer aan de Unit denken dan Innes lief was. Ze liep steeds langzamer, en moest zich uit alle macht bedwingen om zich niet om te draaien en er als een haas vandoor te gaan. Maar toen ze de hoek omsloegen was het spookbeeld verdwenen. Deze kliniek leek in niets op het oude Unitgebouw. Dit was een lelijke, moderne, twee verdiepingen tellende doos.

Ze liepen naar de receptie waarin meer glas en tropische planten te zien waren dan in Innes' peperdure fitnessclub in Londen. Een snelle blik op een bordje aan haar linkerkant verklaarde dit. Een onopvallend maar duidelijk bordje PARTICULIERE AFDELING DEZE KANT beantwoordde al haar vragen over de exclusieve architectuur. Ze vroeg zich af hoe ze het hier klaarspeelden om gesloten afdelingen, met waarschijnlijk de meest schrijnende psychiatrische gevallen, te combineren met een afdeling waar men vertroeteld werd als men wat neerslachtig was.

Ze sloot zich af van Jean Lamonts goedbedoelde, maar onnozele gebabbel met de receptioniste en maakte even pas op de plaats. Ze was zenuwachtig. Het was een belangrijk moment. Dit was de eerste keer dat ze een Unitpatiënt zou ontmoeten nadat ze vertrokken was uit die poel van ellende.

En wat moest ze denken van Lydia? Zesentwintig jaar geleden had Innes haar beschouwd als eigenlijk best een aardig kind dat het soms op haar heupen kreeg. Manisch-depressief. Als ze vrolijk was, dan was het leven geweldig en hield Lydia van iedereen, nou ja, van bijna iedereen. Maar was ze down, dan was de hele Unit met iedereen erin gehuld in een duister doodskleed. In die perioden trok Lydia zich terug in zichzelf, gromde ze hoogstens woorden van één lettergreep, en als ze zich echt slecht voelde kon ze zo goed stommetje spelen dat je er bang van werd. Maar Innes had wel gemerkt dat Lydia zeer scherp waar kon nemen in die perioden. Lydia hield mensen in de gaten. Daarin stond ze niet alleen, maar ze deed het vaak en goed. Luistervinkje spelen. Kijken. Misschien smeedde ze zelfs plannetjes die ontstonden uit de paranoia die hand in hand ging met de inktzwarte wanhoop van haar zieke geest.

'Lydia Shaw ligt niet meer op afdeling 17. Ze is vorige week verplaatst naar wat wij de Villa noemen.' De receptioniste glimlachte vriendelijk naar hen.

Jean Lamont kwam wat dichterbij. 'De Villa?'

'Het is soort tussenafdeling. 's Nachts gesloten, maar overdag open. Het betekent dus dat het beter met haar gaat. U zult verbaasd staan, mevrouw Lamont. Een momentje alstublieft, ik zal een van de zusters roepen die u naar haar toe kan brengen.'

Even later stond er een knappe verpleegkundige, duidelijk homo, voor Innes die vriendelijk naar hen glimlachte. De gespierde, gemillimeterde hoofdverpleegkundige Johnny Wallace.

'Hallo, Jean, enig je weer eens te zien.' Innes gaf hem een hand terwijl Jean Lamont hen aan elkaar voorstelde. 'Leuk dat je er bent, Innes. Fijn te weten dat Lydia nieuwe bezoekers krijgt. Er komen er maar zo weinig.'

'Maar haar ouders dan?' vroeg Innes.

Ze ving een veelbetekenende blik op tussen Johnny en Jean. Hij bleef glimlachten terwijl hij de treurige waarheid vertelde. 'Die komen nooit langs. Lydia heeft verder geen familie. Daarom zijn we zo blij als er vrienden en kennissen langskomen.'

Dat verwonderde Innes eigenlijk ook niet. Hoe kon de verbitterde verdeeldheid, die zesentwintig jaar geleden al aanwezig was, tot iets anders geleid hebben dan een steeds verdergaande vervreemding?

'En de familie van haar man?'

Weer die blik tussen Jean en Johnny. Hij schudde alleen maar zijn hoofd.

'O, juist.' Ze volgde de andere twee door een lichte gang. Dus de schoonouders dachten dat Lydia hun zoon en kleinkinderen had vermoord. Waarom zouden ze anders wegblijven?

Johnny babbelde rustig over Lydia's toestand. 'Het is nog te vroeg om er iets van te zeggen. Wij dachten dat er enig neurologisch letsel zou zijn. Maar het is moeilijk uit te zoeken wáár precies. De doktoren staan eerlijk gezegd voor een raadsel wat Lydia betreft. Alle testen die ze doet, zowel de lichamelijke als de verstandelijke, zijn allemaal prima, maar ze blokkeert als het op communicatie aankomt. En ze kan vreselijk agressief uit de hoek komen. Het grootste probleem is dus een gedragsstoornis, en die kan natuurlijk een lichamelijke oorzaak hebben, dan bedoel ik hersenletsel, of een psychologische oorzaak. En dan heb ik het over de shock of het trauma van de gebeurtenis.

Lydia is geen gemakkelijke patiënt. Jean vindt haar totaal anders dan de Lydia die ze voor de brand kende. Maar verandering van persoonlijkheid is niet ongewoon in zulke gevallen. Na de brand heeft ze drie weken in coma gelegen. En werd gewoon wakker. Trouwens, ik kan niet beloven dat ze jullie herkent, maar we kunnen het altijd proberen. Soms lijkt ze Jean te kennen. En soms ook niet, hè? We zullen wel zien. Het is in elk geval beter dat ze op deze afdeling ligt, bezoek kan ontvangen en naar buiten kan. Lydia is in elk geval niet meer het zorgenkindje dat hier werd binnengebracht. Maar we weten nog steeds niet goed wat er in haar omgaat. We moeten er maar het beste van maken en zorgen dat ze bezig blijft en niet wegzinkt.'

Ze liepen langs de zijkant van het lelijke gebouw en het was of ze een andere wereld binnenstapten. De parkachtige tuin lag op een helling. Bomen, struiken, gazons en het geluid van een fontein in de verte. Het deed haar denken aan een Zwitsers sanatorium van rond de eeuwwisseling – alleen lagen er geen tuberculosepatiënten in ligstoelen met geruite dekens over hun knieën, maar schuifelden er gebogen mensen in alle soorten en maten rond in groepjes van twee of drie. Ondanks de frisse maartse temperatuur droegen alle patiënten diverse soorten nachtgoed. Sommigen hadden felgekleurde ochtendjassen aan, glimmend rood of blauw. Anderen hadden een doodgewone badstof badjas aan. Elke patiënt zag er ernstig ziek uit, sommige mompelend tegen niemand in het bijzonder, sommige voorovergebogen, levend in hun eigen wereldje. Johnny praatte maar door.

'Iedereen hier is tussen de vijfentwintig en vijfenveertig. Iedereen heeft hersenletsel of psychische stoornissen. Maar het goede nieuws is dat ze vooruitgaan hier. Lydia zelfs zeer snel. Alleen al het feit dat ze nu al in de Villa terecht is gekomen bewijst dat. Weet u, dit is een van de beste klinieken in heel Groot-Brittannië. En gewoon voor ziekenfondspatiënten. De basis wordt gevormd door een zeer royaal legaat, er zijn ook wat trustgelden mee gemoeid. En we krijgen de huur van de particuliere afdeling. Zo, ik denk dat Lydia hier ergens zit.' Hij kneep zijn ogen half dicht tegen de zon. 'Ja, daar is ze. Bij de schommel. Willen jullie dat ik meewandel en jullie even voorstel?'

Ze hoorde zijn vraag nauwelijks. En ze kon haar ogen nauwelijks geloven. Het haar herkende ze het eerst. Hetzelfde recht afgeknipte blonde haar met een haarband rond een veel minder bol gezichtje dan vroeger. De schommel was een overdreven krullerige kopie van een Victoriaans geval. Er was geprobeerd om klimplanten tegen de stijlen op te laten groeien, maar dat was niet gelukt. De zitting was een forse houten plank die felrood geverfd was. Lydia schommelde langzaam, met haar benen eerst voor zich uitgestrekt, dan weer gebogen in de knieën. Haar hoofd hing voorover, plukken haar streken over haar wangen heen en weer. Haar ochtendjas was lang en van roze satijn, waarschijnlijk uit een warenhuis. Heel fatsoenlijk, want eronder droeg ze een katoenen pyjama, met vreemd opgerolde pijpen waardoor haar bleke, slappe kuiten zichtbaar waren.

Jean Lamont raakte Innes' arm aan. 'Zullen we het dan maar proberen, kind?'

Innes knikte en ze liepen langzaam op haar af. Bij elke stap moest ze de onwelkome beelden aan de schommel van de Unit uit haar hoofd jagen.

Jean Lamont sprak heel zacht. 'Lydia? Lydia, liefje?'

Ze stonden anderhalve meter van haar af en Lydia scheen niets te merken, met haar hoofd naar de grond gebogen. Heen en weer ging ze, heen en weer.

De oude dame probeerde het nog een keertje, deze keer een beetje harder. 'Lydia? Lydia, hallo! Lydia?'

Het gezicht dat opkeek had nog maar één bekend kenmerk voor Innes. De felblauwe ogen waren nog steeds zo blauw, al was het leven eruit verdwenen. Innes schrok zo van die lege blik dat ze een stap achteruit deed. De Lydia van zesentwintig jaar geleden was levendig, intelligent en fris geweest. Wat ervan over was, was de gladde huid en de volle lippen. Maar de levenloze ogen leken het hele gezicht te misvormen. Ze was behoorlijk afgevallen sinds haar vreetbuiperioden in de Unit. Ze was nog steeds groot, maar niet dik. En ze leek minstens tien jaar ouder dan ze werkelijk was, vooral rond de ogen. De huid daar was gelig en zat vol rimpels. Alleen het haar leek nog precies hetzelfde, al bleek de kleur bij nader inzien uit een flesje te komen. Maar toch had iemand de moeite genomen om Lydia er goed uit te laten zien. Al was die uitzonderlijke stralende glans verdwenen met het verlies van haar jeugd. En van gezondheid. En van aandacht.

Innes glimlachte naar Lydia terwijl ze bedacht dat zij waarschijnlijk dezelfde symptomen zou vertonen. Wat zou het verlies van je hele gezin anders voor effect hebben dan het verval van je uiterlijk en al het andere? Of Lydia dit nu al of niet aan zichzelf te wijten had, Innes voelde medelijden in zich opwellen terwijl ze naar haar bleef kijken.

'Wiebejjij?' Het was weinig meer dan een grommerige keelklank van een holenmens, en ze deden hun best erachter te komen wat Lydia bedoelde.

'Wiebejjij, kutwijf?' Het tweede woord klonk al iets duidelijker. Jean Lamont leek er niet op te reageren en ze wilde net antwoorden, toen Lydia weer een uitbarsting kreeg.

'Sjek? Sjek? Hebbie sjekkie?' Het staccato gegrom was haast griezelig. Voor de eerste keer in Joost mag weten hoe lang, vervloekte Innes zichzelf dat ze niet rookte.

Jean fluisterde: 'Niks aan de hand, zo begint ze altijd. Hallo, Lydia! Ik ben Jean, weet je wel? Je buurvrouw van "Kittiwake". De mevrouw met het hondje. Weet je nog, je liet hem graag samen met me uit. Je herinnert je Scampi toch nog wel?' Ze wendde zich weer tot Innes. 'Ik had de hond moeten meebrengen. Ik heb het eerder gedaan en dat vond ze geweldig. Nou ja.'

'Peuk! Peuk! Moet peuk!' Langzaam, met een bijna obsceen sensueel gebaar, stak Lydia haar hand in haar ochtendjas en haalde een smal pakje met extralange filtersigaretten tevoorschijn. De plastic aansteker, met het wat misplaatste WELCOME TO BLACKPOOL erop, volgde. Ze zoog de eerste haal naar binnen. Ze vertrok haar mond toen ze uitblies, waardoor Innes een blik op haar uitzonderlijk goede gebit kon werpen.

Jean klopte Innes weer op haar arm. 'Luister eens. Ik loop even naar het buffet en haal een kop koffie en koekjes voor ons. Dan wordt ze wel rustig. Jij redt je wel, hè?'

Innes was opgelucht toen de oude dame vertrok. Nu kreeg

ze de kans om Lydia even alleen te spreken. Ze liep naar de schommel.

'Hoi, Lydia. Ik ben Innes. Ik ben maar eens langsgekomen. Johnny zegt dat je niet veel bezoek krijgt.'

'Sjonnie-poot! Sjonnie-kutpoot!'

De zon scheen recht in het uitdrukkingsloze gezicht en Lydia keerde haar hoofd naar opzij, met haar ogen strak gericht op het bezoek. Innes ging recht voor haar staan waardoor ze een schaduw over Lydia wierp. Ze wist niet zeker of Lydia misschien een beroerte had gehad. Haar manier van praten, zo ongearticuleerd en mompelend – weg was de keurige uitspraak uit haar jeugd – deed daar wel aan denken, maar haar gezicht was symmetrisch en beweeglijk. Lydia's eenwoordszinnen, versierd met die Tourette-achtige tussenwerpsels wezen toch op een zekere beschadiging, maar waar en hoeveel was een raadsel. Innes probeerde het maar weer eens met het onderwerp bezoek.

'En, wie is hier laatst op bezoek geweest, Lydia? Was het Jean?'

Eerst weer een haal aan de sigaret. Toen: 'Kutwijf!'

Innes vroeg zich af of dit voor Jean bedoeld was of dat het een algemene uitroep was. Dan maar een ander onderwerp. De moeilijkheid was dat ze niet wist of Lydia's kinderlijke gedrag een weerspiegeling was van de wereld waarin zij leefde of niet. Hoe kon ze in godsnaam beginnen over de Unit met deze, deze schim van het eens zo aardige, soms zelfs uitbundige meisje? Dat ging niet. Dat was vals. En verkeerd.

'Duwe, kutwijf. Asjeblief.'

Het verzoek en het 'alsjeblieft' betekenden een soort keerpunt. Innes liep langzaam naar achteren en begon de schommel zacht te duwen, en de beweging veroorzaakte een huivering toen ze ondanks haar schuldgevoel het onderwerp aansneed.

'Lydia? Ik ken je van vroeger.'

Stilte.

'Ja, ik kende je toen je Lydia Young heette. In de Unit. Weet je nog? Ik ben Innes. Innes Haldane.'

Geen reactie.

Ze keek even naar de Villa, in de hoop dat Jean nog even op zich zou laten wachten. Ze gaf Lydia weer een zetje. 'Ken je Carrie nog? Simon? Alex?' Ze haalde even adem voor ze de laatste twee noemde, en haar handen gaven een ferme zet. 'En ken je Isabella nog? En Danny?'

Ze haalde de groepsfoto van de vakantie uit haar zak en hield hem voor Lydia's ogen. 'Kijk, daar zijn we allemaal.'

Lydia begon aan haar pakje sigaretten te frummelen, haalde de sigaretten er een voor een uit en stopte ze weer terug. Ze deed net of ze niet naar de foto keek, maar Innes zag haar ogen heen en weer schieten.

Toen: 'Danny! Kut-Danny!'

'Danny, ja, Danny Rintoul.'

Lydia zette haar in gympen gestoken voeten op de grond, waardoor de schommel plotseling stopte. Ze was nu hevig geconcentreerd met de bovenkant van het pakje sigaretten bezig, dat ze eraf trok en op de grond smeet.

Innes bukte zich, en probeerde Lydia aan te kijken terwijl ze tegelijkertijd haar vinger boven Danny op de foto hield. 'Danny? Herinner je je Danny nog? Ja, Lydia? Weet je nog, die vakantie in Argyll? Toen je je been pijn deed toen je van het klimtouw viel? Het was een heerlijke vakantie en...'

Toen ging Lydia's hoofd met een ruk omhoog. 'Nietes! Nietes, kutwijf!'

Er was duidelijk iets dat haar van streek maakte. Innes stak haar hand uit en legde hem op Lydia's koude knie. 'Hé, hé, het is al goed, Lydia. Hé joh, kalm.' Met zachte hand haalde ze de korte, dikke, vingertjes los en stak een tweede sigaret voor Lydia aan.

'Innes, dank. Nessie dank.'

'Graag gedaan, Lydia.' Zo, ze herinnerde dus haar oude bijnaam die Carrie Franks haar gegeven had.

'Innes. Nessie Abby. Nessie kut-Abby.'

Innes was nu aan het gegrom gewend en pikte de verwijzing naar Isabella er meteen uit. Ze drong aan. 'Abby, ja! Isabella. Herinner je je Abby nog?'

Zonder aanwijsbare oorzaak maakte Lydia plotseling de sigaret uit, de as flakkerde op onder de bliksemsnelle draai van wijsvinger en duim.

'Abby dood. Kut-Abby dood.'

Zonder na te denken, zo geschrokken was ze, greep Innes de stevige arm vast. 'Wat zeg je nou, Lydia? Hoe weet je dat Abby dood is? Hoe weet je dat?'

Lydia trok haar arm uit de vaste greep die haar pijn deed.

'Niet knijpe, kutwijf! Kut-Abby dood. Kut-Danny dood. Danny dood kut. Kut! Kut!'

Innes voelde hoe opgewonden Lydia was, maar ze kon nu niet meer terug. Ze greep haar nog harder beet en schudde het zware lichaam door elkaar. '*Lydia, zeg het me. Hoe weet je dat ze dood zijn? Zeg het. Alsjeblieft.*'

'Neee! Neee, kutwijf! Pijn pijn pijn kutwijf!'

Binnen één seconde stonden er twee verpleegsters naast Lydia, die sussend op haar inpraatten, en Innes zag ze bezorgde blikken uitwisselen. Jean Lamont kwam aanhollen met het blad met consumpties. 'Wat is er aan de hand? Wat is er gebeurd?'

Innes wilde er het liefst meteen vandoor gaan. Ze bedacht haastig een smoes. 'Eh, ik weet het niet. Ik zei iets over haar familie. Haar vader. Toen raakte ze overstuur.'

Johnny kwam erbij en schudde langzaam zijn hoofd. 'Ja, ik snap het. Jammer hoor. Ze had in geen weken een uitbarsting gehad.' Hij keek naar de twee zusters die elk aan een kant van Lydia stonden. 'Neem haar maar mee naar binnen. Kom maar, Lydia, liefje.'

Ze stond op van het krakende plankje, en staarde in de verte, met niets ziende blik. Toen, zonder waarschuwing, schoof ze opzij tot ze vlak voor Innes stond. Lydia boog haar hoofd naar voren totdat ze oog in oog stond met Innes, die haar naar sigaretten stinkende adem tegen haar wang voelde.

'Abby dood! Danny dood! Iedereen dood!'

Lydia's afscheidswoorden deden haar duizelen. Hoe kon ze in vredesnaam van die sterfgevallen weten? Lydia zat in deze inrichting toen Danny en Abby stierven. Innes voelde zich ijskoud en misselijk. En nu sloeg de angst haar echt om het hart. Terwijl ze zichzelf probeerde te vermannen, werd de steeds weer opkomende vraag ergens in haar achterhoofd gebeiteld.

Wat was er de afgelopen maanden toch in hemelsnaam gebeurd dat tot deze chaos had geleid?

Reünies

Zes maanden eerder – eind 2003

Verslag van de hoofdverpleegkundige Ranjit Singh aan zuster Anna Cockburn
18 november 1977
Betreft: Ochtendgroepstherapie

Aangezien meerdere patiënten de komende weken de datum van hun ontslag te horen zullen krijgen, besloot ik dat dit het onderwerp voor de ochtendtherapie zou zijn. Ik heb het idee gisteren met Adrian besproken; die keurde het goed.

Ik kan alleen maar zeggen dat het zeer vreemd verliep. Er heerste de hele sessie lang een uiterst gespannen sfeer, en een aantal patiënten weigerde mee te praten. Abby, Innes en Lydia deden het actiefst mee. Innes liet zien dat ze Abby werkelijk graag mocht, zei dat ze haar erg zou missen wanneer ze weg zou gaan, en ze uitte ook de wens dat zij snel beter zou worden en ook de ontslagdatum zou horen, al wist ze dat dat nog wel wat maandjes kon duren. Ik vond dit een zeer positieve bijdrage. Abby zei dat ze er erg naar uitzag hier weg te gaan, al gaf ze toe er ook een beetje tegenop te zien. Allemaal te verwachten en te begrijpen. (Adrian had haar verteld dat ze de komende weken een ontslagdatum kan verwachten.)

Het was te voorspellen dat Lydia heel druk zou

worden bij al dit gepraat over vertrek. Het was echt een uitdaging om haar voorzichtig te laten weten dat het nog wel even kon duren eer ze zelf haar vertrekdatum zou horen. Maar ze nam dat vandaag gelukkig goed op.

De reactie van de rest van de groep is echter een opmerking waard. Toen het onderwerp werd aangekondigd, riep Carrie meteen dat dat 'stomvervelend' was en probeerde een ander onderwerp voor te stellen, met bijval van een uitzonderlijk hooghartige Simon. Alex zei geen stom woord en Danny gromde wat, en was agressief.

Toen Lydia het erover wilde hebben dat ze echt allemaal met elkaar in contact moesten blijven, 'voor altijd' en 'allemaal elkaars vrienden moesten blijven' als ze allemaal ontslagen waren, werd de sfeer pas echt om te snijden. Carrie, Alex en Simon wisselden vreemde blikken uit, terwijl Danny Lydia toesnauwde dat ze haar bek moest houden, en zelfs uit zijn stoel opstond om haar te bedreigen, tot ik tussenbeide kwam.

Ik heb geen flauw idee wat dit te betekenen heeft, maar die vier zullen we heel goed in de gaten moeten houden de komende weken. Er broeit iets, dat voel ik. De vakantie schijnt het alleen maar erger gemaakt te hebben, al was dat juist niet de bedoeling. Helaas.

CC: Daglogboek
CC: Patiëntendossiers: D. Rintoul, C. Franks, L. Young, S. Calder, A. Baxendale

22

Het was een armoedige kroeg, maar het was er stil. Hij lag in een uithoek van Edinburgh, een zijstraat van Easter Road. Danny had hem gekozen: in de buurt van de kamer van een vriend waar hij een paar nachten mocht slapen. Simon knikte naar de barman en nam zijn dubbele whisky mee naar het hoektafeltje. Voor de honderdste keer keek hij op zijn horloge. Nog vóór achten. Hij was vroeg. Hij leunde naar achteren, probeerde een ontspannen houding aan te nemen en pakte een smerige en gescheurde *Edinburgh Evening News.* Met de krant voor zijn gezicht als bescherming tegen de nieuwsgierige ogen van de vaste klanten, voelde hij zich steeds onrustiger worden. Hij betwijfelde of hij Danny zou herkennen, al wist hij wat hij aan zou hebben. 'Ik heb altijd mijn goeie ouwe motorjack aan. En jij?' En hij had geantwoord dat hij een donkerblauwe jas aan zou hebben met een rode sjaal. Veel te netjes voor deze gribustent.

Met tegenzin dacht hij terug aan wat er die dag al allemaal gebeurd was. Wat een timing zeg! Vandaag zou hij dus Danny Rintoul weer eens ontmoeten. De afgelopen middag waren Rachel en de meisjes langs geweest, nogal ongemakkelijk allemaal. Katie zag er goed uit. Ze zou haar pijnlijke ervaring wel te boven komen. Frankrijk had haar goed gedaan – en haar niet alleen zo te zien. Hij had even gehoopt dat het leven weer zijn normale loop zou nemen. Weer een gezin zou worden. Had hij Dan moeten afzeggen? Maar het had toch maar drie uur geduurd; Rachel kwam alleen maar een extra stel kleren halen.

Zijn woede en geschoktheid toen hij moeder en die verdomde blonde labrador weer zag, die eens zijn trouwe vriend was geweest – de wisseling van bondgenoot door de hond was exemplarisch voor alles wat er binnen zijn familie fout was gelopen – dat mens kwam langs om zíjn gezin op te halen, zíjn gezin verdomme, om hen mee te nemen naar háár huis waar zijn leven verziekt was. Rachel had het niet duidelijker kunnen zeggen. Over een paar dagen zou ze weer met de meiden naar Frankrijk gaan. Voor langere tijd. 'Tijd om te helen' – wat vast weer een citaat van Debbie Fry was geweest. O, en hij hoefde geen moeite te doen om hen naar het vliegveld te rijden waar ze hun vliegtuig terug naar Frankrijk zouden nemen. Dat zou zijn moeder wel doen. Zijn moeder, verdomme! Het was een vuil soort verraad van haar. En van Rachel. Al had hij het kunnen voorspellen, als hij erover nadacht, want Rachel had nooit de waarheid omtrent haar schoonmoeder onder ogen willen zien. Nogal logisch, dat ouwe mens was een kameleon. Ze wilde aan Rachels kant blijven omdat ze contact met haar kleinkinderen wilde houden. Háár kleinkinderen! Alsof zijn familie haar eigendom was!

Maar goed, hij moest ermee leren leven. Hij was alles kwijt. Rachel had weliswaar wat sussende geluidjes gemaakt, van: 'Het is maar voor een poosje, tot je weer de oude bent,' maar hij zou nooit meer de oude worden tot hij zelf een paar dingen onder ogen zag. Hij had een paar sessies gehad bij een collega als onderdeel van zijn beoordeling van wanneer hij weer met klinisch werk aan de slag kon. Die tijd werd geheel gevuld met de directe effecten die Katies ontvoering op hem had gehad. Totale tijdverspilling. Hij, dokter Simon Calder, kende alle psychologische trucjes van dit spelletje. En hij zou nooit afdalen naar die andere, duistere, paden waarnaar zijn geest hem herhaaldelijk toe verleidde te gaan.

Hij gooide de brandende whisky in één teug achterover. Uitkijken – hij was met de auto. Zijn ogen gleden terug naar de koppen van de sportpagina en alles werd wazig toen hij zich het telefoongesprek van een week terug herinnerde, toen die veel lagere stem van Danny nog steeds zo onwaarschijnlijk bekend had geleken...

'Ik moest je gewoon effe schrijven, jongen. Niet te geloven gewoon! Maar die kleine is nou weer oké, hè?'

Hij wilde het er eigenlijk niet over hebben. 'Ja... Maar eh, luister. Ik moet je spreken, Danny. Ik moet echt met iemand praten. Iemand uit die periode. En dat ben jij, Danny. De enige met wie ik nu kan praten. Alsjeblieft. Ik moet je zien...'

De schaduw die over de ongelezen krant viel wekte hem uit zijn gedachten.

'Simon?'

Hij keek op naar de man die hij al eeuwen niet had gezien. De transformatie was heel onwaarschijnlijk. Danny Rintoul was een buitenman geworden, door weer en wind getekend. Sterk als een beer. Zo op het oog wel dertig centimeter langer dan vroeger. Knap wel, op een ongepolijste manier. Simon kon bijna niet geloven dat dat doodgewone, magere snotjochie van vroeger tot deze vent was uitgegroeid. Maar hij ontdekte tegelijkertijd een grotere innerlijke verandering. Die zich verraadde in die relaxte houding, die lome glimlach. Danny was een stuk rustiger vanbinnen geworden. Kalmer. Eén met zichzelf. Simon benijdde hem mateloos.

Hij ging staan, hand uitgestoken. 'Jezus, kerel! Moet je dat zien! Geweldig leuk je te zien... en... nou ja, bedankt dat je wilde komen. En dat meen ik. Nu, alles op zijn tijd. Wat wil je drinken?' Hij legde voorzichtig een hand op Danny's schouder en leidde hem naar de bar.

Het eerste halfuurtje werd er over koetjes en kalfjes gepraat. Genoeg om Simons ideeën over Danny te bevestigen. En wat die waren? Nou, gelukkig was Danny nooit een type geweest dat het voornamelijk over zichzelf wilde hebben. Hij was vrij snel, zij het onhandig, terechtgekomen op het onderwerp waar het om draaide.

'Ik ben zo blij dat dat meidje van je terug is. Maar... hoe gaat het met 'r? Wat is er gebeurd... wat heeft hij gedaan... Ik bedoel sorry, Simon, als je er liever niet over praat kan ik dat begrijpen. Die kranten zeggen namelijk ook niks, en dat moet ook, maar ik vroeg me wel af...'

Hij liet Danny's onafgemaakte en weinig subtiele vraag wegsterven. Om eerlijk te zeggen, was hij blij zich er eindelijk over te kunnen uitspreken, nu degene met wie hij het eigenlijk moest delen dat had afgewezen. Rachel wilde geen woord met hem wisselen over Katies ervaring, ze deed dat, zoals ze benadrukte, liever met Debbie Fry. 'Een aardig en wijs mens', zoals ze het zo fijntjes uitdrukte, die 'dag en nacht' voor haar klaarstond om dingen door te praten, aan de telefoon of van mens tot mens. 'Van onschatbare waarde.' Duidelijker kon het niet. Aan hem had ze daarvoor geen behoefte.

Hij schudde langzaam zijn hoofd. 'Het is misschien moeilijk te begrijpen maar de... lichamelijke, seksuele kant ervan... nou ja, om het eerlijk te zeggen, het had veel erger kunnen wezen. Het beperkte zich tot aanraken, kijken en... maar... jezus, ik dacht dat ik er makkelijker over zou kunnen praten. Ik... geloof niet dat ik er nu diep op in wil gaan, goed?' Hij zweeg even en keek naar Danny die zijn ogen op de tafel gericht hield, en nogal stijf op zijn stoel zat, en geen beweging durfde te maken. 'Er zit me nog iets anders dwars. Hij schijnt foto's genomen te hebben. Katie schijnt gezegd te hebben dat hij wat "vakantiekiekjes" genomen heeft. Ook de anderen zijn gefotografeerd. Jezus! En dan wat er verder nog gebeurd is... We weten natuurlijk de helft nog niet. De therapeute van Katie zoekt dat met haar uit. Ik maak me grote zorgen over haar geestelijke en emotionele gezondheid op langere termijn.

Maar die... gruwelijke dingen, daar kun je overheen komen. Ik bedoel, klinisch onderzoek heeft bewezen dat je met de juiste behandeling... Godallemachtig! Luister, Danny. Ik wil niet over mijn kleine meid praten alsof ze een casus is. Ik wil gewoon dat alles weer goed met haar komt. Die vent die haar heeft meegenomen heeft haar weten te overtuigen dat hij een vriend van mij en Rachel was. Wat een gore manipulatie! En waar ik me zorgen over maak is hoe ze met vertrouwen omgaat. Ze schijnt zich bij Rachel op haar gemak te voelen maar... ik heb geen idee hoe ze mij op het moment ziet. Erg... ongemakkelijk allemaal. En haar zusje ook. Ik krijg af en toe het gevoel dat Lily mij de schuld van het gebeuren geeft. Je weet wel, "waarom heeft pappie dit laten gebeuren". Het is een nachtmerrie, Dan. Een nachtmerrie.

Ik heb me suf gepiekerd om te proberen het te begrijpen. We wisten zo zeker dat ze dood was. Haar kleertjes werden gevonden en dan ga je van het ergste uit. En dan komt ze opeens terug. Je zoekt uit wat er gebeurd is. En dan is er dat andere, waar je de rillingen van krijgt. Kijk, ze kreeg speelgoed, snoepjes, zelfs een jong hondje om mee te spelen. Ze werd gevonden met dat hondje, maar dat hebben we weg moeten geven omdat hij niet op kon schieten met onze andere hond. Ze dacht dat ze in een of ander spel meespeelde. Ze dacht dat ze op vakantie was, en dat mammie en pappie plotseling weg moesten voor hun werk. Zo ongelooflijk gemeen!

Ik kan je niet uitleggen... Het is zo vreemd... zo beangstigend als je kind wordt meegenomen en ze haar *houden*. Als trofee of zoiets. De politie maakt zich ernstige zorgen. Ze denken dat hij zo'n kind de volgende keer doodmaakt. Ik zeg keer op keer tegen mezelf dat ze terug is gekomen, levend en wel. Ze zal er uiteindelijk wel overheen komen. Ze is nog zo jong en krijgt de beste therapie. Maar... wat mij betreft weet ik het zo net nog niet. Het heeft me zo aan het denken gezet. Terugkijken. De herinneringen. Ik kan niet ophouden met nadenken. Ik heb geprobeerd weer normaal te doen. Rechttoe, rechtaan, het leven van alledag. Ik heb mezelf een paar maanden gegeven. Maar het werkt niet. Daarom heb ik zo lang gewacht met een antwoord op je brief. Ik probeerde er geen behóéfte aan te hebben om ergens met íémand over te praten.'

Danny glimlachte onzeker ten antwoord. 'Ja, ik vroeg me al af wat er scheelde. Ik bedoel, tof dat we elkaar weer zien en zo, met al die toestanden, maar ik begrijp het niet helemaal. Katie is toch terug. Lévend.'

Jezus! Hij kon gewoon niet geloven dat Danny zo onnozel uit de hoek kwam. Een vent met een IQ van hier tot ginder. Misschien rekende hij af met bepaalde dingen door ze gewoon uit zijn geheugen te wissen, te vergeten. Zoals hij zelf. Hij probeerde het nog eens.

'Kijk, Danny. Rachel, mijn vrouw, is weggegaan met mijn twee dochtertjes. Ze zei dat die tijd uit elkaar ons goed zou doen en dat ze me toch al nooit zag omdat ik zoveel werk in te halen had. Ze gaan naar ons huisje in Frankrijk. Ze wil niet dat ik kom. Ze wil van me af, ik voel het.'

'Maar...? Hoe zit dat dan? Ik zou denken dat jullie juist heel erg graag bij elkaar zouden willen zijn.'

Het werd tijd om de boodschap erin te hameren. 'Het is allemaal míjn fout, Danny! Het ligt aan mij. Ik kan niet meer terug naar de tijd vóór Katie was ontvoerd. Dat moet je toch kunnen begrijpen. Het heeft me veranderd. Nou, ik bedoel, ik zie nu in wie ik had moeten zijn... maar ik kan...' Hij voelde zich instorten, stond op het punt in tranen uit te barsten, en nam nog een slok whisky voor hij verderging. Danny keek hem hulpeloos aan. Bleef zo koel terwijl hij voort worstelde. 'Maar ik kan die tijd in de Unit niet meer vergeten. Ik kan niet slapen, niet eten, niet werken, niet leven verdomme. Ik geloof dat ik die tijd in de Unit nooit echt ben kwijtgeraakt. Ik heb het gewoon verdrongen. Je hoeft niet lang na te denken waarom ik verdomme psycholoog geworden ben. Gewoon een soort schadeloosstelling. Maar hoe dan ook, ik zit er weer tot over mijn oren in. Ik verzuip erin!'

Danny liet de stilte een ogenblik hangen. Waar zat hij in godsnaam aan te denken? Snapte hij nou nog niet wat hij gezegd had? Dit was heel ernstig. Ernstiger kon het niet worden.

'Si? Weet Rachel het? Van de Unit?'

'Tuurlijk niet!'

'Helemaal niks? Weet ze niet eens dat je erin hebt gezeten?'

Hij schudde zijn hoofd. Waarom begon Dan daar nou verdorie over? 'Nee. Niks. Ik kwam er gewoon niet toe het op te biechten. Rachel is een... een heel sterk mens. Toen we verkering kregen, wilde ik het wel vertellen, maar het leek zo... slap. En dat is alles. Als ik het haar had kunnen vertellen in al die jaren dat we samen zijn, nou... dan was ik er misschien overheen gekomen. Maar ze zou nooit hebben begrepen wat er daar aan de hand was. Zelfs de opgepoetste hoogtepunten waarin een en ander geschrapt was. Rachel komt van een andere planeet. Is geestelijk gezond en stabiel.

En dan nog, mijn moeder zou niet willen dat ze het wist. Die schaamte overheerst nog steeds. Moeder probeerde altijd te ontkennen dat er iets mis was, tot het moment dat ik naar de Unit zou gaan, zelfs toen ik erin zat! Ik ben nog steeds laf als het om mijn moeder gaat. Zoveel weet ik ook nog wel van mezelf. Ze stond erop dat ik het nooit, aan wie dan ook, wanneer dan ook zou vertellen. En er is een andere eenvoudige reden waarom het nooit mocht uitlekken. Ze is een snob van de bovenste plank. Toen ik op de universiteit zat, in mijn postdoctoraal en zelfs later nog, zou elke "smet" op mijn blazoen háár in diskrediet brengen. En ze beschouwde mijn huwelijk met Rachel als een "goed huwelijk", waarmee ze bedoelde dat Rachels familie goed in de slappe was zat en "van stand" was. Jezus christus! Ik vond dat zo erg als ze die uitdrukking gebruikte. Alsof ze een Victoriaanse mater familias was! Maar ergens had ze wel gelijk dat ik het geheim moest houden. Want ik weet ook niet hoe Rachel gereageerd zou hebben op welk nieuws dan ook over dat zwaktebod uit mijn verleden. Ze is mentaal zo sterk. Dus het begon al met een leugen en langzaamaan is die Unit helemaal ondergeschoffeld geraakt. En eerlijk, ik hoefde maar weinig aanmoediging om het voor me te houden. Van de Unit zou ze niets begrepen hebben. Ze komt echt van een andere planeet.'

Danny boog zich naar hem toe en legde een stevige hand op zijn onderarm. 'Het spijt me echt, jongen. Niemand heeft ooit kunnen weten wat er met jou zou gebeuren, met je kind, met je gezin. Maar Katie is terug. Je moet er nu echt overheen zien te komen. Help Katie om beter te worden. Zoek een manier om Rachel weer voor je te winnen. Ik snap ook wel dat je Rachel niet over de Unit kan vertellen. Je weet dat we allemaal in hetzelfde schuitje zitten. We houden het allemaal geheim volgens mij.'

Hij trok zich terug uit Danny's troostrijke greep. 'Maar daar gáát het nou juist om! Ik wíl geen geheimen meer hebben! Al die stinkende rotzooi in me maakt me ziek. Ik wil... Ik móét de anderen weer eens zien.'

'Hoe bedoel je?'

'Ik wil met Alex en Isabella praten, misschien met iedereen. Over Carrie maak ik me geen zorgen. Het is al weer bijna twintig jaar geleden sinds ze een overdosis nam, niet? Zonde toch. Nou ja, het is tijd, begrijp je. Om de zaak open te gooien. Er is altijd een prijs die je moet betalen in het leven en mijn rekening wordt nu gepresenteerd. Nú.'

Danny's gezicht verstrakte. Hij rekte zich weer over de tafel heen en zei met schorre stem waaruit de kalmte verdwenen was: 'Ben je helemaal gek geworden, Si? Dat kun je niet maken, man. Daar krijgen we allemaal een tik van. Niet alleen jij. En dan, het is al meer dan een kwarteeuw geleden sinds we ze gezien hebben. Ze kunnen wel ik weet niet waar zitten. Hoe wil je ze vinden? Behalve Alex natuurlijk. Door onze novemberbrieven weten we altijd waar ze uithangt. *Kut*! Je hebt haar toch niks verteld, toch? En ik hoop dat ze de kranten niet gelezen heeft.'

'Doe eens rustig, joh. Nee, ik heb geen contact met haar gehad. Ik wilde eerste met jou praten. En ze weet er waarschijnlijk niets van, want ze lag vast ergens aan de Middellandse Zee voor een peperduur zongebruind huidje. Daar heeft ze toch over opgeschept. En dan gaat ze altijd meteen drie maanden. Over Katie heeft ze beslist niets gehoord.'

Hij zag hoe Danny's gezicht zich ontspande en meteen weer verstrakte toen hij op de eerste vraag terugkwam. 'Maar snap het dan Simon, hoe wil je ooit de anderen vinden? Dat is een onmogelijke zaak, na al die tijd. Je bent hartstikke geschift, jongen, totaal geschuffeld!'

Simon voelde zich opeens behoorlijk zelfvoldaan toen hij

antwoord gaf. Danny zat er helemaal naast toen hij hém geschift noemde. Het was juist omgekeerd. Het werd tijd om normaal te gaan doen. Hij leunde naar achteren, weg van Danny's sterke uitstraling. 'Ik heb altijd bijgehouden waar de anderen zijn. Waar de grote, gelukkige familie uithangt. Als een soort vangnet misschien.'

Hij zag met enige voldoening hoe Danny zich achterover liet vallen, geschokt door wat eindelijk begon door te dringen. 'Ik... Ik... Kankertering!' Hij zweeg. Simon kon de gedachten door Danny's hoofd zien razen voor hij de sleutelvraag stelde. 'En Isabella dan? Je gaat haar toch niet bellen? Ik bedoel, zij was niet belangrijk. Zij heeft er geen fuck mee te maken. Dat weet jij ook wel.'

Zijn antwoord was vastberaden. 'Maar misschien ook wel. Zeker weten we het niet. Nee toch? Ik bedoel, gezien jouw relatie met haar... Ik dacht eigenlijk dat jij wel contact met haar zou hebben gehouden. Misschien wel met haar gesproken had, af en toe.'

Danny boog zich met een ruk naar voren en sloeg met zijn vuist op tafel, zo hard dat het bier over het glas klotste. 'Nee, jongen. *He-le-maal niet!* En Abby heeft er helemaal niks mee te maken. *Niks!*'

Simon hield zijn hand geruststellend op en verschoof de glazen weer naar het midden van de natte tafel. Hij geloofde hem. Bijna.

23

Hij was doodop na het gesprek met Danny en blij dat hij weer thuis was. Hij begon al te wennen aan de stilte in huis. De stilte die ontstond door het ontbreken van andere mensen in elk geval. Wind en zee hielden hem gezelschap. Daar was hij erg dankbaar voor. Hij keek even in de kleine, normaal zo gezellige woonkamer. Hij had de nachtlampjes van de meisjeskamers naar beneden gehaald. Ze hadden ze niet meer nodig aangezien moeder dezelfde voor haar logeerkamers en het huis in Frankrijk had gekocht. Typisch territorium inpikken en haar terrein vergroten. Hij verdreef de gedachte aan haar en ging zitten. 's Avonds even in de kamer zitten en kijken naar de vriendelijke lichtjes met hun grappige tekenfilmfiguurtjes erop was een ritueel voor hem geworden. Het kalmeerde hem. En op de een of andere manier leek het dan of hij contact had met zijn dochtertjes. En de lichtjes gaven de kamer wat warmte, heetten hem welkom in hun gloed.

Maar vanavond voelde alles koud en bedompt aan. Hij leunde met zijn bonkende hoofd tegen de leuning van de bank, en hield een van de knuffels waarvoor zijn dochters te oud geworden waren tegen zich aan. Hij was blij dat ze hem in de drukte van het pakken vergeten waren. De versleten blauwe olifant was zijn maatje geworden deze laatste maanden. Hij was eraan gewend geraakt. Hij sloeg zijn ogen open en stond op, zette het beest weer op de bank, rechtop, alsof hij naar de televisie keek die nooit meer aanstond. De wind kende geen genade vannacht en hij liep door zijn geliefde studeerkamer om het raam open te zetten. Maar de windstoten waren te heftig en hij deed het raam weer dicht, tot op een kiertje. Hij wilde de kilte niet kwijt. Het dagboek lag open voor hem. Uitnodigend en klaar.

Ik weet niet zeker wat ik nou moet denken van vanavond. Toen ik Dan zag, zo sterk en lekker in zijn vel, voelde ik me deels geïnspireerd en deels treurig. Hoe zo'n man zich weer heeft opgewerkt, nee, opnieuw heeft opgebouwd geeft me een ademloos gevoel. Volgens mij heeft hij nooit een seconde achterom gekeken naar de tijd in de Unit. Misschien is dat mogelijk doordat hij zo godverlaten alleen woont. Hij is één met het land, de natuur. Misschien geeft hem dat alle troost die hij nodig heeft.

Maar voor mij? Nou, elke dag van mijn leven na die periode heb ik pogingen gedaan het te ontkennen, het te herstellen, heb ik geleefd in wanhoop, een paar gelukkige momenten, en vooral met SCHULDGEVOEL. *Dat valt niet te ontkennen. Ik verlang er hevig naar om de last van mijn schouders te gooien. Het is zonneklaar dat Dan niet hetzelfde gevoel heeft. Hoe dat komt? Hij heeft geen kinderen. Hij is een ander wezen. Een andere soort, psychologisch gezien. Ik kan er niks aan doen dat ik in dat opzicht jaloers op hem ben.*

Hij stopte plotseling met schrijven en schroefde de dop weer op zijn vulpen. Er was nog iets wat hij moest doen. Hij doorzocht de stapels op zijn ongewoon rommelige bureau en trok de gefotokopieerde brief naar zich toe. Raar dat hij hem zo nodig moest fotokopiëren.

Beste Alex,

Allereerst wil ik me van tevoren al verontschuldigen voor het feit dat ik contact met je opneem. Ik weet uiteraard nog wat we al die jaren geleden hebben afgesproken, maar de gebeurtenissen in mijn leven hebben zich zo veranderd dat wij er allemaal bij betrokken zijn.

Ik weet niet of je het nieuws volgt. Maar al doe je dat, dan nog kan het verhaal over mij en mijn gezin je zijn ontgaan. Of je hebt geen verband met mij gelegd omdat het al zo'n tijd geleden is dat we elkaar gesproken hebben.

Maar je weet vast nog wel wanneer dat was. Het was in 1979. Weer zo'n snikhete zomer. We waren gaan picknicken in St. Monans in Fife, bij de zee, precies waar ik nu woon. Als ik erop terugkijk vind ik het nogal wonderlijk, surrealistisch. Een reünie van de Unit. Een reünie van mensen die een band hadden door ziekte en door...

Hij sloeg met zijn vuist op het papier. Geen enkele reden om nog verder te lezen. Hij kende de brief regel voor regel uit zijn hoofd. Hij had hem tenslotte geschreven. Langzaam maar vastberaden scheurde hij hem in acht stukken. Toen deed hij, zonder na te gaan waarom, het raam weer open en zag de witte, gerafelde vierkantjes door de wind meegevoerd worden naar de mistroostige, grijze zee.

Pijnlijk traag trok hij zijn koude ledematen weg van het raam en keerde hij terug naar de woonkamer. Terwijl hij de lampjes van de kinderen uitknipte, reten de snikken zijn borst uiteen en met het blauwe olifantje in zijn armen geklemd maakt hij zich op voor een huilbui die wel eens een hele nacht zou kunnen duren.

24

Hij had het ijskoud en raakte doorweekt. Elke keer dat een uitzonderlijk hevige breker te pletter sloeg tegen de kust, regende het zeewater over de tuinmuur en raakte het water hem in de hoek van zijn houten bankje. Het deed hem niets. Het was maar zeewater. Trouwens, hij genoot van het zout op zijn lippen. Hij proefde het. Tenminste iets dat zijn verdoofde lichaam nog kon.

Hij nam de tuin en het prachtige metselwerk van zijn huis in zich op, hoog boven de grens van water en land, en maar een paar meter van de kerk. Hij wilde dit huis, deze tuin, in zijn bezit hebben sinds hij het in de jaren zestig had gezien. Dat was toen zijn ouders hem meenamen op zijn eerste van de vele en de – gezien het helse bestaan van alledag in dit gezin – verrassend aangename vakantieritjes naar de leukste vissersplaatsjes van Fife. En hij had er geen geheim van gemaakt dat hij hier ooit zou gaan wonen. Dat was geweest in... juli misschien? Ja, juli 1979. Die picknick van de reünie...

'Ik meen het echt. Ik ben altijd al gek geweest op dat huis. Op een dag koop ik het en ga ik er wonen.'

'Ja hoor, Si, droom maar lekker verder.'

'Echt waar, Carrie, heus.'

Danny had hem vriendschappelijk op zijn schouders geslagen, zodat hij het bier terughoestte in zijn blikje. 'Ik weet dat het je zal lukken, Simon. Ik geloof je wel. Jij bent binnen de kortste keren een betere psych dan ouwe Laurie zelf!'

De golven van hun plagerige gelach hadden hem bijna blij gemaakt. Heel even. Maar toen wilde hij even alleen zijn. Om te overdenken wat hij precies voelde. Hij was naar het kiezelstrandje gelopen, een paar meter onder het graslandje waar Sarah en Anna zaten. En onzichtbaar voor hen allebei.

Het was een vreemde situatie. Iedereen léék hetzelfde. Carrie was een zenuwpees geworden, erger dan hij zich herinnerde. Maar ze gebruikte iets. Niet alleen joints. Lydia was behoorlijk afgevallen maar ook irritant vrolijk. Alex had haar haar laten groeien. En zat vrijwel de hele tijd nors voor zich uit te kijken. Zoals gewoonlijk dus. Hij had haar en Lydia af en toe op een feestje gezien de afgelopen maanden. Ze zaten in hetzelfde sociale kringetje, maar hij hield liever wat afstand. Beste tactiek. Zeker wat Alex betrof.

Hij vond een droge rots en ging zitten, af en toe een slok bier nemend. Niemand van hen had gepraat, echt gepraat sinds ze hier aankwamen. Net of ze allemaal aan een oppervlakkig tochtje meededen. Nou, hij moest maar afwachten. Hij stelde zich Anna en Sarah voor die boven hem zaten. Sarah die geslaagd was en nu volwaardig staflid geworden was. Geen 'babyzustertje' meer. Zij en Anna hadden hun dekens uitgespreid op een stukje niemandsland, waar het kerkhof eindigde en waar sponzig grasland begon. Voor hem lag een rij zwarte, puntige rotsblokken. Daarachter lag het vlakke kiezelstrandje waar hij verscholen zat. Helemaal rechts konden hij en de zusters Ranj en Lydia een partijtje geïmproviseerd cricket zien spelen. Hij hoorde Sarah bewonderend over de Auld Kirk praten – inderdaad het beste staaltje van donkere, broeierige Schotse kerkarchitectuur – die zich letterlijk vastklemde aan de landtong, beschermd tegen de woeste zee door maar enkele meters kerkhof waar ook de lang geleden begraven en de onlangs verloren doden een rustplaats vonden. Hij moest hier gewoon wonen. Hij lachte ingehouden en luisterde Sarahs gebabbel af.

'... moet een van de meest spectaculair gesitueerde kerkjes van Schotland zijn. Absoluut fantastisch!'

Anna was het geheel met haar eens. 'Ja, echt prachtig. Er stond hier sinds de dertiende eeuw een kapelletje. Nu wil het verhaal dat deze kerk hier een eeuw later gebouwd werd door een van de eerste Schotse koningen, David de Tweede, naar verluidt als bedankje.'

'"Bedankje?"' Sarah klonk nogal verbaasd.

'Ja. Hij was blijkbaar de Firth of Forth overgestoken toen er een gigantische storm losbarstte waarbij heel veel anderen schipbreuk leden. Maar hij overleefde het zonder een schrammetje. Dus, dankzij hem, kunnen we nu allemaal van dit schitterende kerkje genieten. Het plaatsje zelf is genoemd naar een middeleeuwse monnik, de heilige Monan. Hij werkte hier als missionaris en schijnt vermoord te zijn door losgeslagen Noormannen.'

'Je weet wel verdomd veel over de geschiedenis van deze uithoek van Schotland!' Dat was Simon met Sarah eens.

Anna lachte. 'Dat krijg je als je met een man getrouwd bent die je bij het minste of geringste op sleeptouw neemt langs de fraaiste historische monumenten.'

Sarah lachte nu ook. En hij schoof wat dichter bij de rotsblokken, en gluurde ertussendoor om hen te zien liggen. Ze waren van onderwerp veranderd. 'Denk je nog steeds dat het een goed idee was? Ze zo allemaal bij elkaar zetten?'

Anna fronste haar voorhoofd, en kneep haar ogen samen naar de plek waar Danny, Alex en Carrie aan het kletsen waren. 'Ik denk het wel. We proberen het meestal wel. Maar vaak besluiten de patiënten dat ze geen contact meer willen houden als ze hier eenmaal weg zijn. Als groep dan. Er zijn altijd wel patiëntengroepjes van twee of drie die elkaar regelmatig opzoeken. We hebben maar één groep die ook groep is gebleven. Dat was toen de Unit eigenlijk net geopend was, een jaar of vier geleden. En ik heb nog steeds contact met enkelen van hen. Het gaat heel goed met ze. Kijk, er is niets tegen contact houden met ex-patiënten zolang je de professionele en menselijke kanten maar in het oog houdt. Je gaat het niet hebben over de problemen van een andere ex-patiënt, en je gaat ook geen stormachtige relatie aan met een vroegere patiënt. Maar verder kan het voor iedereen positief werken.'

Sarah keek bedenkelijk. 'Maar hoe organiseer je zoiets? Een reünie zoals deze, bijvoorbeeld?'

Ondanks het felle zonlicht zag hij dat Anna's gezicht een ernstige uitdrukking had aangenomen. 'Het blijft altijd een beetje link. Deelname aan een reünie moet natuurlijk altijd vrijwillig zijn. Meestal neemt Adrian of ik contact op met de ex-patiënten en stelt het voor. Maar daarna moeten zij de drijvende kracht worden. Bij deze was een heel goede opkomst. Twee ontbreken. Innes is met haar ouders op vakantie, en Isabella heeft niet gereageerd op de uitnodiging. Dat kan. Dat is haar goed recht.'

Sarah sloeg nog wat wijn achterover. 'Wie van dit stel hebben eigenlijk contact met elkaar gehouden?'

Anna schonk haar glas bij. 'Voorzover ik weet zagen Simon, Alex en Lydia elkaar nog wel eens.'

'Wat een vreemde combinatie, vind je niet?' Simon ergerde zich aan Sarahs opmerking. Brutaal nest! Wat bedoelde ze eigenlijk?

Anna schudde haar hoofd. 'Niet zo gek als je denkt, Sarah. Er is genoeg bewijs waaruit blijkt dat patiënten zoals deze na hun ontslag met elkaar optrekken om redenen van hun sociale klasse. Niet verbazingwekkend. Ga maar na. Wanneer ze in de Unit leven, zitten ze allemaal in hetzelfde schuitje, zijn ze gelijk. Ze zijn allemaal ziek en moeten behandeld worden. Maar na hun ontslag moeten ze weer terug naar het "echte" leven. Mensen met geld en een hoge opleiding hebben gewoonlijk weinig aansluiting bij mensen bij wie dat niet het geval is. Ik bedoel, wat hebben Lydia uit een vrijstaande villa en Danny uit een verpauperde torenflat nu nog gemeen? Niets. Maar binnen de Unit verwonderde de relatie tussen Simon en Carrie me juist niet: het was een perfecte symbiose. Simon kreeg de aandacht en de bescherming van een stoer, sexy meisje. Carrie wint aan status omdat ze bewonderd wordt, en macht heeft over een superintelligente jongen van een hogere klasse. Dat zal haar wel nooit meer lukken in het echte leven, zo te zien.'

Hij moest zijn lachen inhouden. Jezus. Op hol geslagen psychologie van de kouwe grond.

Sarah werd nu ook serieus, want ze knikte naar Carrie en merkte op wat niemand kon missen. 'Drugs?'

Anna keek haar droef aan. 'Ik vrees van wel. De follow-upgesprekken van vorig jaar verliepen vrij slecht. De omgang met haar familie is op een dieptepunt. Ze is naar een kraakpand in Leith verhuisd. Ze is negentien en kan doen wat ze wil. Zolang ze niets onwettelijks doet. En om de een of andere reden is ze nog niet aangehouden. Maar dat zal niet lang meer duren. Ze liet me vanmorgen haar verlovingsring zien. Ze heeft een relatie met een onappetijtelijke crimineel en zweert bij hoog en bij laag dat ze gaan trouwen, huisje-boompje-beestje, je weet wel. En ze is zwanger.'

'Jezus! Is er niets wat we voor haar kunnen doen?' Het antwoord was hem, en zo te horen ook Anna, wel duidelijk.

'Niet als ze niet wíl dat we haar helpen. Het ergste van alles is dat ze ontkent dat er een probleem is. Ik sprak haar aan over de rij prikjes op haar armen. Ze haalde haar schouders op, trok een trui aan om ze te verstoppen en negeerde me twee uur lang. Maar toch schijnt ze het wel naar haar zin te hebben.'

Hij zag ze hun hoofden draaien om te zien hoe Danny, Alex en Carrie op blote voeten en in hippe shirts en korte broeken naar de rotsen aan het andere eind van het strandje liepen. Hij kon ze niet meer zien en wilde weten wat ze van plan waren. In de verte zag hij Ranj en Lydia die genoeg hadden van cricket en hun kant op liepen om iets te drinken. Hij kroop iets verder weg, en hoorde Lydia's uitbundige aankomst bij de zusters. Ze liet zich op de deken vallen, en greep een fles sinaasappellimonade. 'Jongens, wat is het heet! Ranj komt er ook aan. Waar zijn de anderen eigenlijk?'

Anna knikte naar links. 'Waar Simon uithangt weet ik niet, maar Dan, Alex en Carrie zijn naar die rotsen daar gegaan. Misschien nemen ze een kijkje in de grot nu het eb is.'

Lydia dronk gulzig haar limonade op. Toen veerde ze overeind. 'Dan zal ik er ook maar heen gaan.'

Hij kroop zijwaarts met haar mee, want hij wilde niets missen. Maar Dan en de anderen waren veel eerder bij hun grot dan hij en plotseling hoorde hij gekrijs en geschreeuw op het strandje ervoor. Anna blafte erbovenuit.

'Sarah! Ranj! Hoor je dat? Vlug, sta op!'

Hij hoorde ze stampen op het harde gras, maar hij had de afstand via de onderrand onderschat. Hij kwam als laatste bij de grot aan en moest wachten tot zijn ogen aan de duisternis waren gewend.

Lydia lag huilend op de grond, een stroompje bloed liep over haar kin, wat te wijten was aan een gespleten onderlip. Een dol geworden Carrie wilde haar nog meer kaakstoten geven, maar Danny had haar in zijn armen, al had hij de hulp van Ranj en Alex nodig om haar uit de buurt van de kronkelende Lydia te houden. Anna knielde neer om haar te troosten; een spierwitte zakdoek zoog onmiddellijk het bloed op.

'Hou op! Hou op! Hou op!' Tot zijn verbijstering stond Sarah hysterisch of uitzinnig van woede te gillen. Hij kon niet zeggen wat er scheelde.

Anna suste Lydia. 'Ssst. Ssst. Het is goed, alles is goed.'

Maar het gekrijs van Carrie overstemde haar gesus en de kreten van de zeemeeuwen buiten. 'Het is verdomme helemáál niet goed! Dat gore vette varken is erger dan ooit. Onze privé-gesprekken afluisteren, hè? Wat een onwijze doos ben je ook, vuil tyfuskreng!'

'Kappen! En nou kop dicht, ja!' Danny duwde Carrie tegen de grond en rende weg, de grot uit.

Simon ving zijn woedende, angstige blik op terwijl hij langs stormde. Toen zag hij Sarah de trieste resultaten van de dag in ogenschouw nemen. En hij wist dat ze God op haar blote knieën dankte dat dit stelletje ellendelingen niet meer in de Unit zat...

De ijskoude nevel van een uitzonderlijk grote golf trok hem weer het hier en nu in. Hij haalde de briefkaart uit zijn zak. Ze had nog vrij snel geantwoord. Het had maar een paar weken geduurd. Niet lang voor zo'n veelomvattend besluit. Waar wees dat op?

Akkoord. 8 uur 's avonds, 8 november. Hoe toepasselijk. Bij jou, St. Monans.
Alex

Maar de zakelijkheid van het antwoord baarde hem eigenlijk meer zorgen dan de snelheid ervan. Ruim twintig jaar sinds ze elkaar het laatst gezien hadden, daar op die landtong en op een paar feestjes misschien. Hij had absoluut geen idee hoe Alex Baxendale veranderd was, of niet veranderd was. Dat maakte niet uit, want eerlijk gezegd had hij nooit goed begrepen wie ze was. En hij dacht dat hij niet de enige was. Danny zou woedend zijn, maar hij zou wel komen. Je zei gewoon dat de reünie geregeld was en Danny zou opdraven. Dat was een ding wat zeker was.

Maar Dan was het probleem niet. Zijn gedachten gingen weer terug naar Alex. Waar ze ook allemaal doorheen waren gegaan, of wat ze ook samen hadden meegemaakt, van haar had hij nooit hoogte gekregen. Oké. Hij kon uit de losse pols wel wat vakmatige psychologische theorieën over haar uitstorten, gegeven de Alex uit het verleden, en de jaarlijkse 'missiven' zoals ze zo graag noemde. Maar hoe zou ze nu zijn? Hoe zou ze zich gedragen? Maar wat er ook aan haar gedrag veranderd zou zijn, het zou niet lang meer duren eer hij erachter zou komen. Over twee dagen was het zover. En hij moest erkennen dat hij stond te trillen op zijn benen bij de gedachte alleen al.

25

'Wat een hondenweer! Weet je zeker dat ze hier heelhuids aankomt? Ze kómt toch wel?'

Simon nipte aan zijn borrel en keek toe hoe Danny voor de zesentachtigste keer uit de kleine woonkamerramen tuurde. Regen kletterde tegen de ruiten en de wind schoot in onberekenbare vlagen de schoorsteen in, rookwolken van het houtvuur terug de haard in blazend. Hij wou dat Danny eens op zijn krent bleef zitten! De man was dus op van de zenuwen. Nou, hij ook. Dat zouden ze alledrie wel zijn. En hoe belangrijk was Dan nou helemaal? Die had zich net zo welwillend tegenover hem opgesteld als hij vermoed had. Maar Alex... Hoe zou ze nu zijn? Wat zou zij te melden hebben over deze nachtmerrieachtige situatie? Hij staarde naar buiten, de duisternis in, en stelde zich voor hoe ze daar ergens reed.

Hij voelde hoe Danny's spanning weer op hem oversloeg en hij begon hem maar weer gerust te stellen. 'Ze komt heus wel. Geloof me maar. Kijk, daar is haar kaartje. Op de schoorsteenmantel.'

Daarop stopte het rusteloze geloer door de ruiten. Simon zag hem een snelle blik op de kaart werpen, waarover hij urenlang had zitten piekeren toen hij hem net uit de bus had gehaald. Ten slotte ging hij tegenover Simon zitten, nam een grote slok bier en wierp ongeduldig het filter van zijn sigaret in het haardvuur. 'Zo, en hoe lang heb je nu contact gehouden met Alex, na de Unit? Op onze jaarlijkse berichtjes na dan?'

Simon leunde tegen de kanten antimakassar. 'Niet zo lang. En "contact houden" zou ik het niet willen noemen. We zagen elkaar eigenlijk steeds bij toeval. Iemand die Lydia's vader kende, kende ook de mijne, en die hadden weer iets te maken met een vriend uit Alex' familie. We werden steeds vaker op dezelfde feestjes gevraagd, huwelijken, diners. Maar vanaf eind 1982 heb ik haar en Lydia niet meer ontmoet. Ik moest aan mijn postdoctoraal onderzoek werken. Dan ben je eigenlijk van de rest van de wereld afgesloten.'

'Bleven Alex en Lydia elkaar wel zien?'

Simon schudde het hoofd. 'Lijkt me sterk. Lydia vond vooral mij aardig. Niet Alex.'

Hij voelde de scherpe blik van Danny toen de volgende vraag op hem werd afgevuurd. 'En heb je Alex ooit privé nog wel eens gezien? Dat lijkt me een betere combinatie.'

Simon grijnsde, hij had wel door waar Danny heen wilde. 'Weinig kans, Danny, jongen. Met haar alleen in één ruimte zijn was wel het laatste wat ik wilde. En dat weet jij ook wel. Geef nou maar toe, niemand van ons mocht Alex of trok graag met haar op. Ze nodigde daar ook niet toe uit, wel?'

Danny glimlachte ongemakkelijk maar bevestigend. 'Eh, dat klopt wel ongeveer. Ze was... ze was griezelig. Elke keer dat ze binnenkwam sloeg de stemming om. Krachtige tante, als je erover nadenkt. Vooral als je nog niet eens volwassen bent. Ik bedoel... ze had een dierlijk soort agressie, maar wat het nog erger maakte was dat je wist dat dat niet het enige was. Net als wij allemaal had ze ook koppie-koppie. Ze was verduveld slim. Doodeng, die combinatie.'

Simon was het daar in stilte mee eens, maar wilde het er verder niet over hebben. Speculeren over Alex was verspilde moeite. Ze zou er over een paar minuten zijn. 'Effe dimmen, Dan. Als je zo doorgaat wordt ze Lady Macbeth in eigen persoon. Het was een kleinburgerlijk, zogenaamd onbuigzaam en keihard meisje met een androgyne uitstraling. Net zo geschift als wij allemaal, en dat allemaal dankzij ouders die het totaal verkeerd aanpakten.'

Simon wilde het onderwerp verleggen en probeerde het nog eens. 'Trouwens, hoe zit dat met jou? Heb jij geprobeerd om eh... met iemand in het bijzonder contact te houden? Zonder het ons te vertellen?'

'Heb ik al gezegd. Nee. Ik wilde het wel.' Danny ging wat rechter op zitten, bezield door wat Simon zag als Danny's favoriete gespreksonderwerp. 'Maar willen en doen zijn twee heel verschillende zaken. Die picknick van 1979 was de eerste en de laatste keer dat ik iemand van de groep heb gezien. Ik heb natuurlijk wel follow-upgesprekken gehad met dokter Laurie en Anna. Ik geloof dat ik die stagiaire, Sarah, ook bij een van die sessies gezien heb. O, die was toen al geen stagiaire meer. Maar een echte, je weet wel, gekkenverpleegster. Maar dat was het wel zo'n beetje.'

Simon ging naar de keuken en kwam terug met nog een koel biertje. Hij gaf hem aan Danny. 'Ach ja, die rampzalige picknick. Lydia bleef nog een jaar lang nazaniken over Carrie die haar een bloedlip geslagen had. We werden er niet goed van. Ze ging er maar over door en door en door.'

Danny verschoof onrustig in zijn stoel en keek in het vuur terwijl hij sprak. 'Heeft Lydia ook echt iets *opgevangen* die dag, weet je daar wat van?'

Simon haalde zijn schouders op. 'Wie zal het zeggen? Ze was altijd spelletjes aan het spelen, wanneer ze down was. Ik weet dat Alex haar een paar keer de duimschroeven heeft aangezet. Over wat ze daar bij die picknick deed, of ze afluisterde, naar binnen gluurde – al die gebruikelijke aandachttrekkerij van Lydia. Maar geen geluk, zover ik weet. Hield haar lippen stijf op elkaar, dus wie het weet mag het zeggen.'

'Een beetje verontrustend is dat wel, toch?' Danny fronste zijn voorhoofd.

Simon wist dat hij Danny moest zien te kalmeren. 'Niet echt.

Ik weet waar ze woont als we haar ooit eens echt iets moeten vragen.'

'Trouwens, hoe ben je d'r in godsnaam achtergekomen waar de anderen wonen?'

Hij liet Danny een minuutje zweten voor hij antwoord gaf. 'Ach, zo ingewikkeld is dat niet. De meeste ouders van onze generatie verhuizen niet meer. Ze staan altijd in het telefoonboek, en hoe ouder ze worden, hoe makkelijker het is om ze aan de praat te krijgen over hun kinderen en waar die nu uithangen. En als dat niet lukte vroeg ik een advocatenvriendje van me om raad. Die liet wel eens iemand opsporen. Echt moeilijk was het nooit om achter iemands adres te komen. Iemand die ertoe doet, bedoel ik.'

Danny liet de stilte tussen hen in hangen. Simon was daar blij mee. Hij wilde een minuutje stilte om zich op Alex' entree voor te bereiden. Hij was veel nerveuzer dan hij Danny liet blijken. Hij ging achterover zitten, en haalde langzaam en diep adem. Stilte, op het nu en dan sputteren van de haardblokken na, en het onophoudelijk getik van de regen, was hem zeer welkom. Hij keek Danny nog eens aan. Hij was een vreemde vogel. Je kon er niets van zeggen. Hij wist bijvoorbeeld niet echt wat Danny voelde over een hernieuwde ontmoeting met Alex. Hij was opgewonden. Maar dat was niet verwonderlijk. Kon hij Dan wel vertrouwen? Om hem te steunen? Hij wist het niet, maar hij stelde zichzelf gerust met de wetenschap dat het Danny was geweest die hem geschreven had naar aanleiding van Katie. Dat was toch heel vriendelijk van hem? Hij keek naar de man die nog steeds in de as staarde. Of had hij een andere reden gehad? Wilde hij weten of goeie ouwe Simon ze nog steeds op een rijtje had? Of hij geen ongeleid projectiel geworden was?

Hij schudde zijn hoofd om de onwelkome gedachten van zich af te zetten en dacht aan Alex. Alex kwam hier! Hoe zou ze eruitzien? Geen skinhead meer, natuurlijk. Ze was die fase al ontgroeid toen hij haar twintig jaar geleden op een feestje zag.

Hij liet de gedachten los toen zijn blik zich richtte op Danny's lege stoel. Wel verdomme! Er klonken gedempte stemmen in de hal en ze kwam binnen.

'Het landleven heeft Danny wel goed gedaan, vind je ook niet, Si? Jazeker, meneer Rintoul. Blij te zien dat je wat zwaarder geworden bent. En gespierder. Dat was hard nodig ook.'

Danny stond achter haar met een verbijsterde blik in de ogen. Zijn handen streken gehaast zijn verkreukelde spijkerbroek glad. Alexandra Baxendale had een gedaanteverwisseling ondergaan. Haar haar was lang, glanzend en zeer donkerbruin tot zwart. Een dikke laag make-up. Hetzelfde gold voor de donkerrode lippenstift. De kenmerkende krachtige trekken, vooral wat betreft de kaken, had ze nog steeds. Haar gezicht was dus zeker niet zacht, al was er een zekere sensualiteit door die volle lippen die ze uit gewoonte of expres verleidelijk tuitte. Dat was iets dat hem nooit was opgevallen. Misschien waren die lippen voller gemaakt, net als enkele andere lichaamsdelen? Haar kledingkeuze – een zwarte coltrui en strakke zwarte broek – liet niets te raden over. Onbegrijpelijk prominente borsten waren voor Simon het bewijs dat er plastische chirurgie aan te pas gekomen was. Maar wat natuurlijk was, was het atletische, gespierde maar toch zeer vrouwelijke lichaam. Ze trainde. Ze zorgde goed voor haar lichaam. Simpel gezegd: ze was ontzettend sexy.

Ze gaf haar regenjas aan Simon en sprak hem aan alsof ze hem elk weekend zag, met haar diepere, iets hese stem die te wijten kon zijn aan een overmaat van roken en drinken. 'God, Si. Hoop dat je goede whisky in huis hebt. Ik ben uitgedroogd. Aardig stulpje, moet ik zeggen. Dus je hebt het toch te pakken gekregen. Goed gedaan, jochie.' Haar blik zoog alles op dat ze in dit stadium nodig had.

Hij schonk een grote single malt voor haar in en gaf hem aan, en probeerde zijn trillende hand in bedwang te houden. Hij gebaarde dat ze in de stoel tussen hem en Danny in kon gaan zitten, Danny probeerde een gesprek op gang te krijgen.

'Je ziet er geweldig uit, Alex. Heb j...'

Maar ze deed alsof hij lucht was. 'Ha, Simon. Dit kleine onderonsje geeft me haast de neiging om te vragen hoe laat Carrie komt. Echt! Dan zou ons vrolijke kwartet pas werkelijk compleet zijn, hè?'

Simon ging verzitten om haar aan te kijken. Godverdomme, nog steeds datzelfde kouwe rotkreng. En ze speelde met hem, dat was duidelijk. Het spookbeeld van Carrie en de onderliggende betekenis van hun 'kwartet' gierden door zijn hoofd, al wist hij zijn koele blik te behouden. 'Leuk hoor, Alex, erg leuk.'

Hij wachtte op haar reactie op zijn uitdagende sarcasme. En voelde Danny in zijn stoel verstijven, net als hijzelf.

Maar alles waarmee ze op de proppen kwam was een onaangenaam pruilmondje. 'Niet zo verwonderlijk ook. Carrie was nu eenmaal geboren voor een overdosis. Dat sprak vanzelf.' Ze hief haar glas als voor een macabere toost. 'Maar goed, ik denk dat we maar moeten opschieten. Si, ik wil graag weten wat je besproken hebt sinds... sinds al die vervelende toestanden hier in huis.'

Ze maakte een vaag gebaar en nipte van haar whisky. Simon deed zijn uiterste best zich in te houden, en niet te laten merken dat zijn nekharen al overeind gingen staan. Hij onderdrukte zijn woede. Godverdomme! Ze durft de ontvoering, de aanranding en het gevangen houden van Katie als 'die vervelende toestanden' te omschrijven!

Hij hief zijn glas net zo hoog als het hare en sprak raadselachtig: 'Dat zal ik zo doen. Nog wat drinken, Dan? Ook een whisky?'

Hij stond op en liep naar het tafeltje met de drank, en hij deed het rustig aan. Ze was niet wat hij had verwacht. Hoewel verwachtingen van hoe iemand na een hele tijd veranderd was altijd onzin waren natuurlijk. Maar hij moest het nu wel toegeven. Alex sloeg in als een bom. Lichamelijk. Maar ze was nog steeds Alex. Er was iets in die snerende mond en die starende blik die in haar verankerd waren. Een uiterlijke manifestatie van de onveranderlijke kenmerken van haar karakter? Misschien. En nog steeds koningin der krengen, maar nu gebruikte ze seks als onderdeel van haar wapenrusting. De skinhead Alex van vroeger verborg juist haar seksualiteit. Voelde zich er ongemakkelijk mee. En daarom had ze het begraven. Behalve... nee, daar wilde hij nu niet over doordenken.

En trouwens, ze had er in al die jaren wel een handje van gekregen om seksualiteit in de strijd te werpen. Gebruikte het ongetwijfeld bij beide seksen. Maar, in het algemeen, was ze een makkie om te analyseren. Tien minuten in haar gezelschap en zijn rapport zou klaar zijn. Controledwang. Hét onderwerp bij haar. Niet zo gek, als je wist wat voor opvoeding ze had gehad. En gewelddadig? Waarschijnlijk in bed. Voorliefde voor SM? Misschien. Nee, waarschijnlijk wel. Maar alleen als meesteres. Zij deed het neuken. Misschien had Alex problemen met penetratie, maar dat wilde hij niet betrekken bij het doorgronden van haar persoonlijkheid. Hoe dan ook, ze was wel een vrouw die altijd 'bovenop' zou zitten. En ze was vastbesloten om Danny een ellendige avond te bezorgen. Door plaagstootjes uit te delen met flirtende blikken en door af en toe quasi-achteloos haar hand op zijn knie leggen. Eén ding stond vast: ze verborg haar angst voor deze bijeenkomst net zo goed. Uitstekend zelfs. Een perfecte show. En dat verontrustte hem. Als hij het moest inschatten, voor ze zelfs maar begonnen waren, zou hij zeggen dat ze hem in de wielen zou rijden.

Haar stem, diep en loom, daverde door de kamer. Geen bikkelhard, macha, opgelegd stadsaccent deze keer. Eigenlijk klonk ze onnatuurlijk en verdacht aardig. 'Ik ben blij dat je dochtertje weer terecht is, Si. Hoe is het met 'r?'

'Zou het niet weten.'

Ze keek hem bevreemd aan. Hij vervolgde: 'Ze woont niet meer bij me. Noch mijn vrouw en mijn andere dochter, Lily. Ze zitten of bij mijn moeder, of in ons huis in Frankrijk. Maar goed ook, anders hadden we hier vanavond niet gezeten, wel?'

Een spottende lach. 'En de politie? Die weten zeker alles al?'

Haar stem klonk nu schril door de intieme, lage kamer.

Hij stond op en rakelde het vuur wat op. 'Ja, alles, maar niet heus. En ik neem het ze niet kwalijk. De kidnapper is in rook opgegaan, net als bij de vorige ontvoeringen. Alsof hij nooit bestaan heeft. Maar de wonden van mijn dochter, al zijn ze geestelijk, wijzen op het tegendeel.'

Hij wachtte op haar reactie. In plaats daarvan stond ze op en deed twee stappen naar de haard, nippend aan haar whisky. Toen draaide ze zich om en keek hem aan, haar lichaam rechtop, boven hen uit torenend. Hij en Danny leunden naar achteren.

Simon gaf haar het woord. Ze leek net zo brutaal als altijd. Hij keek snel naar Danny. Die leek aan zijn stoel vastgenageld. Een sterke vrouw was gewoon te veel voor hem. Danny was de zoveelste typische verkrachter. Doodsbang en argwanend tegenover vrouwen. Maar met groot ontzag voor deze dame. Nou, híj was niet zo snel onder de indruk. Hij had nu een beter beeld van haar. Twee beelden: eentje voor, eentje na. Ondanks haar spijkerharde en ijzige buitenkant, had hij een vrij goed beeld van wat er in haar geest omging. Daar hoefde je geen doctor in de psychologie voor te zijn, met een zelfhulpboekje over psychologie kwam je een heel eind.

Ze wilde alle macht over de avond hebben en nam de touwtjes in handen. Haar blik was in de eerste plaats op hem gericht, en af en toe wierp ze een neerbuigende blik op Danny om haar verklaring wat pit te geven.

'Luister eens. Wat we vanavond willen bespreken is iets waarvan we zwoeren, zesentwintig jaar geleden, om het er nooit, met wie dan ook, over te hebben, ook niet met de betrokkenen. Een paar van onze groep hebben die belofte geschonden in 1979. Ik ga ervan uit dat dat sindsdien niet meer gebeurd is. Maar laten we wel wezen, we bleven niet voor niets contact houden. Een simpel briefje naar elkaar, elke achtste november, om te laten weten hoe het met ons ging en waar we op dat moment zaten. Een daad van onderling vertrouwen. En nu zitten we bij elkaar. Op deze nacht aller nachten. Op deze achtste november hebben we ons jaarlijks missiefje ingeruild voor een ontmoeting. Dat verontrust me. Verontrust me hogelijk.' Ze zweeg, keek hen even strak aan, en nam volgens Simon de pose aan die ze ook gebruikte bij minnaars en ondergeschikten.

Ze vervolgde op de bekende toon, al was het accent wat anders nu. 'Op een vorige achtste november hebben we dat pact gesloten en ik breek dat pact in elk geval, ondanks de incidenten die ons dwingen de handen ineen te slaan, met grote tegenzin. Zelfs nu.'

Simon herkende de bikkelharde aanpak van vroeger. Ze zou niet de makkelijkste zijn. Hij leunde naar achter en vreesde wat er komen ging, en mijmerde over de vreselijke samenloop van omstandigheden die hen hier vanavond samengebracht had. Hij had altijd geweten dat er een prijs voor betaald zou moeten worden. En de rekening werd vanavond gepresenteerd. Of nee, die werd vanavond opgemaakt. Hij hoopte maar dat Danny aan zijn kant stond. Dat had hij wel nodig. Hij kon zijn spanningsniveau per seconde voelen stijgen. Ze hadden een paar pittige uurtjes voor de boeg.

26

De deur sloeg met een ferme klap in het slot. Danny had net een laatste blik op Simons rode ogen geworpen en zacht: 'Het komt wel goed, jongen' gemompeld. Hij zette zijn kraag op en liep door de regen naar Alex' auto. Hij keek geamuseerd toe hoe ze op haar hoge hakken over de modderige plassen heen trippelde en hoe haar atletische figuur over de poeltjes naar haar klassieke Mercedes Sports sprong. Hij volgde in haar opspattend spoor.

'"Het is mijn schuld... het... is allemaal mijn schuld! Mijn kleine schatjes! Mijn vrouw! Ze... ze komen noohooit meer terug! Het is mijn straf! G...od, het spijt me zo. Alsjeblieft, gaan jullie nu maar. Ik... ik bel je morgen wel, Dan. Het... spijt me..." Jezus, wat een huilebalk.'

Danny grijnsde om Alex' griezelig exacte, zij het wat overdreven, imitatie van Simons laatste uitbarsting. Ze was altijd goed in het nadoen van mensen geweest. Zonder genade voor haar mede-Unitslachtoffers, zowel staf als patiënten. Toen hij de gordel omdeed, schoot het hem ineens te binnen waar hij was. En hij voelde zich niet op zijn gemak. Alleen met Alex, de eerste keer in al die jaren. Wat... nee... hoe had ze zich in zo'n adembenemende seksgodin kunnen omtoveren? Wat hij zich ook voorgesteld had, dit zeker niet. Dat ze rijk was, het gemaakt had in de zakenwereld en met geld was getrouwd was geen verrassing voor hem. Maar dat ze zou druipen van het zelfvertrouwen en zo'n sexy uitstraling zou hebben was zo'n verschil met de jonge Alex dat hij het haast niet geloven kon. Die jonge Alex wier stugge skinheadbuitenkant een duidelijke, maar ondoordringbare kwetsbaarheid verborgen had. Dokter Laurie had vaak genoeg geprobeerd haar uit haar tent te lokken. Zonder succes. Ze leek nog steeds ondoordringbaar, maar nu was ze verpakt in een aanlokkelijke gereserveerdheid waarvan hij wist dat het de seksuele interesse van vele mannen en vrouwen zou opwekken. Ze behield dat stoere lesbo-imago, maar warmbloedige heteromannen zou ze zeker niet afschrikken. Wat uiterlijk betrof stond ze op eenzame hoogte. En dat wist ze.

Niet dat die harde trekken hem zo opwonden, maar veel anderen zouden het een seksuele uitdaging vinden, zo'n 'slechte vrouw'. Uit alle macht probeerde hij zijn gedachten van haar af te wenden door strak naar de kletsnatte weg te staren, en ontspannen achterover te leunen. Dat kettingroken van hem zou hem kunnen verraden, maar ze scheen er geen acht op te slaan. Hij had er meteen een opgestoken. Het was de wagen van een roker. Hoewel smetteloos schoon hing er de verschaalde tabakslucht die je er met geen mogelijkheid uit kon krijgen. Hij leunde voorover om de as eraf te tippen en voelde, niet voor de eerste keer, haar blik op hem rusten. Deze keer keek hij terug. Ze had een bestudeerde, één-opgetrokken-wenkbrauw-uitdrukking: een cynische pose die ze de afgelopen drie uur wel vaker gebruikt had. En talloze malen tijdens de Unitdagen. Haar scherpe stem droop van het sarcasme.

'Wat een zielenpoot, zeg. Wat is die Simon toch nog altijd een vreselijk stomme zak. Je staat er verdomme nog van te kijken dat hij een grotemensenbaan heeft, en een grotemensenleven leidt. Hij is het daar allemaal kwijtgeraakt. Nou ja, hij had altijd al de ruggengraat van een mossel.'

Danny hield zijn ergernis in bedwang, maar drukte zijn sjekkie harder uit dan nodig was. 'Misschien kwam het wel doordat jij hem zat op te naaien, Alex. Het was nergens voor nodig om die teef van een moeder erbij te betrekken, en ook niet om zijn vrouw zo door de zeik te halen. Je kent haar niet eens, verdomme! Die man heeft pijn. Zie je dat dan niet? Hij gaat door de hel momenteel. Daarom zoop hij zoveel vanavond. Daardoor en door dat gepest van jou. Hij was nog redelijk zichzelf toen wij alleen waren. Het is echt klote om een vent in zo'n toestand te zien, als hij zijn ogen uit zijn kop zit te janken. Je zult Simon in de toekomst toch echt een beetje zachtzinniger aan moeten pakken.'

Hij wachtte op een snerend antwoord van haar, maar ze liet de stilte winnen. Twee minuten dan.

'Nou, Dan, ik vrees dat je die laatste bus op dit godverlaten weggetje en op dit tijdstip gemist hebt. Ik zal je maar niet in het dorp afzetten. Ik breng je wel even naar huis. In welk deel van Edinburgh woont die maat van je?'

Hij trok de rits van zijn motorjack nog hoger op – om de kou die van haar afsloeg buiten te sluiten, al was hij net aan de echte kou ontsnapt. 'Easter Road. Nou, graag. Simon zei wel dat ik kon blijven slapen als het laat werd maar...' Hij zweeg even tot ze een echte weg met echt asfalt opdraaiden. Ze deed de verwarming aan terwijl de regen tegen haar voorruit sloeg, en ze keek hem weer even snel van opzij aan. Hij zat als versteend, en hij wist het. Doodop was hij ook.

'Beetje bang voor mijn rijstijl, Dan? Nergens voor nodig. Ik ben ook een beetje boven mijn theewater maar ik kan dit wagentje wel aan. Dat noem je kracht met beheersing. Heeft haast niemand.' Hij zei niets terug en ze probeerde het opnieuw. 'Nou? Wat vond je ervan, van vanavond? Zoals ik je al schreef, ik had het lot niet moeten verzoeken, met dat ik wilde dat er eens iets spannends gebeurde. Jezus, wat een drukte om niets! Ongelooflijk. Nou, wat vind jij?'

Zo makkelijk kwam ze er niet vanaf. 'Waarom heb je me niet verteld dat Simon contact met jou had opgenomen? Ik was tenminste zo beleefd om je te schrijven wat er met hem gebeurd was en dat ik naar hem toe zou gaan. Simon is een vuile leugenaar. Hij zei dat hij jou niet geschreven had.'

'O, hou daar nou eens over op, Danny. Ja, ik was blij met je brief, maar ik maakte me zorgen of je het deksel wel op de doofpot kon houden. Ik weet ook niet waarom Simon het jou niet verteld heeft. We zijn toch allemaal vuile leugenaars op de een of andere manier. Maar wat vond je nu van vanavond? Ha! Ik zal je één ding vertellen. Si zag er een stuk aantrekkelijker uit dan ik had gedacht. Studiebolletje maar sexy. Ja, heel wat smakelijker dan ik had gedacht.' Ze zweeg even, voor het effect. 'En jij ook trouwens.'

Hij weigerde haar aan te kijken. Treiterend tikte ze met haar trouwring tegen de versnellingspook, en wachtte op zijn reactie. Toen begonnen de vuurrode nagels van haar andere hand een langzame tikkende dans op het walnoothouten stuur te maken. Hij wist dat er met hem gespeeld werd. Hij kreeg al half spijt dat hij de lift had aangenomen. Hij was haar geboeide toeschouwer. Maar hij had zo zijn eigen redenen om alleen met haar te willen zijn. Hij moest zijn hoofd niet op hol laten brengen, dat was alles.

Hij liet zijn vingers langs zijn stoppelige kaak glijden, in een poging ontspannen maar vastberaden te lijken. 'Ik heb verdomd veel medelijden met Simon. Arme kerel. Ook snap ik best hoe hij zich voelt. Ik heb geen kinderen, maar ik pieker wel eens over de dingen, net als hij, van tijd tot tijd. Jij niet?'

Ze was opgehouden met het getik op de knop van de versnellingspook en legde haar hand op haar in een nauwsluitende broek gehulde dij. 'Nee, niet echt. Vroeger is dood. Vroeger waren we gekken. Nu niet meer. Hoop ik tenminste. Nou, ik ben het niet en jij geloof ik ook niet. Waar het om gaat, de hele kwestie gaat natuurlijk helemaal niet over zijn dochter. Natuurlijk gaat hij daardoor door een hel. Maar het gaat om twee hele simpele dingen. Zijn onmiskenbare kuthuwelijk. En dat takkenwijf van een moeder. Die moeder was altijd al een probleem. Herinner je je die eindeloze sessies met Laurie nog wanneer hij Simon wilde laten erkennen dat zijn moeder hem haatte? Verschrikkelijk. En dat huwelijk? Nou, als ik me goed herinner had Si altijd al problemen met vrouwen. Hij deed het voor elke vrouw in de Unit in zijn broek. Doodsbang voor het effect dat we op zijn lul hadden. Achterlijk. Nee, dat met zijn dochter was gewoon domme pech. Zijn huwelijk en zijn moeder. Daar draait het om.'

Deze keer durfde hij haar wel aan te kijken. 'Hoe bedoel je? Wat heeft dat te maken met wat hij wil doen? Hij wil alleen een eerlijke relatie met zijn vrouw en zijn gezin terug.'

Alex lachte hard en honend, haar haar sloeg tegen de leren hoofdsteun. 'Eerlijke relatie? O, kom nou toch, Danny-boy! Op welke planeet leef jij eigenlijk? Niemand van ons kan een eerlijke relatie hebben! En ik durf te wedden dat we allemaal onze kutzooi gehad hebben sinds we de Unit uit zijn, maar daarom gaan we nog niet tekeer als Simon! Hij is verdomme zijn verstand aan het verliezen.' Ze keek hem weer aan, om het te benadrukken. 'En je weet dat dat een gevaar voor ons allemaal betekent.'

'Maar kijk dan wat er met hem gebeurd is, Alex! Wat hij doorstaan heeft! Gewoon de geknipte straf voor hem!' Hij dempte zijn stem tot gefluister. 'Voor ons allemaal.'

Ze spuwde haast op de voorruit. 'Bah! Godverdomme, Dan, je klínkt zelfs als hij! Dadelijk denk je nog dat het een goddelijke wraak is. De wrekende gerechtigheid! Kijk uit, want zo belanden jullie allebei in een dependance van de Unit. Kijk, ik vind het echt klote voor hem en het ís ook een beetje toevallig, maar het is geen excuus om een ongeleid projectiel te worden. Hij was altijd al de zwakste schakel. Hij kon dingen nooit lang genoeg volhouden. En daarom besloot ik hem nog een tijd in de gaten te houden, nadat we de Unit verlaten hadden. Gewoon een oogje in het zeil gehouden. Overigens vind ik dat we ons nog goed gehouden hebben vanavond. De tijd heelt alle wonden. Ik heb erg veel zin om eens een hartig woordje met dat teringwijf van hem te wisselen. Om haar te zeggen dat ze als de donder naar huis moet gaan met zijn, zíjn kinderen. Dan is die onzin ook weer van de baan.'

Hij sloeg haar agressie met verbazing gade. Net zo krachtig als hij het zich herinnerde. Maar in een nieuwe verpakking. Maar er was nog iets wat Simon verteld had dat hem dwarszat.

'En wat moeten we met die ontmoeting met Sarah Melville? Dat is godverdomme ongelofelijk. Nou, als ik Simon was, zou ik ook denken dat de godin der wrake me op de hielen zat. Griezelig gewoon.'

Ze keek hem tersluiks aan, en haalde toen nonchalant haar schouders op. Een beetje geforceerd, vond hij, net als haar luchtige toontje. 'Ach, ga nou gauw. Zo vreemd is dat niet. Sarah Melville leeft maar in een klein wereldje. En alleen omdat Simon een kindertherapeut voor zijn dochter nodig had, kwam hij haar tegen. Het was toeval. Puur toeval. Ja, ja, en die arme, misleide Simon ziet het als onderdeel van een quasi-bovennatuurlijke samenzwering die hem dwingt zijn verleden onder ogen te zien. Absolute kolder. Jezus, Sarah was waarschijnlijk harder geschrokken dan hij dat een ex-patiënt haar in haar vriendinnetjes huis betrapt! Simon is dan wel tegen haar opgelopen, maar verder is ze natuurlijk totaal irrelevant. En ik had altijd al het idee dat ze een lesbo was.'

Dat zul jij niet weten, dacht hij maar hij was niet van plan daarop te reageren. Hij leunde achterover in het luxueuze leer terwijl ze in stilte verder reden, het gepiep van de ruitenwissers en het geruis van de banden door de regen waren de enige geluiden. Alex had twee sigaretten tussen haar lippen gestoken, stak ze aan en gaf er een aan hem, een kus van robijnrode lippenstift rond de top. Hoezo een flirt.

Hij nam de sigaret met een knikje aan, maar verder negeerde hij haar en staarde voor zich uit. On-ge-lo-fe-lijk. Ze zat hem constant te jennen. Wat verwachtte ze van hem? Dat hij het stuur uit haar handen zou rukken? Naar het dichtstbijzijnde bushokje zou koersen en haar helemaal overhoop zou neuken? Of wilde ze dat hij haar zou verkrachten? Ze was net als iedereen altijd gefascineerd geweest door die 'verkrachter-van-veertien'-status van hem.

Zij verbrak de stilte. 'Cent voor je gedachten.'

Hij zei niets.

'Kom op nou, Dan. Wat gaat er om in dat slimme koppie van je? Ongerust over je schapen of wat je dan ook uitspookt op je eiland? Godsamme, hoe kan een kerel met jouw hersens wonen waar jij woont? Of stikt het op die eilanden van jullie soms van de Hooglandse deernen? Héb je wel een lief pachtersvrouwtje bij de haard zitten, om je bedje warm te houden?'

'Hou je kop, Alex.'

Ze wierp haar hoofd weer naar achteren, pronkend met haar zwarte haardos. 'Niet zo aangebrand, joh. Maar wat meiden betreft was je altijd wat snel op je teentjes getrapt. Nou nee, wat één meisje betrof. De onovertroffen Isabella. Ik neem aan dat er nooit een vrouw is geweest die in haar schaduw kon staan, hè?'

Nu keek hij haar strak aan, heimelijk opgelucht dat ze het op een onderwerp had gebracht dat het grootste deel van de avond al aan hem had geknaagd. 'O, alsjeblieft. Maar nu je het er toch over hebt, dat was een behoorlijk stom idee van je om Isabella te schrijven. Ik ben blij dat Simon het niet gehoord heeft. Ik heb hem een tijdje geleden omgepraat om dat niet te doen, ook omdat ze er helemaal niets mee te maken heeft.'

Ze schakelde ruw terwijl ze sprak, reageerde haar ergernis af op de wagen. 'Natuurlijk heeft ze er wél mee te maken! Als, áls Simon op een dag doorslaat moeten we allemaal voorbereid zijn. We moeten zowel met Lydia als met Isabella praten. Voor het geval dat. Ik bedoel, volgens mij zal Simon langzamerhand wel kalmeren. Maar onvoorspelbaar is hij wel. Hij heeft hun adressen, en dat weet jij ook. Hij zou heel impulsief contact met hen op kunnen nemen. We moeten hem voor zijn en Lydia en Abby vertellen dat die arme Si niet helemaal in orde is en ons mogelijk in de toekomst wat last kan bezorgen. Ik bedoel, waar of niet, we hebben allemaal ons eigen leven. Wie wil dat onze tijd in de Unit aan de grote klok wordt gehangen? Het is echt niet mijn bedoeling dat alles, dat ook maar iets, erover uit zal lekken.'

Nu maakte ze hem echt pissig. 'Dat gaat niet op voor Isabella en dat weet je net zo goed als ik. Je m...'

Ze viel hem in de rede en probeerde van onderwerp te veranderen. 'Ik was verdomd blij dat die eikel de adressen van de anderen heeft achterhaald. En ik heb trouwens wel gezien dat je die adreslijst mee hebt genomen. Ik zag je rommelen in zijn studeerkamer. Dat was een makkie voor je, met Simon zo dronken als een Maleier terwijl hij tegen me aan zat te zeiken over dat tyfuswijf van hem.'

'Wist je dat hij onze telefoonnummers en zo heeft? Ik wist niet dat het zo ver ging. Ik vind het allemaal steeds gestoorder worden, zeker met die obsessie van hem om iedereen op te sporen. Maar ik wilde per se een kopie op schijf hebben. Voor het geval dat. Ik d...'

Ze sneed hem weer de pas af, grijnzend, voor hij tijd had om uit te leggen waarom hij de lijst had meegenomen. 'Laat me niet lachen, Danny. Je hebt die schijf meegenomen omdat je wilt weten waar Isabella zit en wat ze doet. Je bent zo doorzichtig. Maar nu je hem toch hebt, wil ik ook een kopie voor ik je afzet bij Easter Road. Er ligt een laptop achterin. Gewoon voor mijn gemoedsrust. Voor het geval dat, zoals je zei.'

Ze stak nog een sigaret op zonder hem er een aan te bieden, en blies een grote rookwolk naar de voorruit. Meteen daarop nam ze nog een haal en blies een lief rookkusje naar hem, terwijl ze glimlachte. Sarcastisch zei ze: 'Maar laat me je dit vertellen. Als er met Isabella gepraat moet worden, is het beter dat jij dat doet. Ik vind dat jij en ik een plan moeten opstellen. We hebben Simon tenslotte samen afgehouden van... overhaaste stappen. Hij is akkoord gegaan met meer gesprekken en alles nog eens goed overdenken, goddank. Maar ik weet ook niet hoe lang hij zich kan inhouden. Ik vind dat je contact op moet nemen met Abby. Je hebt per slot van rekening het beste met haar voor. Ja toch?'

Nou had hij er echt genoeg van. 'Hou er nou eens over op, Alex. Trouwens, wat doen we met Innes Haldane? Daar hebben we het de hele avond nog niet over gehad.'

'Omdat ze, net als die troela van een Melville, totaal niet ter zake doet.'

Hij tuurde de regen in. Het weer werd slechter en slechter... Alex kneep haar lippen op elkaar omdat ze een door regen overspoelde hoek iets te snel genomen had, waardoor de achterkant dreigde uit te breken. Maar met een hengst aan het stuur bracht ze de auto weer in het gareel. Ze ging verder. 'Innes Haldane was een naïeve muts. Ze wist niet eens waar die Unit eigenlijk voor diende.'

'Onzin, Alex, Innes was niet zo gek als je denkt en ze was heel dik met Isabella.'

'Ze was maar een tijdje zo dik met Isabella. Weet je nog? Ze werd zomaar aan de kant geschoven. Innes wist niet wat haar overkwam. Zoals ik zei, doet ze er niet toe. Geen idee waarom Simon haar ook maar op die lijst heeft gezet. Ze is een gescheiden ambtenaar of zo, en woont in Londen. Saaier kan het niet. En ze zet het vast op een lopen als iets haar ook maar herinnert aan de Unit. Ik vind dat we haar maar met rust moeten laten. Dan laat ze ons ook met rust. Je moet niet steeds van onderwerp veranderen. Als je nou eens één minuut eerlijk tegen jezelf bent, dan geef je toe dat je alles in het werk zou stellen om met Isabella in contact te komen. Ik ken je toch. Neem jezelf in de maling, maar mij krijg je niet mee.'

Ze nam nog een hijs om die beschuldiging te laten bezinken en hij moest het erkennen dat het klopte. Toen ging ze weer door.

'Nou ja, niets om je zorgen over te maken. Ik denk dat we dit allemaal wel aankunnen. Zeker op korte termijn. Ik moet er eens goed over nadenken. Die hufter van een dokter Simon Calder ook! Een gek die gekken behandelt. Geweldig hoor. Nou, ik heb nog wat plannetjes met hem. Ik verdom het toe te laten dat hij mij of wie dan ook dwarszit. Dat heb ik nooit toegestaan, en dat zal ik ook nooit toestaan.'

De bravoure droop eraf. Maar helemaal overtuigend klonk het niet. Hij zag dat ze onder haar glamoureuze toplaagje niet helemaal gerust was. Al twijfelde hij er ook niet aan dat zij niemand zou toestaan haar dwars te zitten. Toen niet, en nu ook niet. Maar al te waar.

Psychodrama

De weken daarop

Verslag van dr. Adrian Laurie, adviseur/medisch directeur PUA
21 december 1977
Betreft: Patiënt, Alexandra Baxendale (geb. 12-9-62)

In overleg met Anna Cockburn, noteer ik hier enige diagnostische opmerkingen betreffende Alexandra Baxendale. Ik heb me vandaag beraad over de eventuele overplaatsing van deze patiënt naar het hoofdgebouw, met name afdeling 21, de beveiligde afdeling.

Ik en de verpleegkundige staf hebben de laatste tijd een onmiskenbare verslechtering in haar toestand waargenomen, die tot uiting komt in aanhoudende perioden van stuursheid en oncommunicatief gedrag. Verder zijn er onvoorspelbare verbale uitbarstingen geweest tegen zowel staf als patiënten en ten minste twee waargenomen incidenten van bedreiging met fysiek geweld.

Alex weigert nog altijd pertinent mee te doen met groepstherapie en wordt regelmatig geplaagd door nachtmerries. Deze laatste hebben mijns inziens te maken met een 'practical joke' met de patiënt op het kerstfeest; de reden van die grap is tot op heden onbekend.

De patiënt is nog altijd hevig gestoord. Hoewel zij na haar toelating tot de Unit een kortdurende vooruitgang heeft geboekt, verslechterde haar toestand de laatste maanden onmiskenbaar.

Ik heb echter na zorgvuldige afweging besloten haar niet uit de Unit te verwijderen, in aanmerking genomen dat alle patiënten naar huis gaan met Kerstmis. In het nieuwe jaar zullen wij de situatie opnieuw bekijken. Ik heb zuster Cockburn wel opdracht gegeven de ouders van de patiënt te waarschuwen om erop toe te zien dat zij zichzelf geen letsel toebrengt gedurende de vakantie, en ze erop te wijzen dat de kans bestaat dat zij geweld jegens anderen zal gebruiken.

CC: Daglogboek
CC: Dossier A. Baxendale

27

'Hoe lang blijft Guy weg?'

Alexandra Baxendale keek naar haar geliefde en glimlachte. 'Het is weer een van die afschuwelijke Midden-Oostenklusjes. Al die theedoekenkoppen aan hun pik zuigen en zo. Hij is nog minstens een paar maanden bezig, godzijdank.'

Haar geliefde gleed het bed uit en ging naakt, met de handen op de dijen, voor haar staan. 'Denk je dat hij het weet? Van ons?'

Alex gooide haar hoofd in haar nek en schaterde het uit. 'Ha! Grapje zeker! Dan wordt hij heel, heel erg boos. En ik hou er niet van hem uit zijn hum te brengen want ik hou van zijn centen.'

'Maar je hebt toch je eigen centen? Je bent schatrijk.'

'Beste meid, je kunt nooit rijk genoeg zijn. Dit huis is helemaal van mij, gekocht met de smerige opbrengsten van mijn jaren in de *City of London*! Maar mijn buitengewoon slimme echtgenoot is écht schatrijk. En je brengt zo iemand niet graag uit zijn humeur. Het gekke is dat het Guy waarschijnlijk niet eens zou storen als je een vent was. Af en toe deden we wel eens een triootje met zijn vrienden. Maar hij zou razend zijn als hij wist dat ik het met vrouwen deed.'

'Vrou*wen*?'

'Bij wijze van spreken dan, lieverd. Ik neuk alleen met jou. Nee, vrouwen neuken zou heel bedreigend voor hem zijn. Guy is best avontuurlijk ingesteld voor een op de kont gefixeerd ex-kostschooljochie van in de vijftig. Hij is dol op vastgebonden worden, waarna ik hem een goed pak op zijn lazer mag geven. Vindt hij lekkerder en lekkerder. Dat houdt in dat hij minder en minder hoeft te presteren, en daar geeft hij de voorkeur aan; bovendien vind ik het ook goed geregeld. Een paar jaar geleden kon hij hem bij gewoon neuken niet meer omhoog krijgen. Dus heb ik een paar ... aanpassingen voorgesteld.'

Ze keek toe hoe de ranke gestalte van het meisje, half zo oud als zij, de badkamer in verdween. Haar mobieltje piepte – ze bukte en vond hem onder de diverse soorten ondergoed die over de vloer verspreid lagen. De zon viel op de bleke littekens op haar onderarmen die plastische chirurgie nagenoeg onzichtbaar had gemaakt. Ze bleef even zo zitten, alsof ze ze voor de eerste keer zag.

Ze was weer alleen, godzijdank. Ze had niet echt genoten van hun ontmoeting. Het meisje werd een beetje te nieuwsgierig, te vrijpostig. En de laatste tijd werd ze echt te kleverig. Ze zou haar subtiel moeten dumpen. Heel snel.

Ze liet haar vingers over haar onderarm glijden. Die flauwe, iets verdikte littekens boeiden haar zeer vandaag. Dat had ze soms. Meestal vergat ze ze, en als anderen, minnaars en minnaressen ze ontdekten, en ongevoelig genoeg waren om ernaar te vragen, mompelde ze iets over een ongelukje in haar jeugd. Een enkele gedenkwaardige keer had ze een 'bondgenoot' in haar bed gehad. Het bondgenootschap van de zelfverminkers. Wanneer dat gebeurde, vergeleken ze zwijgend hun littekens en gingen over tot de orde van de dag. Maar Laurie ging nooit over tot de orde van de dag wanneer het over haar littekens ging...

'Dus, Alexandra, zien we allemaal hoe vers sommige van die wondjes op je armen zijn. Kun je ons alsjeblieft vertellen wanneer je die hebt aangebracht? Waar was je, en wat was er gebeurd?'

Stilte.

Ze had bewust een mouwloos vest aangetrokken, en sloeg haar armen stevig over elkaar, dan waren de paarsrode zigzagstrepen beter te zien voor iedereen. Ze was blij dat een paar van het vrolijke troepje hun gezicht vertrokken. Simon bijvoorbeeld. Wat een mietje was het ook. Danny had alleen een wenkbrauw opgetrokken. Klootzak! Laurie keek de zaal rond, keek ze allemaal aan en vroeg anderen te informeren naar wat vanzelfsprekend was. Maar hij had geen geluk vandaag. Laurie moest het nog maar een keer proberen.

'Nou Alex? Behalve dat het je volgens mij goed zou doen erover te praten, denk ik dat je het aan de anderen verschuldigd bent om uit te leggen waarom je na de kerstvakantie in deze toestand terug bent gekomen.'

Stilte.

'Is niemand anders daarin geïnteresseerd?'

Niemand.

'Wel, dan zal ik het jullie maar even vertellen. Alex heeft het de afgelopen weken thuis niet zo fijn gehad. Je bent 's nachts weggelopen. Tweemaal. En toen hebben je ouders je in je kamer opgesloten. Ze vonden je een paar uur later, op kerstavond, met zulke diepe sneden in je armen dat je een paar uur op de eerste hulp hebt doorgebracht, vlak voor kerst dus eigenlijk. Kun je ons vertellen waarom, Alex?'

'Lazerstraal toch op!'

'Wil iemand anders aan Alex vragen hoe het met haar is?'

'A...'

'Bek dicht, Lydia!'

Danny had die trut de mond gesnoerd. Mooi zo. Al meende hij geen barst van die glimlach en die knipoog. En Laurie liet het dan ook niet ongestraft passeren.

'Danny, waarom liet je Lydia haar vraag niet stellen? Maakt niet uit, Lydia, ga je gang. Wat wilde je vragen aan Alex?'

En dat vette varken zat nu tussen twee vuren. Wilde natuurlijk het lievelingetje van Laurie worden. Maar Danny trok zijn 'nou-moet-je-uitkijken'-gezicht. Lastig kiezen!

'Ik... ik wilde Alex alleen maar vragen of ze zichzelf zo'n pijn gedaan had omdat ze zo van streek was door wat er voor kerst gebeurd was. Bij die lootjes.'

Toen kon ze zich niet meer inhouden en was boven op dat varken gesprongen. De halve zaal moest meehelpen om haar daarvan af te trekken en een paar sneden waren weer opengesprongen, dus zaten Lydia's jurk en haar vieze, opgeblazen smoel onder de bloedvlekken. Geweldig!

Laurie had haar gedwongen om haar excuses aan te bieden, en liet haar toen weer zitten om over Kerstmis te praten. Maar over die lootjes had ze geen woord gezegd.

Nee, de boodschap was nu wel overgekomen.

28

Voor de laatste keer dacht ze na over Simons adreslijst, met haar blik op de meest verontrustende ingang van allemaal, tot de letters vervaagden en ze de lijst terug smeet op haar bureau. Ze leunde naar achteren en keek uit het raam van de verbouwde zolder die haar kantoor was naar de tuin onder zich. De regen kwam nog steeds met bakken tegelijk uit de hemel, tot het leek of er kiezelsteentjes op Guys kas gesmeten werden en haar karpervijver in een kokende ketel werd veranderd.

Ze bladerde door de foto's die voor haar lagen, en stopte bij die ene. De rijen van bokkige gezichten, met een fractie van het natuurschoon van Argyll achter hun ruggen. De staf probeerde het tenminste. Ranj, Anna en Sarah vertoonden trots hun glimlachjes. Zo goed als mogelijk was. Ranjs fraaie camera had een scherpe, goed belichte foto gemaakt die dag, de uitdrukkingen waren goed leesbaar. En de patiënten? Hun norse uitdrukking zou voor anderen niets betekenen. De sfeer die uit de foto leek op te stijgen gaf Alex het gevoel dat hij gisteren genomen was. Ze huiverde, en verspreidde de andere foto's over haar werkvlak. Zonde dat ze niet door was gegaan met fotografie. Ze had zich er helemaal op gestort. De veel te dure camera die haar ouders voor haar hadden gekocht – waarschijnlijk uit schuldgevoel dat ze toegelaten was tot de Unit – had ze veel gebruikt. De fotoclub op school was een van de betere clubjes. Ze was er goed in geweest haar onderwerpen zonder dat ze zich er bewust van waren te nemen, ze kon het heel stiekem zelfs, hoewel niet met opzet, nou ja, soms wel. Ze had wel iets voyeuristisch over zich, en dat erkende ze ook. Ze glimlachte een beetje om de gedachte en legde foto's opzij om die eronder te bekijken, en iedere foto riep een kristalheldere herinnering op...

Zuster Anna bezig met haar verslagen in het kantoortje: een hete bliksem om naar te kijken, maar kil en bedilziek in bed, dacht ze. Als zuster eigenlijk ook nogal kil en bedilziek, als je er even bij stilstond.

Zuster Anna en dokter Laurie in de therapiezaal: hij kreeg onmiddellijk een stijve als hij Anna zag, en dat wist ze. Daar genoot ze van. En ze speelde daarom met hem. Het oude liedje.

Ranj in de tuin: slimme, goede verpleegkundige gezien de omstandigheden. En hij had veel door. Maar helaas, niet genoeg.

Stagiaire Sarah die naar boven komt voor de nachtdienst: haar eerste nachtdienst zelfs...

'Het lukt je allemaal wel, dat weet ik zeker. Als er problemen zijn, bel je binnenlijn vijf drie vijf. Het is een nummer dat alleen 's nachts aanstaat. Dan krijg je direct het nachtdienstkantoor van het hoofdgebouw, een eindje verderop. Oké?'

Alex deed deur van de muziekkamer op een kier open. Ze kon Anna en Sarah prima zien onder het hallampje voor de zusterspost. Anna had haar jas al aan en gaf Sarah een klapje op haar schouder.

'Degenen die het krijgen hebben hun medicijnen al gehad. Die slapen als een roos. Waren het maar roosjes, hè? Goed, ik zie je morgenochtend bij de overdracht. Werk ze.'

Alex keek op haar horloge. Tien uur. Sodemieter, Anna was wel lang nagebleven om erop toe te zien dat Sarah het aan zou kunnen. Dat kon ze natuurlijk best. Ze luisterde naar Sarah die de deuren op slot deed, en naar haar voetstappen die door de gang klikten. Ze hoorde haar stilstaan bij de tv-kamer, en er klonk een gedempte opdracht om het ding uit te zetten en over tien minuten in bed te liggen.

Alex zat op de vloer met de stapel vijfenveertig-toerenplaatjes voor zich. De deur kraakte. Ze draaide zich om, nog steeds op haar knieën en trok een wenkbrauw naar Sarah op.

'Nog tien minuten, Alex. Dan is het bedtijd.'

Ze gaf geen antwoord. Glimlachte alleen maar.

Een kwartiertje later had ze haar tanden gepoetst, haar mond afgeveegd en trok ze aan het touwtje van het badkamerlampje. De gangen boven waren compleet donker. Toen ze naar de meidenslaapzaal liep, zag ze Sarah van de andere kant aan komen lopen. Ze had zeker net de anderen gecontroleerd. Bij de slaapkamer van de nachtzusters bleef Sarah met haar hand op de klink staan. Ze keken elkaar aan. Ze glimlachten geen van beiden. Toen Alex bij de slaapkamer van de nachtzusters was, was Sarah naar binnen en was de deur dicht.

Iedereen sliep al. Carrie had beslist Largactil gehad vanavond. Ze had gezien dat Sarah haar een dosis had gegeven. Lydia misschien ook. Maar dat varken sliep toch wel, snurkte als een os, medicijnen of geen medicijnen. Alex kleedde zich uit en ging in een krap T-shirtje en haar slipje op het dekbed liggen. Het was koud, maar op de een of andere manier voelde ze het niet. Ze bleef ook niet lang liggen.

Een zacht klopje. Sarah stond in het donker terwijl Alex ongevraagd de kamer binnenkwam. Ze sloot de deur en bleef er tegenaan geleund staan. Heel even hing er een afstandelijke stilte. En heel even dacht Alex dat ze het verpest had. Toen reikte Sarah achter haar langs om de deur op de knip te doen en tilde met haar andere hand Alex' T-shirt op, en liet haar warme hand over haar rillende buik glijden...

'Je kunt niet blijven, Alex. En ik ook niet! Anna moet hier blijven omdat Innes griep heeft. Maar jij *moet* wel gaan. Iedereen gaat. We kunnen niet hier achterblijven. Dat snap je toch wel?'

Sarah zat geknield bij het beekje om de laatste ontbijtspullen af te spoelen, en keek onophoudelijk als een bang konijn om zich heen. Net als in de Unit de laatste weken, waar Sarah steeds nerveus over haar schouder keek alsof ze verwachtte dat Anna, Lydia, Ranj, Danny of wie dan ook op haar af zou komen en een beschuldigende vinger naar haar uit zou steken. Alex keek de andere kant op. Er was niemand in de buurt. Slechts vele mijlen en mijlen van het natuurgebied van Argyll omringden hen. De rest van de groep zat in hutten, de kapotte warmwatertoevoer vervloekend, en pakten hun rugzakjes in voor de wandeling en dropping en hun nachtelijke kampeerervaring.

Sarah wilde haar nog steeds niet aankijken. Alex probeerde voor de negenentachtigste keer haar aandacht te trekken. 'Maar waarom moet jíj dan mee? Waarom kan jíj dan niet bij die suffe Innes blijven, zodat ik ook "ziek" kan worden? Als die trut slaapt hebben we de hele nacht voor elkaar...'

Maar ze had geen succes. Sarah schudde haar hoofd, nog steeds over de bordjes gebogen. 'Nee, Alex. Er moet een senior staflid achterblijven als er iemand ziek is. En dat is Anna. Zo zijn de regels nou eenmaal.'

'Rot toch op! Ik dacht dat we op deze stomme vakantie eindelijk eens wat meer tijd voor onszelf zouden hebben, zonder de anderen. Goed. Prima. Kunnen we dan vannacht niet een paar uur samen zijn? We kunnen er toch tijdens die dropping even tussenuit knijpen. Als je zorgt dat wij in hetzelfde team zitten, is er geen haan die ernaar kraait.'

Sarah keek haar eindelijk recht in de ogen. Ze stond op. Zou ze haar kussen? Toegeven? Akkoord gaan met een privé-avontuurtje vannacht?

'Nee, dat doen we niet, Alex. Veel te gevaarlijk. Ik kan er niet zomaar met jou vandoor gaan en Ranj bij de rest achterlaten. Wat moet hij wel niet denken?' Ze deed een stap achteruit. 'Luister, ik wilde je dit al een tijdje zeggen... Ik bedoel, al een tijdje geleden met je praten. De boel... De boel loopt een beetje uit de hand, vind je niet? We moeten zo voorzichtig zijn. Je wilt me toch nog steeds zien, hè, wanneer je ontslagen bent, en wanneer we... nou ja, wanneer het allemaal wat veiliger kan? Misschien moeten we elkaar maar even met rust laten tot die tijd. Voor een tijdje maar. Nou...? Zeg eens iets, Alex.'

Ze wist niet of ze al een tijdje rilde van de kou of dat het nu pas begonnen was. Ze voelde zich niet lekker en strompelde terug terwijl Sarah haar arm probeerde aan te raken. 'Wat? Wát? Wat probeer je me nou eigenlijk te vertellen? Je zei voor we de Unit verlieten nog dat die kampeervakantie "perfect" voor ons zou worden. Letterlijk. *Perfect*. En wat heb je gedaan sinds we hier aankwamen? Me elke dag proberen te ontlopen, verdomme. En vandaag is onze laatste dag. Je bent een vuile trut, Sarah! Lekker neuken en voelen als je nachtdienst hebt, als je iedereen tot hun oren vol hebt gegoten met slaapmiddelen. Oké, wacht maar 'ns af! Ik zal het je godverdomme laten voelen! En dan zul je spijt krijgen van wat je gedaan hebt! Vette spijt! In de gevangenis misschien wel! Ik zal het je laten voelen!'

Ze voelde haar hete tranen op haar ijskoude gezicht, draaide zich om en ging ervandoor, struikelde over een dode boomwortel en hoorde Sarahs laatste woorden in het niets opgaan.

'Stop nou, Alex! Stop! Doe nou geen gekke dingen! Trouwens, niemand zal je geloven! Niemand! Denk nou na... Ik zeg...'

29

Ze doolde door het lege huis, nipte aan het volle glas cognac, probeerde het gekletter van de regen te negeren en de nu huilende wind door de bomen in de tuin. Guy had haar wakker gemaakt met een telefoontje uit Dubai om te zeggen dat hij haar zo miste. Daar werd je toch ziek van. Ze zat onrustig bij de tuindeuren. Het licht was uit, en buiten zag ze alleen verschillende zwaaiende vormen, zoals de dunne takken van de sierlijke jonge zilverberkjes, die als schildwachten halverwege de tuin stonden.

Ze had een stel foto's meegenomen naar beneden en had ze op de eettafel gelegd, met haar hand erbovenop, als om ze te beschermen tegen spiedende blikken. Ze was blij dat Guy nog een paar weken wegbleef. Ze had nog liever dat hij voor eeuwig wegbleef. Het was een farce, een schijnvertoning. Dat wisten ze allebei – al zou je Guy moeten martelen voor hij het toe zou geven – dat hun huwelijk een pseudo-huwelijk was, een verstandshuwelijk. Ze had er al spijt van toen het te laat was. Maar het leek toen zoiets... nuttigs, en verstandigs, toen ze het bedachten. Ze had geprobeerd een lastige overgangsperiode tussen jaren keihard werken in Londen en haar nieuwe fantastische bedrijf in Edinburgh te overbruggen, en haar carrière als internetondernemer te beginnen. Ze was altijd al een goed netwerker geweest, tot ze te veel schepen achter zich had verbrand. Dat was toen het zakencentrum in de City helemaal in de ban van politieke correctheid raakte en de zogenaamde 'werkvloeronderdrukking' het hete hangijzer werd. *Onderdrukking.* Rot toch op. Als mensen het werk niet aankonden, dan moesten ze opzouten, man of vrouw. Ze had nooit gewerkt met vrouwen die klaagden dat de City zo hard was voor een vrouw. Zeker, je moest als vrouw wel een ballenbreker zijn. Maar vrouwen konden al hun charme in de strijd werpen om het meeste effect te bereiken. Zij deed het tenminste. Oké, als je een vent was, dan waren er krachtiger middelen om te krijgen wat je wilde. Ze kende senior handelaren die hun ondergeschikten in de ballen trapten in de herentoiletten, ze wist van knokpartijen in de van champagne vergeven plees van de beursgebouwen, en tientallen andere verhalen waar anderen de koude rillingen van zouden krijgen.

Maar wat zo oneerlijk was, was dat toen zíj zich als senior gerechtigd voelde om dezelfde methoden te hanteren, zij op haar vingers werd getikt. Gewoon omdat ze een vrouw was. Het zou nog grappig geweest zijn ook als het niet op het schavot was geëindigd...

'Alex, niets hiervan staat officieel op schrift. En eigenlijk willen we alleen de goede naam van ons bedrijf redden, en niet de jouwe, die nu helaas bezoedeld is. Het lijdt geen twijfel dat je Louise Bailey, een van de junioren van je team, geslagen en geschopt en gestompt hebt, in de damestoiletten van Corney & Barrow. Ik geef toe dat er geen onafhankelijke getuigen waren. Maar de mensen in je team zagen jou naar de toiletten verdwijnen, tegelijk met Louise, en een ander teamlid trof Louise in kennelijk hysterische staat aan in een wc-hokje, vol blauwe plekken en bloed. Jij had het pand verlaten.

Ik moet je helaas vertellen, Alexandra, dat er al langere tijd geruchten gaan over jouw... en nu zal ik er maar niet meer omheen draaien... over jouw gewelddadige praktijken op de werkvloer. Het bedrijf heeft het altijd door de vingers gezien vanwege je hoge bijdrage aan onze inkomsten. Maar dit is natuurlijk een ander verhaal. We laten je rustig vertrekken. Louise zal geen aanklacht tegen je indienen. Het zou een lastige kwestie worden om de zaak te winnen. Ik twijfel er niet aan dat je een overtuigende show zou hebben weggegeven, in de rechtszaal, mocht het doorgegaan zijn. Maar dat gebeurt niet. Het bedrijf wenst niet in opspraak te worden gebracht door de koppen in de pers. Ik wil je echter een laatste waarschuwing niet onthouden. Een *belofte*. Ik zal alles doen wat in mijn macht ligt om je in diskrediet te brengen en je bevoegdheid te laten intrekken als je het ooit, *ooit* nog waagt om naar een andere baan in de City te solliciteren. En dat stigma zal je overal vervolgen, geloof mij maar. Dus je zit in een Catch-22-positie. Je hebt je bevoegdheid nog maar handelen kan je niet meer. En daarom stel ik voor dat je naar een andere carrière omkijkt. En bovendien naar een goede psychiater...'

Ze huiverde toen die vernederende preek haar te binnen schoot. En glimlachte toen. Het was haar gelukt om het keihard te spelen en er nog een aardig slaatje uit te slaan. Toen ze duidelijk had gemaakt dat haar eigen reputatie haar gestolen kon worden, dat ze gewoon zou blijven hangen in het bedrijf en zo zou veroorzaken dat de zaak naar buiten kwam, waren ze overstag gegaan. Op het financiële vlak dan. En ze wilde toch al een tijdje weg uit de City. Het verveelde haar. En die vuile verklikster van een Louise had erom gevraagd. Ze was niet eens de eerste geweest. Maar zij was een pieper geweest, in tegenstelling tot de anderen, die wisten waar dit de inleiding voor was, en hun tanden op elkaar hadden gezet.

Ze gulpte het laatste beetje cognac naar binnen. Zo zou ze wel in slaap komen. Ze stond op. Ze kon de foto's veilig laten liggen. Ze verwachtte geen bezoek meer vannacht.

Het bed was koud toen ze erin kroop. Ze staarde naar het plafond, zag de schaduw van de regen zwarte stroompjes langs het behang trekken. Ze zweefde weg, ze leek te vallen en het gevoel was haar welkom. Maar zo makkelijk ging het deze keer niet. Ze schrok op en was meteen klaarwakker. Ze ging rechtop zitten. Een onwelkome herinnering was haar onbewuste binnengedrongen, en dat was niet de eerste, noch de laatste keer. Dat kwam natuurlijk door het kijken naar die verdomde foto's. Jezus, ze had de laatste twee dagen meer in het verleden dan in het heden geleefd. Maar deze gedachte? Misschien kwam het door Guy die zei dat hij ernaar uitzag om vóór Kerstmis weer thuis te zijn... Vóór Kerstmis...

'Nul nul zeven. Nog meer geluk dan James Bond, lijkt het wel...' De lagen vloeipapier waren er makkelijk af te scheuren, en haar opwinding steeg bij elke krachtige ruk. Het leek wel een eeuw te duren voor ze toegaf dat ze zag wat het was. In werkelijkheid moet het een fractie van een seconde zijn geweest. En ze wist ook meteen wat er aan de hand was. Ze herinnerde zich dat ze zich een weg door de menigte had gestompt, allemaal geschrokken ogen en monden in de vorm van een o. Al die hoofden die zich omhoog werkten om te zien waarvoor ze vluchtte...

'Het is in orde Anna. Ik heb haar gevonden. Ik handel het wel af. Nee, eerlijk. Ik red me wel met haar.' Sarahs stem zweefde door de achterdeur de vriesnacht in. Ze negeerde het en kroop in haar parka, genietend van het uitzicht. Dit was haar lievelingsbankje. Tegen de muur van het huis geplant, op een talud en het uitzicht was altijd schitterend, je kon mijlenver over het gazon kijken, leek het, tot aan de boomgaard, waar de schommel hing. En alles lag bedekt onder sneeuw en ijs. De hemel was helder. De halvemaan – meer dan genoeg om de sneeuw op het gazon te laten fonkelen – bescheen Sarahs silhouet terwijl ze aan kwam lopen.

'Alex, je kunt hier niet blijven zitten. Het is min vijf. Je bevriest gewoon. Zie, je zit al te rillen. Kom op, we gaan naar binnen.' Nogmaals negeerde ze Sarah, die gelukkig genoeg verstand had om haar niet aan te raken.

Ze wist wel dat haar gezicht nog steeds vlekkerig rood moest zijn door de tranen, en ze verborg zich in haar parkacapuchon zoveel ze kon. Haar ademhaling was weer aan de normale kant. Zo kon ze tenminste weer roken en ze nam een hijs van haar sjekkie. Hij bestond uit oude uitgedroogde tabak, maar ze was al door haar sigaretten heen en wat maakte het ook uit, een peuk is een peuk, nietwaar. Ze voelde dat Sarah een paar centimeter dichterbij schoof. Ze was eerlijk gezegd wel blij dat het Sarah was en niet iemand anders van de staf. Nou ja, blij dat het Anna of Ranj niet was. Laurie zou zijn handen niet vuilmaken om te proberen haar te helpen; dat zou hij met niemand van de groep buiten de veilige therapieomgeving doen. Controle-freak. Maar hij zou deze toestand wel zo snel mogelijk, in de eerstvolgende sessie in de groep gooien. Dat stond als een paal boven water, en de gedachte daaraan maakte haar nu al zenuwachtig. De anderen wisten dat ook, en dat zou het dubbel zo erg maken.

Ze wachtte tot Sarah een volgende poging deed. Ze hadden het tenminste weer bijgelegd na het kampeerfiasco. Nou ja, min of meer. Als Sarah wist dat wat er gebeurd was grotendeels aan haar lag... Dat het haar schuld was... Maar Sarah was sinds die middag wat nerveus, maar heel aardig geweest.

'Alex, wat is er aan de hand? Alsjeblieft, leg het eens uit? Wat gebeurde er nou? Hier.'

Ze bood haar een sigaret aan. Een echte en een slokje wodka. Mooi, ze nam beide gretig aan.

'Wat gebeurde er nou met de loterij? Wat betekent dat touw, dat mes? Het is een smerige grap, niet?'

Ze kreeg haar stem eindelijk weer terug. 'Grap! O ja, Sarah, dat zal het zijn! Daarom zit ik te rillen, laat ik mijn tieten afvriezen en zuip en rook ik mezelf te pletter! Het is gewoon één grote gr...'

Het rillen verhevigde plotseling, ze schudde helemaal en ze stond Sarah toe de sigaret en de wodka over te nemen. Ze sloeg met beide handen tegen haar gezicht en de tranen stroomden naar beneden.

'Er is wat gebeurd. Iets waarvoor we eens allemaal moeten boeten. Geloof het of niet.'

Een uitzonderlijk luid geloei van de wind trok haar uit haar herinnering. Ze gleed weer onder het dekbed. Als ze eerlijk was, wist ze dat die dag zou komen. Dat moest wel. Zeker met zo'n sukkel als Simon in het spel. Hij mocht een geweldig studiehoofd hebben, van zijn andere kwaliteiten had ze nooit zo'n hoge pet opgehad. En Danny moest ze ook in de gaten houden. Dat was altijd al een egoïstisch rotjong geweest, voorzover ze wist, dus zou hij het wel redden. En de anderen? Nou, dat viel nog te bezien. Daar moest ze zich nog maar eens goed over buigen. Ze was niet van plan om haar leven na al die jaren nog eens overhoop te laten halen. Door niemand.

Psychodrama II

In dezelfde weken, en 1977

Verslag van Sarah Melville, verpleegkundige, aan zuster Anna Cockburn
21 december 1977
Betreft: Patiënt, Alexandra Baxendale (geb. 12-9-62)

Na het voorval in verband met de loterij van gisteravond heb ik een tijd met Alex alleen gepraat, maar ik heb nog steeds geen idee wat er werkelijk aan de hand was.

Het lijkt me duidelijk dat de echte prijs verwisseld is. Hoe, dat snap ik ook niet, behalve dat ik weet dat de al ingepakte prijzen in ons kantoortje lagen voor de lichten uitgingen, en degene die nachtdienst had, bezig moet zijn geweest met de ronde. Wat ook onmiskenbaar is dat deze 'prijs' voor Alex was bedoeld, en dat Danny, de 'uitpakker', er dus mee te maken moet hebben gehad. Ze hebben elkaar allemaal hun lotnummers verteld, dus wist iedereen dat Alex 007 had.

Ik confronteerde Alex met het feit dat Danny erbij betrokken moet zijn geweest, maar ze hapte niet. Ze bleef maar herhalen: 'Hufters!' dus neem ik aan dat ze weet wie het gedaan hebben, en dat het niet alleen Danny was.

Het is me een raadsel waarom het touw en het

mes haar zo ontzettend van streek maakten, noch waar de anderen die spullen vandaan hebben en hoe ze die binnen hebben gekregen. Maar aangezien de Unit geen gevangenis is, blijft het binnensmokkelen van verboden spullen (Carries hasj, bijvoorbeeld) altijd mogelijk.

Kortom, het is me gelukt om helemaal niets uit Alex los te krijgen.

Sorry.

CC: Daglogboek
CC: Dossier A. Baxendale

30

Sarah Melville stapte in de vrieslucht naar buiten, baande zich een weg door de losgeslagen mensenmassa, bezig met de kerstinkopen in het centrum van Glasgow, naar de relatieve rust van de ondergrondse parkeergarage. De sloten van de centrale portiervergrendeling van haar donkergroene Range Rover piepten haar tegemoet. Ze klom op de luxe leren zitting en bleef even met gesloten ogen zitten om het afgelopen uur uit haar hoofd te zetten.

Haar laatste cliënt van die dag was doodvermoeiend geweest. Dat was ze altijd. Daarom had ze onlangs haar afspraken naar donderdagavond verplaatst. De allerlaatste afspraak van de week, spoedgevallen uitgezonderd. Morgen was er de gebruikelijke vrijdaglezing en 's middags een vergadering. Heerlijk.

Ze draaide het contactsleuteltje om, en liet de cd-speler het voertuig met de verzachtende balsem van een salsa-ende Celia Cruz vullen – 'Te Busco' was de enige muziek die ze verdroeg na zo'n dag. Ze had al haar concentratie nodig tot ze de A82 op reed, met de grootsheid van het Loch Lomond dat zich uitstrekte aan haar rechterkant.

Na een vermoeiend en moeizaam stuk rijden op opspattend steenslag, bescheen het grootlicht de met witte zuiltjes aangegeven oprijlaan. De Range Rover glibberde door een beijzelde bocht naar de ingang van het prachtige, naar de kant van het meer gekeerde, statige landhuis, waarvan de in steen gegraveerde naam KINNAIRD HALL een welkome aanblik bood. Haar eigen therapeute had haar de tip gegeven toen ze een huis zocht. De eigenaars, die het als een hotel niet draaiende konden houden en na een dramatisch verlies failliet waren gegaan, hadden het aan projectontwikkelaars verkocht die er een handvol luxueuze appartementen in gepropt hadden, terwijl ze de aantrekkelijkste dingen behielden: het zwembad en het enorme dakterras met een ruime kamer die verhuurd kon worden. Een zeer apart huis. En elke cent waard.

Ze liep de uitgestrekte hal van haar appartement op de begane grond in, negeerde de rinkelende telefoon, die altijd ging als ze haar sleutel in het slot stak, en wanneer ze, zoals vandaag, haar mobieltje uitgeschakeld had.

Tien minuten later was ze op weg naar het zwembad. Helemaal voor zichzelf alleen – zalig. Twintig meter blauwe vergetelheid. Ze maakte een perfecte duik in het diepe gedeelte en verloor zichzelf in vijftig baantjes. Vijftig baantjes. Eén kilometer. Mooi aantal. Een flinke, louterende zwempartij. Met tegenzin klom ze aan de kant, maar de gewoonten van de andere bewoners kennende, zou de man van de bovenste verdieping er zo wel aankomen, en als ze ergens geen behoefte aan had op dit moment, was het aan een gezellig babbeltje. Ze liep terug naar de woning en na gedoucht te hebben, slenterde ze haar studeerkamer in, en kwam terug met een blad met whisky, soda, glas en een leren map, bulkend van het werk. Buiten joeg de wind het grove grind tegen het raam, maar ze kroop in een stoel met haar badjas aan, warm en verkwikt.

Ze slurpte gretig van de brandende vloeistof, en wist heus

wel dat het dom was om na stevige lichaamsoefening meteen aan de drank te gaan. Maar vanavond was een uitzondering. Hoewel ze innerlijk kalm was, had ze gemerkt dat ze op de terugweg vrij rommelig schakelde. De reden was simpel. Ze legde haar werk opzij en gaf toe aan de meest opdringerige gedachte van die avond.

Ergens in haar achterhoofd, onder de dikste lagen van het onbewuste, en soms in een boze droom, had ze wel verwacht dat zoiets zou gebeuren. Maar dat het Simon Calder zou zijn die bij Debbie – waarom nou net daar – opdook was niet degene die ze verwacht, voorgesteld of gevreesd had. Er was echter geen ontkomen aan geweest dat toen hij naam begon te maken in de Edinburghse psychologiewereld; ze zich had afgevraagd hoe ze zou reageren wanneer ze hem een keer tegen zou komen. Zo groot was die kans ook weer niet, maar het was een mogelijkheid. Het meest waarschijnlijk was een toevallige ontmoeting op een sociaal vakmatig gebeuren. En ze kende zichzelf goed genoeg om te erkennen dat bij de beslissing om Edinburgh te verlaten en zichzelf tot psychotherapeute om te scholen de kans op een ontmoeting wel meegespeeld had. Al zat het heel diep, het zat nog steeds vaag in haar systeem. Hoe waren de kansen dat ze een van de anderen zou ontmoeten, inclusief degene die ze het meest vreesde? Miniem. Ze had geen idee waar ze zich ophielden en ze wist zeker dat ze haar in elk geval totaal vergeten waren. Zelfs Alex.

Het ongevraagde beeld van de stoere vijftienjarige skinheadmeid flitste door haar hoofd. Ze had al in geen jaren aan Alex gedacht. Heel soms liet haar droomwereld verstoorde en verwrongen versies van haar zien. Maar die dromen had ze ook al in geen jaren meer gehad. Ze vulde haar glas bij, en liet haar herinneringen teruggaan naar een paar weken geleden. Het gesprek met Debbie na het vertrek van Simon stond in haar geheugen gegrift.

'Jeetje, Sarah, wat een verrassing hè? Je hebt me nooit verteld dat je op een adolescentenafdeling hebt gewerkt.'

Voor de leugen deed ze weinig moeite. Te weinig. 'Tuurlijk wel. Jezus, Deb, we zijn al zo lang samen dat we ons niet eens onze eerste praatjes om elkaar te versieren kunnen herinneren.'

Ze hoopte dat het grapje haar spanning en leugen kon maskeren. Maar Debbies geheugen was helaas te goed.

'Nee, dat zou ik me wel herinnerd hebben. Ik bedoel, ik weet wel dat je je in een zeker stadium in adolescenten hebt gespecialiseerd, maar ik wist niet dat je op zo'n afdeling had gewerkt, en dan nog wel op de PUA. Wanneer was dat?'

'O... zevenenzeventig en een paar jaar erna.'

'Een paar jaar! Jezusmina, jij blijft me verbazen! Zevenenzeventig? Dat was nog in de beginjaren, niet? Wie had de leiding?'

Ze had weinig keus en moest wel antwoorden. Als ze het gesprek tot de staf en andere algemene zaken van de Unit kon beperken, was er ook niets aan de hand. 'Ehh... ene Adrian Laurie.'

Ze zag Debbie haar voorhoofd fronsen en glimlachen toen ze zich hem herinnerde. 'O, ja. Ik heb stapels artikelen gelezen toen ik mijn postdoctoraal geestelijke gezondheid op het Tavistock-centrum deed. Ik denk dat hij heel wat belangrijke zaken te melden had, maar als ik me goed herinner, kreeg hij te maken met een tegenstroming en vertrok hij naar het buitenland. De VS geloof ik. En toen heeft de PUA haar deuren gesloten, nietwaar? Te duur natuurlijk, en Lauries theorieën raakten een beetje uit de mode. Maar toen was jij natuurlijk allang weg en had je je op de psychotherapie gestort.' Ze zweeg en glimlachte bewonderend naar haar. 'Nou, nou, Sarah. Je bent me er eentje. Wat een interessante periode moet dat vakmatig voor je geweest zijn, slimpie! Maar je bent een grotere aanwinst voor de wereld van de psychotherapie.'

Ze deed haar best niet te verstijven toen Debbie een stap vooruit deed en haar armen om haar heen sloeg. Misschien kon ze de gelegenheid te baat nemen om haar af te leiden van verder gepraat over de Unit. Maar Debbie gaf haar geen kans. Ze voelde een lichte kus en een kneepje in haar taille terwijl Debbie naar de keuken wees. 'Kom op, laten we een fles temperamentvolle rioja opentrekken en een salsa-cd'tje opzetten, dan moet jij me eens alles over die arme Simon Calder vertellen...'

Buiten stapelde de sneeuw zich flink op. Ze rilde, ondanks de centrale verwarming die ze helemaal open had gedraaid. Uiteindelijk was Debbie meer onder de indruk van het feit dat ze in de Unit had gewerkt, dan beledigd of verbaasd dat ze het nooit had genoemd tijdens hun vijfjarige relatie.

Strikt genomen was het natuurlijk verboden om op die manier over Simon Calder te praten. Maar minnaars, minnaressen, echtgenoten en vrienden op hetzelfde vakgebied deden dat altijd. Natuurlijk waren er ethische grenzen. Iedere goede vakgenoot wist dat. En kleine Katie Calder had hulp nodig en haar vaders huidige gedrag, dat niet erg stimulerend was, lag verankerd in zijn verleden. Dus, waaruit bestond dat verleden? Kijk, ze kon natuurlijk heel overtuigend naar voren brengen dat zesentwintig, bijna zevenentwintig jaar geleden wel erg lang geleden was, wat Debbie natuurlijk zo aannam. Als die eens wist hoe goed ze zich hem, hen allemaal, die tijd, herinnerde...

Maar vreemd genoeg was het hetgeen Debbie aan haar verteld had over Simon Calder, en niet andersom, dat was blijven hangen. En dat de kristalheldere herinneringen uit 1977 terugbracht...

31

Ze zaten te midden van de puinhopen van het feest van de vorige avond. Sarah zag Anna binnenkomen met een gezicht als een donderwolk terwijl ze de deur dichtdeed. Ze ging naar een lege stoel bij de nog altijd stralende kerstboom, en schopte per ongeluk een plastic bekertje weg. Ze bekeek de gezichten van haar collega's: Adrian en Ranj uiterlijk neutraal, Anna razend. En de Amerikaanse psychiater van verderop, Matt Benson, fris en oplettend. Vol zelfvertrouwen nam hij het initiatief; nogal brutaal eigenlijk, vond ze. Hij had vast en zeker besloten dat hij deel mocht nemen aan het onderzoek omdat hij toevallig aanwezig was bij het drama.

'Het is afgesproken werk, en Danny Rintoul moet erbij betrokken zijn geweest. Om de "verkeerde" prijs uit te reiken, moet je iemand op het podium hebben. En aangezien het al een paar dagen bekend was wie de lootjes uit de hoed zou trekken, was Danny de beste keus. En wat is hier in godsnaam aan de hand dat kinderen een jachtmes kunnen binnensmokkelen? Om zoiets te pakken te krijgen heb je tijd en een goed plan nodig. Nee, dat was beslist afgesproken werk.'

Ze glimlachte in zichzelf. Ranj ergerde zich overduidelijk aan deze verontwaardigde opsomming van wat iedereen al wist, alsof het een scherpzinnige deductie was, en onderbrak hem. 'Dat lijkt me voldoende, dokter Benson. Ik denk dat we het er daar allemaal wel over eens zijn. Er was geen toeval in het spel. We weten dat het opzet was. Ook ik ben zeer verontrust over het feit dat er zo'n gevaarlijk wapen binnen kon komen. Zoiets kan gevaar opleveren voor zowel de staf als de patiënten. Ik zie echter niet hoe we dit kunnen voorkomen tenzij we hier fouillering en andere zaken die met een autoritair regiem te maken hebben invoeren, zoals bij een inrichting van gewelddadige gestoorden of psychopaten. Ik heb in die instituten gewerkt en dat is niet de reden dat ik hier een baan heb genomen. Godzijdank zijn we geen gevangenenbewakers.'

Ze ging rechtop in haar stoel zitten en genoot ervan hoe dokter Benson neergesabeld werd. Maar ze moest wel op zichzelf letten. Het was het best om meteen vragen te stellen om te vermijden dat ze haar gesprek met de geschokte Alex aan zouden snijden. Ze richtte zich tot Ranj. 'Toen jij de prijs aan Alex overhandigde, merkte je er toen niets aan? Het gewicht misschien? Ik bedoel, een jaarpas voor Odeon en een doos chocola die kleiner is dan die van de tweede prijs voelt wel anders aan dan een touw en een mes.'

Ranj keek haar strak aan. 'Ik vond het ook een beetje zwaar, Sarah. Maar ík heb de prijzen niet ingepakt. Dat hebben jij en Anna gedaan. Ik wist dat de eerste prijs heel dik was ingepakt, maar meer wist ik ook niet.'

Het was ongebruikelijk dat Ranj zo defensief reageerde. Ze voelde hoe Anna, links van haar, naar voren leunde en naar Ranj knikte. 'Klopt. Je kon het ook niet weten, Ranj. Afgezien daarvan is het enige interessante van het geval wanneer en hoe de verwisseling heeft plaatsgevonden. Zoals je opmerkte in je verslag, Sarah, lagen alle ingepakte prijzen al een aantal dagen in ons kantoortje, vrijwel tot het laatste moment. De enige mogelijkheid lijkt mij tijdens de avondronde. Het kantoor is dan niet afgesloten omdat de patiënten dan gewoonlijk al in bed liggen. Klaarblijkelijk is er een verwisseling geweest, en heeft iemand nu de echte eerste prijs, al lijkt het me onwaarschijnlijk dat iemand die bioscooppas zou durven gebruiken, hoe waardevol ook. Dan zouden we hem of haar zo te pakken hebben. Adrian? Wilde je iets zeggen?'

'Ja. De verwisseling, het inpakken, dat is allemaal ondergeschikt aan de andere centrale vragen. Namelijk, wat *betekenen* dat touw en dat mes? En waarom kreeg Alexandra Baxendale ze? Waarom riep dit zo'n extreme reactie bij haar op? Er bestaat mijns inziens geen twijfel over dat wie dit plan ook opstelde precies wist dat dit zo'n effect op Alex zou hebben. De spullen zijn onmiskenbaar symbolisch.'

Hij zweeg. Ze wist dat hij niet klaar was. Het was een van zijn bekende trucjes. Hij keek zijn staf aan, om er zeker van te zijn dat hij hun volledige aandacht had. Toen sprak hij verder. 'Maar waarvan zijn het symbolen? Welnu, ik stel voor dat we deze bende opruimen en vandaag uitzonderlijk goed opletten. Sarah? Als je de kans ziet om nog een gesprekje met Alex alleen te voeren, probeer dan nog een keer of je wat uit haar kunt krijgen. Oké?'

Sarah wist dat Alex haar al de hele dag ontweek en dus iets van plan was. Daar was Alex goed in. Ze moest haar naar het bijgebouw gevolgd zijn. Toen ze een map in het archief terugzette, hoorde Sarah de deur klikken en weer in het slot vallen. Daar was ze dan, leunend tegen de deur, in een strak vest en slobberige camouflagebroek van de legerdump.

'Alex, je weet best dat je hier niet mag komen. Verboden terrein. En roken mag je hier al helemaal niet.'

Ze had onmiddellijk spijt van dat prekerige toontje. Ze keek toe hoe Alex een langere haal van haar sjekkie nam dan gewoonlijk en perfecte rookkringeltjes in haar richting blies. 'Ja, dat zou lachen zijn, als al onze dossiers in rook opgingen, niet?'

Het meisje zag er moe uit. Ze was altijd al slank, maar ze leek sinds gister kilo's afgevallen te zijn. Maar de kwetsbaarheid van gisteravond was echt verdwenen. De tranen, het snikken, de... ontboezemingen.

'Alles oké met je, Alex? Wat is er? Wil je nog wat kwijt?'

Ze dacht dat Alex een toenaderingspoging wilde doen en nam zich voor er niet op te reageren. Maar het meisje nam nog een lange, trage hijs van haar sjekkie. Schaamteloos en ja, iets flirterigs had het ook. 'Helemaal niks, babyzuster Sarah. Ik wipte alleen effe langs.'

En toen draaide ze de deur van het slot en stapte zwijgend naar buiten. Ze glimlachte even. 'Het gaat prima met me, dank je. Trouwens, wat ik je gisteren vertelde, dat was allemaal onzin natuurlijk. Gelul. Want we hebben erna heus nog wel gelachen. Het was gewoon een rotgeintje van me. Te veel wodka is niet goed voor je, dat zie je maar weer.' Ze wilde weglopen maar voegde er hees en zacht aan toe:

'En zie jíj er vandaag even lekker uit, babyzuster Sarah! Ik zie je, hè?'

Sarah keek haar na zoals ze met haar swingende loopje de

gang naar het Unitgebouw uitliep. Ze stopte maar één keer, om haar sjekkie in het tapijt uit te trappen met een veel te grote Doc Marten's. Echt Alex.

Sarah volgde haar vijf minuten later. Ranj was in de zusterspost in een betere stemming dan een uur eerder. 'Hoi, Sarah. Hoe is-ie? Je ziet er... ik weet niet, bezorgd uit. Kom, vertel eens wat eraan scheelt. Koffie?'

Ze moest haar zorgen met iemand delen. Ranj was waarschijnlijk beter dan wie dan ook. Anna zou haar vragen met vragen beantwoorden en Laurie zou helemaal niets terugzeggen.

Ze knikte, nam de koffie aan en ging tegenover hem zitten. Langzaam begon ze te praten, alsof ze er niet helemaal zeker van was wat ze kwijt wilde. 'Ranj. Waarom... waarom zou een patiënt je een ongelofelijk maar verward verhaal vertellen, dat haar in elk geval van streek maakte, en dan vrijwel meteen erna verklaren dat ze me voor de gek had gehouden?'

'Alex?'

'Niet direct. Er zijn ook anderen die zoiets bij me geflikt hebben. Ik wilde gewoon weten wat je ervan vind, als een ouwe rot in het vak.' Ze hield er niet van te liegen tegen Ranj, maar het was nu eenmaal nodig.

Hij nipte van zijn koffie en leunde achterover, voeten op de stoel naast zich.

'Oké. Nou, er zijn verschillende niveaus van verhalen verzinnen. Een fantast die zichzelf van alles wijsmaakt hebben we nu niet in de Unit. Lydia komt er waarschijnlijk het dichtst bij in de buurt als ze in het donkerste deel van haar zwart-witwereldje verkeert. De anderen? Nou, Carrie, Danny en Alex verzinnen natuurlijk wel eens wat. Maar dat is gewoonlijk stoerdoenerij, een aanwijzing dat ze niet genoeg aandacht krijgen. En voor het geval je het nog niet wist, ze willen ons ook nog wel eens op stang jagen. Dan zeg ik gewoon "hou je grootje voor de gek" en dan houden ze er meestal wel mee op.'

Dat bracht haar nog niet waar ze wezen wilde en ze pijnigde haar hersens hoe ze meer uit hem kon krijgen. 'Maar als ze nu eens... bijvoorbeeld erg down zijn, of erg overstuur, en ze echt overtuigend zijn in wat ze vertellen?'

'Ja, nou, in wat voor omstandigheden ook, ik denk dat het erom gaat dat je luistert, écht luistert naar hun verhaal. Je hebt altijd kans dat het een aanwijzing is van wat er in hun hoofd omgaat. Misschien vertellen ze over hun trauma in een andere vorm, misschien is het een allegorie van hoe ze hun leven zien. Het kan heel symbolisch zijn op een bepaalde manier. Tenzij het een kletsverhaal is om op te vallen. En dán moet je je afvragen waarom *ze juist op dat moment* aandacht van je willen hebben.' Hij zweeg even, lachend. 'Heb je daar wat aan?'

Ze glimlachte terug en knikte.

Hij dronk zijn mok leeg en ging rechtop zitten. 'Zo, dat was genoeg over fantasietjes. Ben je nog verder gekomen met Alex vandaag? Heeft ze nog meer verteld over ons bonte avondje van gisteren?'

'Nada. Ik heb het geprobeerd, maar ze heeft weer haar gebruikelijke muur opgetrokken. Ik denk niet dat we er helemaal achter zullen komen.' Haar laatste leugen over haar gesprek kwam er makkelijk uit.

Waar het om ging was dat ze helemaal niet wilde weten waar gisteravond mee te maken had. Op dat moment zou ze Alex het liefst nooit meer willen zien. Ze kreeg de kriebels van die meid. Het liefst zou ze de hele groep niet meer zien. En wat gisteravond betreft, dat was geschiedenis en kreeg een plaats in het archief. Alex had immers nauwelijks een samenhangend verhaal opgehangen. Een verhaal kon je het niet eens noemen. Eerder een serie hysterische opmerkingen. Hield maar vol dat dat 'geintje' van de loterij te maken had met iets dat zij gedaan had, iets dat ze allemaal gedaan hadden, 'iets dat zo slecht was, dat niemand het ons kan vergeven. Nooit. En ik bedoel nóóit.' Toen ze vroeg wat het mes en het touw dan te betekenen konden hebben, werd het allemaal nog zorgwekkender. 'Wat is het ergste dat je met een jachtmes en een eind touw kunt doen?

Op jacht gaan? Ha! Zo kan je het wel noemen. En wáár zouden we het laatst messen en touwen hebben gehad, denk je? Hier niet, dat is een ding wat zeker is. Denk eens na. Het is niet moeilijk...'

De mogelijke antwoorden leken... gaven gisteravond een onheilspellend gevoel, maar nu was ze daar niet meer zo zeker van. Het was zonder meer waar dat Alex over haar toeren was geweest, erg zelfs, en die loterijbedoening was beslist geen luchtig grapje geweest. Maar wat kon je er meer van zeggen? Van deze jongeren, en vooral van Alex, kon je nooit hoogte krijgen wanneer ze hun best ervoor deden. Ze logen, bedrogen, verzonnen ingewikkelde strategieën om buiten schot te blijven. Dus van nu af aan zou ze niet meer doen dan ze moest doen met die toestand met Alex tot ze ontslagen werd. Patiënten konden hier nu eenmaal niet eeuwig blijven, gemiddeld woonden ze hier acht à negen maanden. Nee, Alex zou op zeker moment ook vertrekken. Het kon niet snel genoeg zijn. Wat een klotenzooi was het hier momenteel. Ze was gek geweest zich ermee te bemoeien. Ze moest zichzelf eens na laten kijken, als je wist wat ze op het spel had gezet. Roekeloos. Roekeloos en hartstikke stom.

32

Sarah had de lampen uitgedaan en kaarsen aangestoken. Dan kon ze naar buiten kijken. De wind joeg nog steeds steenslag tegen de ramen en het oppervlak van het meer was één enorme zwarte afgrond. Ze liep naar het derde ladekastje in de logeerkamer die dienst deed als haar kantoor, met de sleutels in haar hand.

Met trillende vingers haalde ze het uit het onderste laatje. Terug bij het raam deed ze haar leesbril op en tuurde ernaar, het kaarslicht flakkerend over het nog steeds glanzende oppervlak. Zwaar ademhalend nam ze nog maar een glas whisky. De foto was nog in opvallend goede staat. Waarschijnlijk omdat hij steeds in een nieuwe envelop gestopt was door de jaren heen. Ze sleepte hem al een kwarteeuw met zich mee, maar ze kon zich niet meer herinneren wanneer ze hem voor het laatst bekeken had. Hij had de sfeer verworven van een foto van dierbaren die gestorven waren. Een herinnering. Je weet dat je hem hebt, maar het is eigenlijk te pijnlijk om ernaar te kijken, want dan wordt alles wat je kwijt bent weer opgerakeld. En toch gooi je hem niet weg. Een talisman. Iets wat je houdt omdat je van hen gehouden hebt.

Maar de gelijkenis klopte allang niet meer. Ja, ze had hem gehouden, en ja, ze had er moeite mee hem te bekijken. Waarom had ze hem gehouden? Simpel na te gaan, ze was niet voor niks therapeute. Ze had hem gehouden omdát ze er niet naar kon kijken. Als herinnering aan haar schaamte. Haar stommiteiten. Haar eigendunk. En de aanwezigheid drukte haar met de neus op de feiten: ze was er nog steeds niet mee klaar. In haar eigen therapie en analyse had ze zinspelingen gemaakt op 'problemen van een bepaalde patiënt in haar eerste jaren als hulpverlener'. Haar angstwekkend scherpzinnige psychotherapietrainer en persoonlijk therapeut had het haar bijna weten te ontfutselen, maar ze had het binnengehouden. Als haar therapeut enig idee had gehad wat die eufemistische frase werkelijk betekend had, zou ze niet zijn waar ze momenteel was. Als die keurige en rechtschapen therapeut ter ore was gekomen wat zich had afgespeeld tussen haar en Alex, zou dat het einde betekend hebben. Ze zou Sarah haar bevoegdheid hebben afgenomen, misschien zelfs aangeklaagd hebben. Nee, het was haar gelukt om het als een ingewikkeld professioneel probleem vorm te geven, en niet als het overtreden van het meest heilige gebod wat er in haar beroep bestond: ga nooit een relatie aan met een patiënt. Zeker niet met een zwaar gestoord vijftienjarig meisje.

Jezus, ze moest er niet aan denken wat er dan van haar geworden was. Ze liet de kaarsvlam licht en schaduw over de gezichten werpen. Op die bijzonder ongemakkelijk kijkende jonge Simon Calder na, waar waren ze allemaal gebleven? Wat was er van hun leven terechtgekomen? Ze schudde haar hoofd naar de foto, haar vingertoppen gleden over de gezichten, waarvan de meeste... hoe? somber, ongemakkelijk, bang... keken. Die kutvakantie met die kutdropping – één grote mislukking, al hadden ze de jongens en meiden uiteindelijk weer gevonden. In orde allemaal, al stonken ze een uur in de wind naar drank en ontkenden ze in alle toonaarden dat ze gedronken hadden. En dan had je Alex' verhaal nog... dat vreemde, beetje griezelige verhaal eigenlijk, als je het zo mocht noemen. Eerder een onredelijke uitbarsting met een paar verwarrende opmerkingen ertussen, leugens natuurlijk, aandachtzoekende leugens en overdreven details. Ze duwde dat weer ver in haar geheugen weg, en besefte weer eens hoe goed ze er uiteindelijk afgekomen was. Want niet alleen had zij (en Anna en Ranj, volgens Anna's woedende verklaring) gearresteerd kunnen worden als er iets met de patiënten was gebeurd, maar als dat verhaal van Alex uit was gekomen had ze ook nog eens een gevangenisstraf geriskeerd.

Ze blies de kaarsen uit en dwaalde door de kamers van haar appartement, rusteloos lopend, met haar whiskyglas in de ene hand, foto in de andere, en liep tot slot weer naar haar woonkamer. Het sneeuwde niet meer en ze zag de golfjes op het water van het meer. Loch Fyne. Dat was het enige positieve van dat hele kampeerdebacle van al die jaren geleden. Ze had kennisgemaakt met de schoonheid van Argyll en dit schitterende meer in het bijzonder. En nu woonde ze hier, in luxe levend aan de rand van precies dat loch. Maar dat had allemaal heel anders kunnen lopen...

'Oké, wacht maar 'ns af! Ik zal het je godverdomme laten voelen! En dan zul je spijt krijgen van wat je gedaan hebt! Vette spijt! In de gevangenis misschien wel! Ik zal het je laten voelen!'

Ze had geweten dat er zo'n soort uitbarsting zou komen en had haar antwoord al klaar. Ze zag hoe Alex over een boomwortel struikelde en riep: 'Stop nou, Alex! Stop! Doe nou geen gekke dingen! Trouwens, niemand zal je geloven! Niemand! Denk nou na... Ik zeg...'

Ze boog zich naar de beek, pakte de emmer met schone vaat en liep naar de kampeerhutten. Jezus. Dit was wel het laatste waar ze zin in had. Ze dacht niet echt dat Alex meteen iets onbezonnens zou doen. Ze dacht dat Alex zich schaamde, te verlegen was om de aandacht op zich te richten vanwege iets seksueels, zeker vanwege iets seksueels uit de verkeerde hoek. En dat zou ze toch moeten doen wanneer ze een scène wilde schoppen met allerlei wilde beschuldigingen. En, hoewel ze het zichzelf erg kwalijk nam, ze wist dat ze Alex' aantijgingen zou kunnen ontkrachten met de 'verliefdheids'-verdediging. Patiënten gingen vaak door de fase in hun behandeling waarin ze heimelijk verliefd werden op stafleden. En iedereen wist dat Alex een herrieschoppertje was. Nee, als de nood aan de man kwam, wist ze al wat ze terug zou moeten zeggen. Toen ze bij de open plek kwam waar de hutten stonden, maakte ze zich dan ook absoluut niet zenuwachtig. Alles leek normaal. Geen hysterische Alex die gilde dat ze verkracht was. Ze kende Alex toch. Die lag lekker op haar bed te mokken, de ene sigaret met de andere aan te steken en smerige plannetjes te bedenken terwijl ze iedereen negeerde. Die kon je beter even goed in de gaten houden.

Ze merkte niet eens dat ze hen uit het oog verloor. Het was rond vijf uur al donker en ze hadden echt al bij het bivak moeten zijn. Ze kwamen veel te laat. Ze keek op haar eigen kompas en kaart en zag het geflakker van twee zaklantaarns voor zich. Simon en Carrie.

'Niet zo ver vooruit lopen, jullie!' Maar ze betwijfelde of ze te horen was. De wind was behoorlijk toegenomen het afgelopen uur, en het gefluit tussen de boomstammen slokte alle andere geluiden op, op de harde kakellach van Carrie na.

Maar de maan was bijna vol. Dus kon ze hun twee silhouetten goed onderscheiden. Weer keek ze even op de kaart. Zocht het kruisje waar ze zouden kamperen. 'Godver!' Ze was over een boomstammetje gestruikeld. Kaart, kompas en zaklantaarn vlogen door de lucht. De zwart rubberen zaklantaarn was gelukkig niet kapot te krijgen, en ze zag zijn schijnsel door de vochtige varens en bladeren op de bosgrond. 'Kut!' Ze hurkte neer, greep ook haar kompas en kaart en ging snel verder. God, wat had ze hier toch een hekel aan. Al mocht ze in haar handjes knijpen dat ze Carrie en Simon in haar team had. Die arme Ranj zat opgescheept met die onmogelijk chagrijnige Alex en een humeurige Danny. Het enige lichtpuntje was nog dat hij Abby in zijn groepje had. Instinctief checkte ze of vóór haar alles oké was. Geen zaklampen. Wolken voor de maan. Behalve de felle lichtbundel uit haar eigen lantaarn, was het overal pikkedonker. Leuk hoor!

'Carrie? Simon? Hé, waar zitten jullie? Wacht even! Carrie! Simon, terugkomen! Kom op nou, jongens!' Tering, ze zouden haar nooit boven die wind uit kunnen horen.

En toen gebeurde het. Haar eigen honderd procent betrouwbare zaklantaarn begaf het. Had niet eens waarschuwend geflakkerd. Ze schudde hem en drukte hem tegen haar oor. Shit! Het lampje moest beschadigd zijn geraakt toen hij op de bodem geklapt was. Het fijne glas van het bolletje rammelde zachtjes in het binnenste. Kut, kut, kut! Geen reservelampje en geen reservezaklantaarn. Ze had een kaars en het gasbrandertje bij zich, maar daar had je in deze omstandigheden ook geen moer aan. Ze stopte en leunde tegen de dichtstbijzijnde boom. Dit was een probleem. Ze kon niet veilig verder lopen, maar ze moest de jongens vinden. Waarom had ze toch zo op zitten snijden over die teringzaklamp? Ranj had nog zó gezegd dat ze een noodlamp mee moest nemen. Had haar zelfs een plastic dingetje met een sleutelring en extra batterijen willen lenen. Maar nee hoor, dat was heus niet nodig. Wat een stomme trut was ze geweest! De maan kwam steeds tevoorschijn en dook weer weg onder de wolken. Ze kon vooruit als de wolken weg waren, maar veel verder kwam ze niet als de maan weer verdween.

En de kinderen? Die gingen er verderop als een haas vandoor. Vlak voor ze gevallen was had ze al het idee dat ze het op een lopen hadden gezet. En nu had ze helemaal geen kans om ze in te halen. Nou ja, ze konden toch nergens heen, op het afgesproken punt na. Ze waren niet achterlijk, beslist niet. Nee, ze zouden gewoon stoppen waar Ranj, Alex, Abby en Danny op hen stonden te wachten. En zij? Ze moest het maar uit zien te houden tot er een tijd geen wolken aan de hemel dreven en ze veilig verder kon lopen.

Ze ging op een vochtig stukje grond zitten, en leunde met de zware rugzak opgelucht tegen een boomstam. Pas toen besefte ze in wat voor toestand ze zich bevond. Ver van de bewoonde wereld, in haar eentje, geen licht, en de zon ging pas over een uur of veertien op. Ze had de beste wind- en waterproof kleding aan, maar ze rilde toch. Ze bleef onophoudelijk door de takken kijken, maar de maan was nu helemaal verdwenen. Ze had echter haar fluitje bij zich. Ze grabbelde in het zijvakje van de rugzak en haalde hem tevoorschijn. Dat was een veiligheidsmaatregel waarop Ranj gestaan had – allemaal een fluitje. Het scherpe geluid zou ver dragen, al was die rotwind een spelbreker. Maar goed, Ranj had gezegd dat de fluitjes alleen voor 'echte noodgevallen' waren, en dat kon je dit niet noemen. Behalve dan dat Carrie en Simon alleen waren.

Ze trok haar capuchon stevig aan en liet haar hoofd tegen de stam leunen, met gesloten ogen. Wat moest ze anders? Het ge-oehoe van een uil drong door het gegier van de wind, net als een geritsel achter zich. Ze krabbelde overeind en draaide snel rond, het gewicht van de rugzak deed haar wankelen. 'Carrie? Simon? Ik ben het, Sarah. Zijn jullie dat? Hé!'

Haar woorden zweefden weg op de wind, in het luchtledige. Ze kon voelen dat haar hart sneller ging kloppen. Ze moest hier weg, maan of geen maan. Ze kon haar kompas nog onderscheiden en wist in welke richting ze moest gaan. Met gebogen hoofd nam ze behoedzaam stap voor stap, fluitje in de hand, kompas en kaart in een plastic mapje aan een koord om haar hals. En toen zag ze het. Een paar honderd meter verderop was een flauwe lichtstraal onder aan een helling zichtbaar. Daar waren ze! Godzijdank! Ze tuurde in de verte. Het was maar één lichtstraal. Carrie of Simon? Hoe dan ook, de ander moest zich daar in de buurt bevinden. Ze richtte haar stappen op het licht, opgelucht na de spannende minuten die achter haar lagen. Terwijl ze voorzichtig de helling afdaalde, kon ze nog steeds maar één zaklamp zien, de straal zwaaide heen en weer alsof er iets gezocht werd. Of iemand. En toen hoorde ze het. Het schrille geluid van een fluitje, dwars door het gegier van de wind heen. O, nee, de kinderen! Haar hand omklemde haar eigen fluitje en meteen antwoordde ze met drie lange tonen.

'Hier! Ik ben hier!' Weer fluiten. Drie tonen keerden terug op de wind. En toen begon de zaklamp op en neer te bewegen; degene die hem vasthield was op weg naar haar.

'Carrie? Ben jij dat? Simon?'

De gestalte was bijna bij haar, glibberend over een bemost stuk grond.

'Sarah! Godzijdank!'

'Ranj, wat doe...'

Maar hij schudde haar aan haar schouders door elkaar. 'Luister. Ik ben ze kwijt. Abby, Alex en Danny. Waar is Carrie? En Simon?'

Haar aanvankelijke opluchting werd weer door stijgende paniek verdrongen. 'O, god, nee! Ik ben ze ook kwijt. Ik viel... mijn zaklantaarn ging stuk... ik heb ze nog geroepen. O, jezus, Ranj, wat zou er met hen gebeurd zijn? We moeten de...'

Hij viel haar in de rede. 'Oké, wacht even... Goed, kom nu

eerst maar mee naar de weg daarboven. Daar staat de Land Rover. Ver kunnen ze niet zijn. Kom op nou, opschieten!'

Een sneeuwvlaag werd tegen haar raam gesmeten en de herinnering vervloog. De foto die ze in haar hoofd tot leven had gewekt lag voor haar, en haar ogen pinden zich vast op de rijen gezichten – geesten. Ze herinnerde zich dat er talloze nabeschouwingen van die avond waren geweest. En iedereen was het erover eens dat de patiënten met opzet in het bos verdwenen waren. Het was een vooropgezet plan. Waarom? Het bleek onmogelijk die vraag te beantwoorden. Het was duidelijk dat ze gedronken hadden, en zo werd aangenomen, er waren joints gerookt op zeker moment, gezien hun glazige, afwezige blik. En voorzover de staf wist had Carrie beide middelen meegebracht, maar bewezen werd er niks. Niemand zei een woord. Niet over waar ze waren geweest en wat ze gedaan hadden voor ze bij elkaar gekropen en rillend aan de kant van de weg bovenaan gevonden werden. Alex stak weer een of ander idioot verhaal af en dat had Sarah maar voor zich gehouden, maar uiteindelijk leek het iedereen het beste om het er maar bij te laten, op een paar preken over de gevaren van drank en drugs na, die natuurlijk compleet verloren tijd waren. Er werd aangenomen dat er die nacht weer een aandacht zoekende actie had plaatsgevonden die een beetje uit de hand was gelopen, en dat ze waren verdwaald en bang geworden. Stadskinderen tot op het bot. Maar ergens in haar achterhoofd bleef toch iets knagen. Ze kon er natuurlijk niet met anderen van de staf over praten, maar ze had het gevoel dat dit een door Alex aangezwengelde wraakactie was geweest, een antwoord op hun ruzie van die ochtend. En hoe ver ze in die wraakactie was gegaan, zouden ze wel nooit te weten komen. Maar lekker zat het haar niet. Hoewel zij en Ranj waren uitgemaakt voor rotte vis door Anna, die het voorval in samenspraak met Laurie had omschreven als een 'extreme daad die gesteld moest worden' bleef ze nog maanden zitten met de makkelijke omschrijving van de hele situatie. Die nacht was Anna immers ook doodsbang geweest. Het zou met hen gedaan zijn als de patiënten iets zou overkomen. Anna had haar veto uitgesproken over het inschakelen van de politie 'tot ze zeker wisten' dat ze verdwenen waren. Sarah had dat altijd als een gevaarlijke, egoïstische en foute beslissing gezien.

En toch bleef het een nare bijsmaak houden, al was het niet lang daarna al geen onderwerp van gesprek meer in de Unit. Echter... De sfeer in die groep was nooit meer hetzelfde geworden, en ze was dolblij toen ze allemaal waren opgestapt. Iedereen, tot en met de veel ingetogener, rustiger Alex. Maar ze dacht niet dat Alex echt genezen was. Eerlijk gezegd betwijfelde ze of er wel iemand baat bij de Unit had gehad. Bewees die mislukking van die picknick niet dat ze gelijk had? Dat gevecht aan het einde. Zij en Alex hadden elkaar prima weten te ontlopen tot die dag toe. Het leek wel of ze allebei net zo graag wilden vergeten wat er in de Unit met hen was gebeurd. En dat kwam haar prima uit. Het was veel te link. Ze vergat nooit hoe zij en Anna daar op die deken gelegen hadden, bij de rotsblokken, bij de Auld Kirk, en Anna er maar over doorzeurde, over 'professionele' en 'ethische' grenzen. Geen relaties met patiënten! Ze lag stiekem te hopen dat de grond open zou splijten en haar zou opslokken. Achteraf gezien was die commotie in de grot net op tijd gekomen. Ze voelde zich steeds ongemakkelijker met Anna die maar doorging over dat onderwerp. Alsof Anna wist wat ze op haar geweten had. Onzin natuurlijk. Maar goed, de chaos halverwege de picknick bewees toch wel dat geen van de patiënten geestelijk stabieler en gezonder was dan vóór hun opname in de Unit.

Zelfs Simon Calder, die toch zoveel bereikt had, worstelde nog steeds met zichzelf. Debbie had iets over hem gezegd dat maar bleef knagen. Ze moest er meer van weten. Ze ging terug naar haar kantoor, met de foto in haar hand, en legde hem terug in de la die ze op slot deed. Ze gooide de sleuteltjes op haar bureau en plofte in haar draaistoel. Ze had het kunnen weten. De geest van de Unit stak eindelijk na jaren van ontkenning en verdringing de kop weer op, en ze had geen andere keus dan dat spookbeeld na te jagen.

33

'Je weet het toch nog wel? Elke dag op precies dezelfde tijd eten geven.'

'Ja, ja. Hoeveel keer ben ik kattenoppas voor je geweest, Deb? Honderden. Dus wegwezen. Ik zie je over een paar dagen wel weer. Ik heb je vluchtschema en ik haal je vrijdagavond op. Veel plezier op de conferentie. Barcelona joh, geniet er nou van! Het is gewoon een snoepreisje, waar of niet. O, en je neemt toch wel een fantastische rioja voor me mee, hè?'

Sarah stond te rillen bij de buitendeur, en zwaaide glimlachend terwijl ze de remlichtjes van de taxi zag knipperen tot ze om de hoek verdwenen waren. Ze deed de buiten- en de haldeur allebei op slot en liep terug naar Debbies woonkamer. De twee siamezen zaten statig op een van de twee tweezitters. Zij ging aan de eettafel zitten en nipte van de wijn die ze bij het avondeten open hadden gemaakt. Ze had besloten wat ze vanavond zou doen zodra ze had gehoord dat Debbie een paar dagen op reis zou gaan.

Het was schandalig, helemaal fout, en doorbrak elke ethische grens van haar vak. Nadat ze de tafel had afgeruimd, ging ze naar de achterkant van het huis, met een groot glas cognac in de hand – ze moest zich moed indrinken voor wat ze van plan was. Debbies kantoor was zo breed als de wilde achtertuin waarop het uitzag. Vanavond lag die wildernis in duister gehuld. Geen buitenlichten aan. Hoewel de tuin en ook de achterkamers van het huis geen inkijk hadden, trok ze toch de luxaflex naar beneden. Het sloeg nergens op, behalve op een schuldgevoel. De sleutels van de afgesloten patiëntendossiers lagen op een geheime plek, die ze kende.

De indeling was logisch. Alle patiënten hadden alleen een identificatienummer. En de sleutel van de lijst die de namen met de nummers verbond lag in een ander laatje. Ze zocht haar op. Patiënt nummer 1571. Katie Calder. Ze las snel de sessieaantekeningen door, zocht naar de naam Simon Calder en kwam terecht bij de allerlaatste opmerkingen.

Het is heel normaal dat er huwelijksproblemen ontstaan na de druk waaraan Rachel en Simon Calder hebben blootgestaan bij de ontvoering en aanranding van hun dochter. Uit eerdere gesprekken met Rachel is me duidelijk geworden dat Simon Calder beslist niet van plan is deel te nemen aan de familietherapie. Mijn uitnodiging om eens met me te komen praten werd meteen aangenomen, tot mijn stomme verbazing. Hij was in een gespannen stemming, al deed hij goed zijn best om een relaxte indruk te maken.

Echter, toen puntje bij paaltje kwam, was hij onvermurwbaar: hij zou niet meedoen met Katies sessies. Met opzet gaf ik te kennen dat ik met zijn vrouw over hem gesproken had. Dat verbaasde hem niet. Ik liet echter ook doorschemeren dat Sheena Logan en ik gepraat hadden en het over zijn verleden hadden gehad. Sheena weet eigenlijk maar bar weinig over zijn psychiatrische verleden, niet meer dan ze moest weten toen hij de baan bij haar aannam. Het is allemaal erg lang geleden en verslagen zullen wel niet meer bestaan. Maar het griezelige toeval dat Sarah staflid was in de PUA toen Simon Calder daar opgenomen was, komt goed van pas.

Hoewel Sarah uiteraard zelf nog maar weinig details te binnen schoten, maakte ze korte metten met Sheena's en mijn vermoedens dat hij als kind seksueel misbruikt was. Nee, hij had een complexe mengeling van psychiatrische stoornissen die in verband stonden met zijn kille en dominante moeder, en die voortkwamen uit het feit dat hij een van een tweeling was geweest, en zijn broertje bij de geboorte gestorven was. Zijn moeder heeft hem daarvan altijd de schuld gegeven. Ik kan me indenken dat dat tot een vrij ernstige stoornis in zijn adolescentie geleid heeft.

Maar de beste indruk van Simon Calder heb ik dankzij Rachel gekregen. Het schijnt dat hij er niet van op de hoogte is dat zijn vrouw weet dat hij een dagboek bijhoudt. Hij schrijft erin wanneer zij al naar bed is en bewaart het achter slot en grendel. Onlangs heeft ze er stiekem een blik in kunnen werpen – geen sinecure, aangezien hij volgens haar 'obsessioneel geheimzinnig' doet over alles wat hij in zijn studeerkamer uitvoert. Ze heeft altijd aangenomen dat dat komt omdat daar vertrouwelijke dossiers van patiënten rondslingeren, en dus is die kamer verboden terrein. Maar, zegt ze me heel eerlijk, haar vertrouwen in haar man is nu wel compleet verdwenen. Ze heeft gebruikgemaakt van zijn afwezigheid van de laatste tijd en heeft hier en daar een paar alinea's kunnen lezen. Die hebben haar zo verontrust dat ze er met mij over moest praten. Ze vertelde het volgende: 'Hij heeft het over herinneringen aan iets dat hij "die tijd" noemt. Ik weet niet wat hij bedoelt. Hij zegt dat die tijd altijd "diep in zijn geheugen verborgen heeft gezeten maar altijd aan hem geknaagd heeft". Hij schijnt nachtmerries te hebben die steeds terugkomen, nachtmerries van jaren geleden. Over iets dat hij als kind beleefd heeft, denk ik. En dan schrijft hij ook nog dat hij veel te veel drinkt! Ik dacht dat hij nooit dronk! Simon heeft nooit veel met drank op gehad sinds ik hem ken. Hij wil de controle over zichzelf niet verliezen. En hij schreef nog iets vreemds: "Allemaal bedrog, leugens, schuld." Hij heeft het erover dat niemand kan weten dat wat er met Katie is gebeurd, hem meer dan wie ook heeft aangegrepen, zelfs ik niet. Ik denk dat dat te maken heeft met die... met wat er met hem is gebeurd toen hij klein was. Nou ja, en dan komt hij op zoiets raars. "Er zijn een paar anderen," en dat houdt in dat er anderen zijn die het weten. Wat weten? En er was nog een vreemd stukje. Iets over een spel dat helemaal verkeerd was afgelopen en dat hen allemaal – wie dat ook mogen zijn – bij zou blijven omdat wat "zij" deden "absoluut onvergeeflijk was, en nooit meer goed te maken."'

De schok toen ze de hele driedubbele cognac achteroversloeg deed haar meteen kokhalzen. Ze stond op, probeerde haar ademhaling onder controle te houden om de misselijkheid terug te dringen, en toen het gevoel was weggezakt, liet ze zichzelf weer in de stoel vallen. Ze las en herlas het stuk drie keer. Ze kende de betekenis van ieder woord. Een vergissing was uitgesloten. Met trillende hand sloot ze de map. Haastig legde ze map en sleutels op hun plaats en deed het bureaulampje uit. Plotseling hoorde ze gekrabbel aan de deur, liep de gang in en stampte de trap af naar de keuken, met de katten hongerig en hardnekkig mauwend om haar heen drentelend. Ze negeerde hen en zocht naar de fles om haar glas bij te vullen. Stom, dat begreep ze ook wel, maar iets anders kon ze momenteel niet. Toen ze de drank klotsend inschonk deed de geur haar maag omdraaien, er was geen houden meer aan deze keer. Ze boog zich over de gootsteen en kotste het uit. Het was te veel voor haar geweest. Maar vanaf dat moment wist ze wel precies wat haar te doen stond. Voor de zekerheid.

Ze liep in het winterse zonnetje van Lochgilphead, en pompte haar longen vol vrieslucht. Het kantoortje van de plaatselijke krant waar ze net was geweest was klein, stoffig en stampvol. Maar het claustrofobische gevoel had daar niets mee te maken. Ze vouwde voorzichtig de gefotokopieerde artikelen op en liep naar haar auto. Ze keek op haar horloge. Tegen de schemering zou ze er kunnen zijn.

Sinds die vakantie was ze nooit meer op die plek geweest. Ze reed naar de plek waar de hutten stonden. Ze stonden er nog en, heel opmerkelijk, ze zagen er nog precies zo uit. Niemand te bekennen. Tien voor halfvijf. De zon hield het bijna voor gezien. Ze parkeerde op de weg boven de vallei, haalde haar rugzak uit de achterbak en ging op pad. Binnen een halfuur dacht ze de plek te herkennen. Een kompas en een in plastic verpakte kaart van dit gebied waren makkelijk te vinden geweest in het dorp. Ze huiverde toen ze zich herinnerde wat er vorige keer op deze plek was gebeurd. Ze zou haar zaklantaarn snel nodig hebben. Het was roekeloos hier tegen de avond een stuk in haar eentje te gaan lopen, zonder dat iemand wist waar ze was. Maar het moest in alles op de vorige keer lijken. Voor een betere gelijkenis. Want ze wilde vooral dat het net zo voelde als vroeger. En hoe het voor de anderen gevoeld moest hebben. Voor twee mensen in het bijzonder.

Ze wist nog steeds niet zeker of ze wel op hetzelfde pad liep. De kans was groot dat ze fout liep. Een bospad was een bospad. Een echte wandelaar was ze nooit geweest. Maar ze wist wel waarnaar ze op weg was. Ze had in haar hoofd een kruisje gezet waar ze zich van haar afgescheiden hadden. Carrie en Simon. En waar zouden ze hebben afgesproken met de anderen? Waar hadden Alex, Abby en Danny Ranj het nakijken gegeven? Ze moesten langs de stenen bij het meer naar beneden geklauterd zijn en via dezelfde weg weer terug. Dat was de enige mogelijkheid. Dat zou zij ook hebben gedaan. De zaklantaarn was nu echt nodig en ze klopte glimlachend op haar borstzakje waarin ze een Maglite reservelamp gestoken had. Het zou niet zo lopen als de laatste keer. De kortste weg naar het meer was glibberig en ze gleed meer dan ze liep. Maar ze haalde het. Ze haalde even diep adem en trok de fotokopieën te voorschijn. Ze moest zeker weten dat ze de juiste plek bereikte.

Ze kon niet voor honderd procent zeker weten dat dit het was, maar kort na het dorpje Minard had ze een pad naar links gezien. Dat eindigde bij een open plek aan die kant van het loch. Ze keek om zich heen. Ja, bij vollemaan zou dit allemaal goed zichtbaar moeten zijn, en zelfs als je een paar zaklantaarns bij je had, zou het paadje door het dichte dennenbos hen onzichtbaar gemaakt hebben vanaf de hoofdweg. Ze liep naar de waterkant en schopte een paar losse stenen het water in. Ze boog zich om het wateroppervlak aan te raken. IJskoud. Aan haar rechterkant stak een bemost stuk rots naar voren, als een duikplank. Er ging zelfs een stapeltje rotsblokken als een trapje naartoe. Ze rende ze op. Het was verdomd hoog. Ze scheen met haar lantaarn naar beneden. Een hele diepte. Er hing ook een klimtouw aan de overhangende tak van een boom naast haar. Om 's zomers slingerend in het meer te springen. Lachende kinderen. Spelende kinderen. Kinderen...

Ze huiverde en voorzichtig klom ze weer van de uitstekende rots. Ze had genoeg gezien. De wandeling was vermoeiend maar ze wilde naar de hooggelegen hoofdweg waar ze misschien een lift kon krijgen naar haar auto, die een paar mijl verder op haar wachtte. Het was opvallend stil bij het meer. Geen zuchtje wind. Geen maan. Het tegenovergestelde van de vorige keer. Wel hoorde ze de roep van de uil en geritsel in de struiken, net als eerst. Maar deze keer was ze niet bang vanwege de weg die ze moest afleggen. Alleen maar bang voor wat ze nu wist. En wat ze ermee moest, ermee kon doen.

Met een laatste blik over haar schouder naar het inktzwarte meer, klom ze het pad naar de hoofdweg op, terwijl haar ogen begonnen vol te stromen met brandende tranen. Brandend door haar eigen schaamte en schuldgevoelens.

Reünies II

In diezelfde weken

Overdrachtsmemo van zuster Anna Cockburn aan hoofdverpleegkundige Ranjit Singh
22 december 1977
Betreft: Patiënten, Danny Rintoul (geb. 5-3-62) en Isabella Velasco (geb. 17-6-61)

Waarschijnlijk vanwege de andere verstoringen die momenteel de Unit in hun greep houden, denk ik dat we nog een andere verschuiving in de interactie hebben gemist. Het is me nu pas opgevallen dat de hechte vriendschap tussen Danny en Abby aanmerkelijk bekoeld is.

Zoals we al zo vaak in onze stafvergaderingen hebben opgemerkt, waren we bang dat deze relatie op het punt stond seksueel te worden. Dit mag in geen geval worden toegestaan. Als het al is gebeurd, dan hebben we duidelijk beide patiënten niet goed genoeg in de gaten gehouden. Ik heb echter het vermoeden dat het er uiteindelijk niet van gekomen is.

Ik heb dit doorgenomen met Adrian en we zijn het erover eens dat elke vriendschapsband die Danny met een vrouw kan hebben zonder een actieve seksuele factor, aangemoedigd moet worden. Danny is duidelijk erg op Abby gesteld. Ze is natuurlijk ook erg aantrekkelijk, en over het algemeen vinden we deze vriendschap, als die bij vriendschap blijft, heilzaam voor beide patiënten.

Maar nu is er dus een onverklaarbare verwijdering tussen de twee ontstaan. Het lijkt wel of Danny Abby negeert. Heel vreemd. Ik heb echter het idee dat het niet is omdat hij niet langer om haar geeft of haar niet meer bewondert – hij kijkt nog steeds met die smachtende blik naar haar als hij denkt dat zij (of een ander) hem niet kan zien. Nee, hij staat onder grote spanning en wil Abby daar niet bij betrekken (ons ook niet, maar dat is een ander verhaal) en vandaar zijn uitbarstingen van opgekropte woede en frustratie.

Hou die twee morgen overdag en morgenavond goed in de gaten. Ben toe aan de kerstvakantie!

CC: Daglogboek
CC: Dossier D. Rintoul, I. Velasco

34

De terugreis was een en al ellende geweest. Altijd hetzelfde liedje, als je rond deze tijd van het jaar de Minch overstak. Al kon hij het op de vingers van één hand natellen hoe vaak hij naar het vasteland geweest was sinds hij zich op het eiland gevestigd had. Hij had zijn redenen om hier te wonen. Hij hield van de eenzaamheid, het idee afgesneden te zijn van de rest van de wereld. Dus vond hij het gedurende de wintermaanden helemaal prettig hier, als de ferry's en vliegtuigen problemen hadden om hier te komen. Nee, de wereld van het vasteland kon hem gestolen worden. Zelfs Stornoway vond hij soms al te druk en te lawaaiig.

Hij was net terug van een kort bezoek aan zijn buren, om hen te bedanken voor de verzorging van zijn honden en schapen toen hij weg was. Een ziekelijke ooi was dood in de sneeuw gevonden, maar dat was te verwachten, en hij wuifde de verontschuldigingen van de buren weg. De buurman had erop gestaan om Danny's meegebrachte single malt open te maken, en ze waren al halverwege de fles voor Danny op kon staan en heel langzaam en voorzichtig de twee mijl naar zijn eigen pachthuisje kon rijden, door al die sneeuw.

Thuis had hij een turfvuurtje aangelegd, en nipte verder van zijn eigen whisky. De reis, al die dagen weg van hier, hadden hem goed ontregeld. Had hij zich nou werkelijk zo voor de gek gehouden dat ze elkaar nooit meer zouden ontmoeten, als ze zich altijd aan de afspraak hadden gehouden om een keer per jaar iets te laten horen? Al was het dan zo kort en oppervlakkig mogelijk, wat hem betrof. Maar was hij niet begonnen door contact met Simon op te nemen? Daar had hij lang en diep over nagedacht. De krantenberichten waren als een klap in zijn gezicht aangekomen. Hij was nu nog verbaasd dat Simon niet iedereen erover verteld had. En Simon had er zo'n tijd over gedaan om hem te bedanken voor zijn meelevende brief over dat dochtertje van hem. Daarom voelde hij zich gedwongen Alex een brief te schrijven. Ze deed of ze er niet warm of koud van werd, maar ze stond achter zijn beslissing om Simon eens te bellen.

Dat zat hem niet lekker. Simon moest er niet achter komen dat hij Alex achter zijn rug om geschreven had. Maar zij had uiteindelijk goed gereageerd. Ze wist niets van die kidnapping van Katie Calder. Simon had het bij het rechte eind gehad. Ze had waarschijnlijk ergens in de zon liggen bakken toen het gebeurde. Maar nu hij haar ontmoet had, gezien had, wist hij vrijwel zeker dat ze er net zo ondersteboven van was als hij. Ze kon het alleen een beetje beter verbergen.

Hij schonk zichzelf nog een borrel in en staarde naar de foto en de adreslijst op zijn schoot. Die toevallige daad van kinderroof had Simon, had hem, had iedereen op een trein gezet waar hij maar wat graag uit wilde stappen. Zich terugtrekken, net als vijftien jaar geleden, toen hij als midden-twintiger besloten had zichzelf in dit gat te begraven. Hij had tien jaar van hard werken en veel gesjoemel met effecten achter de rug en hij dacht dat het leven bij hem paste. Maar dat was niet waar. Pas toen hij hier kwam, dacht hij het paradijs op aarde gevonden te hebben. Maar zo gemakkelijk ging dat niet. Dat zijn lot afhing, altijd afgehangen had van een stelletje anderen was hier makkelijk te verbergen geweest, op deze plek aan het einde van de wereld. Op die acht-novemberbrieven na dan. Hij haatte die datum. Zo ontzettend, dat hij 's avonds meestal naar een hotel in Stornoway ging en zich een enorm stuk in zijn kraag zoop. Een geheel begrijpelijk ritueel volgens hem. Hij besmette zijn huis, zijn land, de paar buren en anderen die hij af en toe zag tenminste niet met die datum.

Hij was in de wolken met zijn talent om zich ervan af te sluiten, het kwaad buiten de deur te houden. Daar was hij een kei in. Dat kwam hem goed van pas. Zo bleef hij in leven. Maar nu was hij erbij betrokken. Het was nog maar een kwestie van tijd voor die stumper van een Simon hem op zou bellen, advies zou vragen, om een luisterend oor verlegen zou zitten. En Alex? Die zenuwslopende, maar uiterst gelegen komende lift was erg verhelderend geweest. Hij vertrouwde haar voor geen cent, maar een soort verbond bestond er toch tussen hen. Ze was een situatie binnengesleurd die ze koste wat kost had geprobeerd te ontkennen. Hij betastte de kampeerfoto en drukte de gekrulde hoeken netjes recht. De vingertop van zijn wijsvinger bleef hangen op Isabella. Hoe zou ze er nu uitzien? Hoe zou ze veranderd zijn? Haar persoonlijkheid, haar karakter. Mensen veranderden toch niet zoveel? Mensen zoals zij in elk geval niet.

35

Hij wist dat hij haar herkend zou hebben, al was ze negentig. Al stapten er verschillende vrouwen van haar leeftijd het vliegtuig uit, hij pikte haar er zo uit. Ze was altijd mooi geweest en zou altijd mooi blijven. Hij voelde dat hij haar zo doordringend aanstaarde alsof zijn ogen laserstralen uitzonden.

Hij had drie weken slapeloze nachten gehad sinds hij contact met haar had opgenomen, en nu was ze hier. Ze liep langzaam, behoedzaam, over het asfalt naar wat voor een aankomsthal door moest gaan, in het kleine, rechthoekige gebouwtje dat Stornoway Airport vormde. Behalve haar schoonheid was het tweede vanzelfsprekende dat van haar afstraalde haar rijkdom. Hoogstwaarschijnlijk kwamen hier wel vaker bemiddelde vrouwen op dit vliegveld aan: echtgenotes van plaatselijke politici, vrouwen van landeigenaren, af en toe de paar Bekende Eilanders. Maar dit was Londense weelde. Dat zelfvertrouwen, haar houding zei genoeg. De onberispelijk gesneden broek en zachte suède driekwart jas hadden klasse. Hij voelde zichzelf opeens ontzettend armoedig in zijn verbleekte spijkerbroek en oude leren motorjack. In de laatste twee minuten die zij waarschijnlijk nodig zou hebben om de wachtkamer te bereiken, overdacht hij de brief die hij haar gestuurd had. Woord voor woord, hij kende hem uit zijn hoofd. Hij had er tien uur over gedaan, en er een miljoen kladjes en een hele fles drank aan gespendeerd om hem in elkaar te flansen...

Lieve Isabella,
Ik kan me voorstellen dat ik wel de laatste ben van wie je een brief zou verwachten. De tijd in de Unit ligt al zo ver achter ons en het spijt me als dit je van streek maakt, of verdrietig. Ik heb je naam en adres van een lijst die ik heb. Een lijst waarop iedereen uit de Unit van 1977 staat. Simon Calder heeft hem gemaakt. Herinner je je Si-

mon nog? Ik moest je schrijven, want dit zal op ons allemaal zijn weerslag hebben...

Zijn hoofd ging met een ruk omhoog toen hij een beweging een paar meter rechts van zich opmerkte. Ze was eerder het terminalgebouw ingekomen dan hij had verwacht. Zonder aarzeling liep hij op haar af. *Een moment uit duizenden!* Want daar was ze dan, in levenden lijve. Anderhalve meter van hem af. Nog liever en mooier dan net door het pantserglas. Een paar kraaienpootjes rond de kastanjebruine ogen maakten haar alleen maar aantrekkelijker. Huid: glad, bruin. Haar: nog steeds diepzwart. Hij probeerde zijn plotselinge seksuele gevoelens onder controle te houden, maar dat was lastig. Ze was gewoon geweldig lief. Hij zag haar ogen de afhalers en bezoekers aftasten, en haar blik bleef bij hem hangen. Geen glimlach. Alleen een knikje toen ze zijn gezicht bekeek, om er zeker van te zijn.

Hij bleef stokstijf staan, en deed toen een wankele stap naar voren. 'Hallo, Abby. Geef mij die tas maar.' Hij wist dat zijn stem schor en rasperig klonk.

En hij kon zichzelf wel slaan! Dat ouderwetse, ridderlijke aanbod om haar bagage te dragen gaf hem een nog armoediger gevoel dan hij al had. Zo kwam hij natuurlijk helemaal als een Neanderthaler over! Haar onuitgesproken afslaan van het aanbod door een kleine handbeweging zette hem meteen met beide benen op de grond. Hij moest maar snel normaal gaan doen. Zich gedragen als een volwassen, moderne vent. Niet als de smoorverliefde vijftienjarige die hij eens geweest was. Maar de eerste woorden die ze na twintig jaar tegen hem zei deden hem duizelen en zijn hart op hol slaan.

Haar stem was laag, nog steeds een beetje bekakt en met een duidelijke uitspraak. Een sexy stem. Natuurlijk. 'Is er ergens iets waar we kunnen zitten of is dit alles? Het is nog kleiner dan ik verwachtte.'

De onderliggende minachting voor haar omgeving bracht

hem even van zijn stuk. *Ze haat het hier. Ze haat mij. Ze heeft er spijt van dat ze gekomen is.*

Schutterig probeerde hij de touwtjes in handen te nemen. 'Ja, ik dacht al dat je wel even wilde zitten na die reis. Er is een rustig zitje hier om de hoek. Daar. Zie je dat tafeltje daar? Wat wil je drinken? Eh... ze hebben ook alcohol, ik weet niet...'

'Koffie. Zwart.'

Hij bracht haar met haar tas naar het tafeltje en liep met ferme pas naar het buffet. Haar rug was naar hem toegekeerd en ze was voor een deel verborgen achter een pilaar. Maar net toen hij in de rij wilde gaan staan en zich naar haar omdraaide, zag hij haar het hoofd omdraaien en snel naar haar handen kijken. Ze had naar hem gekeken, om vast te stellen wat ze van hem moest denken.

Hij zag haar rug omhoog en omlaag gaan in één beweging. Het leek wel of ze een zucht van opluchting slaakte. Omdat de rij voor de koffiemachine zo lang was? Misschien was ze blij dat ze tenminste een paar minuten had om te kalmeren. Ondanks haar schijnbaar koele houding moest dit toch ook een bijzonder moment voor haar zijn. Ze was tenslotte niet voor niks van zo ver gekomen. Ja, ze moest op zijn minst een beetje bezorgd zijn geweest.

Hij keek wat langer naar haar. Hij zag haar spelen met het peper- en zoutvaatje, alsof ze haar handen niet stil kon houden. Ja hoor, haar handen trilden. Ze had een paar weken kunnen nadenken over deze ontmoeting – tenzij ze dat net als hij al zesentwintig jaar gedaan had – en misschien besefte ze nu dat ze er desondanks een zootje van maakte. Was dit haar gebruikelijke verdedigingsstrategie – een beetje afstandelijk en verwaand doen? Ja, zo had ze zich ook in de Unit wel eens gedragen, als ze terneergeslagen of gespannen was bijvoorbeeld. Of had ze echt spijt dat ze hier was komen opdagen? Wat dacht ze van hém? Hij zag er onmiskenbaar heel anders uit. Hij zag eruit als wat hij nu was: een ploeteraar op het land. Dat miezerige pubertje van vroeger was in rook opgegaan. Daarvoor in de plaats had ze nu een grote sterke landarbeider moeten begroeten. Hij dacht er nooit zo over na, over hoe hij eruitzag, of hij knap of stoer was en zo. Maar aandacht van vrouwen was nooit zo'n probleem geweest, die had hij genoeg. Zelfs op zo'n afgelegen eiland. Dus had hij het vermoeden dat hij er wel mee door kon. Was ze verrast, of verlegen geworden door zijn verschijning? In de stad zag je natuurlijk nooit kerels zoals hij, zeker niet in die chique wijken van Londen waar zij rondhing. Hij zag hoe ze haar rug rechtte en haar haar achter haar oren streek. En opeens voelde hij zich erg teleurgesteld. Het zou niet makkelijk zijn om achter haar gevoelens te komen, of wat ze dacht.

Hij zag haar nog een laatste keer diep ademhalen toen hij met de koffie aan kwam lopen, de kopjes rinkelend op de schoteltjes. Het was hier krapper dan hij had gedacht, al die nabije lichamen van anderen waren niet te vermijden. Hij pakte zijn shagdoosje uit zijn borstzak, zag het VERBODEN TE ROKEN-bordje naast zich op de muur en haalde zijn schouders op.

Ze probeerde haar eerste glimlachje uit. 'Gewoon dóén, joh, niemand die het ziet hier.'

Hij was blij met haar glimlach en haar aanmoediging om je niet aan de regels te storen. Een veelbelovend teken. Maar hij schoof het blikje aan de kant. 'Nee. Ik wil geen aandacht trekken. Deze tent, dit hele eiland is maar een klein wereldje. En ik wil vandaag liever niemand tegenkomen die ik ken. Ben niet in de stemming voor een kletspraatje.'

Een korte opening maar het was genoeg. Die laserblik – blauwe ogen in de bruine, bruin in blauw – was er maar een tiende van een seconde, maar het bracht hem meteen terug – en haar ook? – naar die gedeelde momenten uit een ver verleden. Tot zijn teleurstelling keek zij het eerst weg. Maar als troost begon zij het eerst weer te praten.

'Danny? Vertel eens wat meer over Simon. Wat is er met hem aan de hand?'

Haar directheid verraste hem. Hij had verwacht dat ze het

onderwerp eerst zouden inleiden, dat hij haar bijvoorbeeld zou bedanken dat ze van zover gekomen was en... en... tja wat nog meer? Abby draaide nooit ergens omheen. Hij zat onrustig in zijn kleine stoeltje te draaien maar kon er niet mee ophouden. Dat gedraai weerspiegelde zijn ongemakkelijke gevoel omdat hij halve waarheden... nee, leugens geschreven had om haar hierheen te lokken. Als Simon eens wist welk smoesje hij verzonnen had. En toch kon hij haar de waarheid niet vertellen.

Terwijl hij bedacht hoe hij zich hier uit zou werken, begon hij zijn hypnotiserende ritueel van een sjekkie bouwen, door vloeitje en tabak langzaam tussen zijn vingers en duimen heen en weer te rollen. Het maken van een peuk was haast even rustgevend als het opsteken ervan. Hij wist dat ze probeerde niet te staren toen hij zijn tong langs de rand van het vloeitje liet gaan, zo subtiel dat het haar wel moest fascineren. En in plaats van hem op te steken legde hij het perfecte buisje voor zich neer en liet hem ronddraaien op het tafeltje terwijl hij zacht verder praatte.

'Kijk hier maar eens naar.' Hij grabbelde in de binnenzak van zijn motorjack. 'Hier had ik het over in de brief.' Hij keek nauwlettend naar haar wisselende uitdrukkingen toen ze de twee krantenknipsels begon te lezen.

Ze boog zich naar voren om de gefotokopieerde artikeltjes te lezen. Hij moest zich bedwingen dat glanzende haar te strelen, met die perfecte middenscheiding, of die handen aan te raken, met die drie zilveren ringen, maar niet op haar ringvinger. Plotseling ging haar hoofd met een ruk omhoog. 'Goeie god! Simons dochtertje ontvoerd? En, jezus.... Aangerand. Maar dat is vreselijk. Afschúwelijk. En... o gelukkig, ze is terechtgekomen, levend. Goeie hemel. Dit is de nachtmerrie van elke ouder.'

Ironisch genoeg ging zijn stem omhoog toen hij dichter bij haar kwam, en zijn zorgvuldige combinatie van leugens en halve waarheden uitsprak. 'Weet ik. De allerergste. Maar luister, ik vertelde je dat we misschien gevaar zouden lopen vanwege dit verhaal. Simon is gek geworden. Ik heb je gezegd dat hij een lijst heeft opgesteld over ons, waar we wonen, of we getrouwd zijn, kinderen, werk. Alles! Hier, kijk maar. Ik heb Simons gegevens erbij gevoegd, zodat ik een complete lijst van ons allemaal had.' Hij liet haar snel de lijst zien en vouwde hem net zo snel weer op en deed hem in zijn zak. Toen ging hij verder, terwijl zij nog enigszins ontregeld was vanwege de knipsels.

'Luister, Abby, hij heeft het idee dat wij op de een of andere manier verantwoordelijk zijn voor wat er met zijn dochter is gebeurd. Niet letterlijk natuurlijk, maar in een of ander idioot, bovennatuurlijk plan; hij zegt dat zijn tijd in de Unit de oorzaak van dit alles is. En dat we allemaal schuld dragen omdat we toen zo gemeen tegen hem hebben gedaan. Ik geloof niet dat we rotter tegen hem deden dan tegen elkaar. We werden allemaal wel eens getreiterd, in de zeik genomen, dat hing gewoon van de stemming in de groep af. Hoe dan ook, ik had dat niet verwacht. Ik dacht dat hij genezen was. Maar nu denk ik dat hij echt gek is, behoorlijk gestoord...'

Maar ze viel hem in de rede. 'Dan moet je naar de politie gaan, Danny! Dat moeten ze weten!'

Hij schudde zijn hoofd, zijn handen in wanhoop geheven. 'Luister, Simon is verdomme een psycholoog op een of ander instituut! Denk je nou heus dat als hij een gevaar is en ze niet helemaal meer op een rijtje heeft, hij dat niet zou kunnen verbergen voor de buitenwereld? De politie ziet je aankomen. Jezus. Alex en ik hebben het wel geweten hoor, toen we een avond met elkaar gepraat hadden. Ze zegt dat deze zaak – met zijn dochter en dat kreng van een vrouw van hem die bij die heks van een moeder van hem is gaan wonen – hem helemaal kapot heeft gemaakt. Je kent het verhaal van die moeder toch nog wel? Een gevaarlijk mens, dat was ze en is ze nog steeds.'

Hij hield zijn adem in en durfde haar voor het eerst in zesentwintig jaar aan te raken. Drie vingertoppen tegen de rug van haar koele, zachte hand. 'Abby, ik vertel je dit alleen maar om je te beschermen. Voor het geval Simon echt gekke dingen gaat doen. Ik wou je waarschuwen.'

Ze liet zijn vingers gewoon liggen! Godzijdank. 'Dat weet ik, Danny. En daar ben ik je dankbaar voor. Maar ik snap gewoon niet dat hij dit ons allemaal verwijt. Misschien moet ik eens met hem gaan praten.'

Dit was niet wat hij had willen horen. Hij leunde naar achteren, vingers en lichaam verder van haar weg. Hij begon hem een beetje te knijpen. Haar voorstel was alleszins redelijk. Hij had niet goed nagedacht wat hij met zo'n idee zou moeten doen. Hij moest dat idee van haar op een zijspoor zetten. 'Nou, dat zou ik niet doen. Het zou het allemaal nog erger kunnen maken. Hij heeft met mij en Alex gesproken, en daar ben ik blij om. Wij kregen zo een goed beeld van de toestand waarin hij verkeert. Maar ik vind dat we het daarbij moeten laten. Hoe minder anderen, hoe beter. Ik bedoel, als hij contact met je zoekt, praat dan niet met hem. Je moet er niet in betrokken raken. Zeg het maar tegen mij, dan handel ik het wel af.'

Hij moest haar bij Simon vandaan houden. Zowel om zijn verzonnen, als om de echte reden. En natuurlijk ook nog om die andere reden waarom hij haar bij zich in de buurt wilde houden. Daar kon hij nu eenmaal niets aan doen.

Hij keek naar haar met een mengeling van plezier, opluchting en een tikkeltje schuldgevoel. Ze geloofde zijn verhaal. Natuurlijk. Waarom ook niet? Het zag ernaar uit dat ze dacht dat hij klaar was met zijn verhaal en ze zelf iets wilde zeggen. Maar hij drukte zijn handen tegen zijn slapen. Het was een theatraal gebaar maar wel gemeend, terwijl hij de zorgelijke trekken van zijn gezicht glad trok. 'Als je maar nooit vergeet, Abby, dat ik je alleen maar wil helpen. Dat is het enige wat telt voor mij.'

En ondanks alle leugentjes die hij haar verteld had, was dit grotendeels waar.

36

'Hoe lang kun je nog blijven?'

Hij wist dat het smekend klonk. Zijn ogen konden haar niet loslaten toen ze de bleke slanke stenen die naar de hemel wezen aanraakte en streelde.

'Ze zijn fantastisch, Dan. Ik had zelf nog nooit van de Callanish-stenen gehoord! Het is gewoon een mini-Stonehenge! Schitterend... Het hele eiland is zo prachtig. Ik snap heel goed waarom je hier zo gelukkig bent.'

Het was ongelofelijk. De snelheid waarmee ze in elkaars leven waren doorgedrongen had hem verrast. Had hen allebei verrast. In een paar weken tijd; was het maar twee maandjes geleden? In het begin was ze maar heen en weer gevlogen tussen hier en Londen, zo vaak haar werk het toestond. Maar de afgelopen weken was ze min of meer bij hem ingetrokken, bleef ze langer en langer weg van haar werk, weg van haar andere leven. Hij was geschrokken van de intensiteit tussen hen. Maar daar was hij nu overheen. Hun omstandigheden waren eigenlijk zo uniek. Die hevigheid vloeide daaruit voort. Niet uit de betrokkenheid waarin de verliefdheden van anderen verwikkeld waren. Ze waren niet of nauwelijks op hun hoede geweest na hun eerste seksuele ontmoeting. Ze hadden zich er vol overgave ingestort. Wat hem maar bleef verbazen was dat zij hetzelfde scheen te voelen. Zij bracht alle offers, zij had haar leven in Londen op een laag pitje gezet. En had zich aangepast aan zijn manier van leven, die ongetwijfeld veel minder comfortabel, veel primitiever was dan wat ze gewend was. Maar het scheen niet uit te maken. Ze wisten wat ze deden. Ze haalden de verloren tijd in. Zesentwintig jaar.

Hij dacht even terug aan die moeizame en koele begroeting op het vliegveld. Hij had haar zijn 'verhaal' verteld. Leugens die hij nooit had rechtgezet... hij borg dat deel van hun tijd samen snel weg achter in zijn geheugen. Ja, hij herinnerde zich dat eerste bezoek nog zo goed. Ze had een kamer geboekt in het beste hotel van Stornoway, want ze had weinig zin om comfort en stadse geneugten op te geven. Maar zijn aanbod om haar het eiland te laten zien had ze aanvaard. En deze plek had hij voor het laatst bewaard...

Ze had weifelend gekeken toen ze over een steil pad van steenslag naar boven klommen, de paar afgedwaalde schapen schoten voor hun voeten weg, terug naar de kudde. De kille wind wervelde om de kraag van haar fleecetrui heen, en had zijn gezicht blauw van de kou gemaakt. Plotseling, tot zijn vreugde, wees ze terug naar vanwaar ze gekomen waren en zei lachend wat woorden tegen hem. Woorden die door de wind werden meegevoerd zodat hij ze niet opgevangen had. Maar hij keek toe hoe ze speels naar hem toe rende om bij hem te blijven en bij wat hij haar wilde laten zien. En ze was stokstijf blijven staan.

De grond was hier vlak. Boven op een met gras begroeid plateau stonden de stenen. Inderdaad een mini-Stonehenge. Maar volgens het gegraveerde informatiebordje ouder dan Stonehenge, ouder dan de piramiden. Ze verwonderde zich over de kring – zo klein, zei ze – en de paar stenen aan de rand die een soort gang naar het midden van de verzameling vormden. Ze liep naar elke steen, naar elke lange vinger die naar de hemel wees. Het leek wel of ze het niet kon helpen, maar dat ze een patroon moest volgen, slalommend om de stenen heen, en ze allemaal aan moest raken, betasten...

En nu deed ze het opnieuw. Ze draaide zich om, stond recht voor hem, haar rug naar de centrale steen gekeerd. 'Deze plek voelt zo bijzonder aan. Spiritueel. Vredig. Zo vredig, Dan. Geweldig.'

Hij zag hoe ze zich losmaakte van de stenen en de omgeving in zich opnam. Aan haar rechterkant, onder aan de heuvel, lag Loch Roag, met wat de ruïnes moesten zijn van een oude boerderij. En in de verte kon ze zijn eigen boerderijtje zien.

'Wat een plek om te leven. Je hebt geluk gehad, Dan. Zo verdomd veel geluk!'

Hij bleef onbeweeglijk staan, zijn blik gevestigd op haar haar dat door de wind werd aangevallen en het wild kronkelend veranderde in de warrige haardos van Medusa. Pas na een minuut kon hij zich weer in beweging zetten. 'Hoe lang? Zeg het nou.'

Ze stak beide handen naar hem uit in een lome, bewust flirterige beweging en hij drukte haar onmiddellijk tegen een steen aan. Hij wist later niet meer hoeveel tijd het haar gekost had om hem uiteindelijk zachtjes opzij te duwen, en hem in de ogen te kijken. 'Ik neem nog wel wat dagen vrij. En ik zal elke minuut ervan met jou doorbrengen. Elke minuut.'

Hij glimlachte naar haar, zoals ze met het dekbed om zich heen geslagen in de woonkamer voor het houtvuur zat. Hij wist dat ze eronder helemaal naakt was, nog warm van hun vrijpartij. Toen hij de deur dichtdeed, dacht hij weer aan die eerste avond die ze hier samen hadden doorgebracht. Hij had haar aan het lachen gemaakt toen hij haar van de stenen mee naar huis had genomen, en onhandig in de hal bleef staan, tot ze het eindelijk uit hem had weten te krijgen. *De slaapkamer was veel te koud om in te vrijen!* De schoorsteen daar zat verstopt en hij kon er geen vuur aanleggen tot hij hem geveegd had. Ze had erom moeten lachen en verzekerde hem dat ze noch te oud, noch te verlegen was om het op een matras voor de haard in de woonkamer te doen.

Hij wist dat ze morgen weg *moest*. Geen excuses meer om er voor de zoveelste keer tussenuit te knijpen. En daarom waren ze weer op het matras in de woonkamer gaan liggen. Zoals ze altijd deden op de laatste avond van haar bezoekjes.

Hij trok zijn jack dicht tegen zijn hals en ging op pad om te kijken of alles in orde was in de schuren en met de honden. Alles leek rustig. Hij liep weer terug naar de zij-ingang van het boerderijtje en stond toen stil. De gordijnen van de woonkamer waren niet helemaal dichtgetrokken. Ze zat overeind en keek bedachtzaam naar iets aan de muur. Wat deed ze? Ze reikte naar iets boven op de schoorsteenmantel en trok een foto van de roze plakkertjes aan de muur. *Het was die foto*. De vakantiefoto van de Unit. Hij had daar al eeuwen gezeten, maar was ondergesneeuwd geraakt door rekeningen, bankverklaringen en wat dies meer zij.

Hij had hem haar laten zien toen hij haar die eerste dag bij haar hotel afzette. Hij had hem uit zijn zak getrokken en ze hadden erover gepraat terwijl ze in zijn pick-up zaten. Ze moet het wel een vreemd gebaar gevonden hebben. Ze was vergeten dat ze er allemaal een afdruk van hadden gehad. Hij had haar een heleboel vragen over die dag gesteld. Die keer. Hij scheen het ijs nu werkelijk gebroken te hebben en het was haar gelukt om hem iets over de Unit te zeggen. Ze hadden het er lang over gehad, over de ellendige tijd daar, en toen wist hij dat het allemaal goed zou komen tussen hen. Hij kon zich ontspannen. Echt kalm aan doen. Hij had zelfs een grap kunnen maken over Lydia en haar knie in het verband.

Danny gluurde door de gordijnen, een voyeur die zijn eigen huis bespioneerde, zijn eigen geliefde. Ze was weer in de opgepropte kussens gaan liggen, en keek naar dat beeld uit haar jeugd. Zo jong. Ze liet haar vinger langs alle gezichten glijden, en dacht ongetwijfeld na over wat er van hen geworden was. Nu sloot ze haar ogen, en hij kon het knappen van het vuur horen, en de scherpe maar vertroostende lucht van de turfjes die de kamer indreef en door de schoorsteen filterde.

En even later sloeg hij opzettelijk de buitendeur iets te hard dicht. Hij trok zijn jack en dikke overhemd uit en bleef op de drempel van de woonkamer staan. 'Hé. Spijt me dat ik je wakker gemaakt heb, maar niet heus. Het is onze laatste avond en wat mij betreft komt er geen einde aan.'

Zonder te antwoorden, knielde ze voor hem neer, liet het dekbed van haar lichaam glijden en stak haar handen uit naar zijn kruis, waar ze langzaam de knopen los begon te maken.

37

'Het is overduidelijk dat hij nog niet in staat is om aan het werk te gaan als hij dit soort zaken niet aankan! Kijk nou nog eens goed naar die e-mail. Zo. *Dokter Calder, hierbij nieuwe patiëntenlijst ter overweging. Vijftienjarige vrouw met eetstoornis; tweeënvijftigjarige man met OCS.* Dat is obsessieve-compulsieve stoornis. Oftewel dwangneurose in normale mensentaal, Dan. Wat hebben we nog meer? *Een vierenveertigjarige man met psycho-seksuele stoornis.* Interessant. En daar komt-ie. *We hebben ook herhaalde aanvragen ontvangen van een man met een posttraumatisch syndroom dat zijn oorsprong vindt in de ontvoering van zijn dochtertje dat door een bende verkracht is. Hij heeft specifiek naar u gevraagd. Meer details in het informatiebestand.*

Alex smeet de e-mailafdrukken op tafel en keek hem met half toegeknepen ogen aan. 'Eerlijk gezegd, Danny, zou ik Simons werkgevers ook niet direct bonuspunten voor gevoeligheid geven, al vonden ze dat hij voor zijn eigen bestwil meteen weer voor honderd procent moest functioneren. Maar aan de andere kant, zolang hij in dit vak werkzaam blijft, krijgt hij dit soort dingen op zijn bordje. En nou stuurt hij het aan ons door, en verwacht hij ons medeleven! Wat moeten wij daar nou mee?'

Danny zat aan haar peperdure mahoniehouten eettafel, schudde het hoofd, zowel tegen haar als tegen zichzelf. 'Jezus, Alex, denk je nou eens in wat die arme Simon doormaakt. Toen hij gekalmeerd was, heb ik hem de directrice van zijn kliniek laten bellen. Hij kent haar vrij goed. Sheena huppeldepup. Maar goed, blijken ze dus een nieuwe secretaresse te hebben op die afdeling. Kent de hele voorgeschiedenis van Simon niet en zegt dat die patiënt speciaal naar Simon had gevraagd. Want die had hem vroeger ook al eens behandeld. Simon zegt dat hij nooit iemand met dat profiel heeft behandeld. Idioot, hè? Natuurlijk stortte Simon helemaal in. Ik had de grootste moeite hem rustig te krijgen.'

Hij keek haar aan. Typisch Alex, de whisky op tafel. Toestand normaal. Ze gooide haar hoofd tegensputterend in haar nek. 'Het is waarschijnlijk een undercover journalist van een sensatieblaadje die uit is op een verhaal. Of misschien is het een echte patiënt die alles over Simon in de krant heeft gelezen en die denkt, o, eens zien of ik sneller van de wachtlijst kan als die knaap me helpt. Hij zal me begrijpen enzovoort. Trouwens, ik vind dat Simon die man aan moet nemen. Misschien net wat hij nodig heeft. Om zijn gedachten eens op iemand anders te richten, in plaats van op zijn afbrokkelend huwelijk. Weet je, hij belde me laatst op en zei dat zijn moeder openlijk de kant van zijn vrouw gekozen had. Nou, dat verbaast me niets. Zijn moeder heeft hem altijd als stront behandeld. Puur venijn. Daarom zat hij in die tyfus-Unit, en dat weet jij ook wel. God, herinner je je die eindeloze uren in groepstherapie nog, als hij maar doorging over de laatste klotenstreken van dat mens? Maar dat wijf zou of van hem af moeten gaan, of bij hem moeten blijven. Of Si moet haar gewoon laten opzouten. Eindelijk scheiden van die trut.'

Danny stak een hand in de lucht en lachte spottend. 'Geen schijn van kans. Hij is echt zo'n vent die een gezin om zich heen nodig heeft. Zonder liefde opgegroeid, dus moet hij nu aan de hele wereld laten zien dat hij het beter kan en een stabiel gezinsleven heeft. Dat had hij een tijdje, maar dat is nu voorbij. Die ontvoering heeft zijn huwelijk kapotgemaakt. Ik vind dat je Simon trouwens hier had moeten uitnodigen. Ik voel me niet prettig dat we het hier over hem hebben zonder dat hij het weet, Alex. Dat meen ik. We moeten dit eens en voor altijd regelen. Een beslissing nemen. Want ik kan verdomme niet voor elke scheet van de Westelijke Eilanden komen. Ik moet een boerderij draaiende houden. En het kost bakken met geld om hier te komen.'

Hij stond op en begon door Alex' lange eetkamer te ijsberen. Hij had het wel gehad zo langzamerhand. Hij kon er geen speld tussen krijgen. Hij wilde ook wel eens wat zeggen. Maar hij wist dat Alex, zoals altijd, de touwtjes in handen had. Hij herkende haar haast griezelige talent om de baas te spelen, zelfs of juist in situaties waar ze er het minste recht op had. Haar verlangen naar macht en beheersing van de situatie gaf altijd aan dat die aan de gevaarlijke en, voor sommigen, seksueel opwindende kant van geweld zat. Zo was ze in de Unit altijd al geweest, op dat seksuele aspect na. Dat zou te storend voor haar zijn geweest om ermee te koop te lopen. Voor elke normale adolescent trouwens ook. En dat was ze bepaald niet. Dat waren ze allemaal bepaald niet...

Hij werd uit zijn gedachten gehaald door haar verrassend ontspannen toon. 'Danny. Ga alsjeblieft even zitten en kalmeer eens een beetje. Ik heb je verteld wat er met Si aan de hand is, en met zijn gezin. Hij is helemaal in de war, dat weet ik wel. En ik denk dat we het daar wel over eens zijn. Maar ik wil het er ook met je over eens zijn dat we hem ervan moeten weerhouden bepaalde stappen te nemen. We hebben nog wat tijd nodig om na te denken, want er staat nogal wat op het spel. Trouwens, ik denk dat ik me eens wat nauwer met Si ga bezighouden van nu af aan.'

Hij stopte met ijsberen en antwoordde met zijn sarcastische lachje. 'Ha! Hoe nauw precies?'

Het was een goedkope grap maar hij wist wel dat hij één ding goed had. Alex zou er niet voor terugdeinzen haar seksuele macht over wie dan ook te laten gelden als ze dacht dat zij er beter van werd. Ze had het al bij hem geprobeerd gedurende die huiveringwekkende autorit na de reünie bij Simon. Maar zo te zien was hij deze keer een beetje te ver gegaan.

'Hou je gore bek! Je zou me moeten bedanken, niet moeten beledigen. Als ik Simon onder controle krijg, dan kunnen we misschien uit de shit blijven! Jij bent veel met hem bezig geweest tot nu toe en hij is nog steeds de kluts kwijt. Laat mij het nu maar eens proberen.'

Maar nu hield hij voet bij stuk. 'Ja, nou ja, jij hebt er alles voor in huis, zou ik zeggen. Maar ik waarschuw je, zijn hoofd staat waarschijnlijk niet naar seks de laatste tijd, al is dat voor jou wat moeilijk te begrijpen misschien.'

De klap op zijn wang kwam zo hard aan dat het leek of iemand met een zweep geknald had. Hij voelde aan dat het bedoeld was als een theatraal, misschien zelfs flirterig gebaar, maar Alex kende haar eigen kracht niet. In de grote spiegel zag hij tot zijn verbazing bloeddruppels die over zijn wang parelden uit de snee die de knots van een ring gemaakt had. Het deed pijn ook. Vreemd genoeg leek Alex meer aangedaan dan hij, en hij wreef gewoon met een knokkel langs zijn gezicht. Zij schonk ondertussen een glas vol whisky in. Ze raakte langzaam haar gewoonlijk ijzersterke zelfbeheersing kwijt.

Hij wendde zijn rug naar de kamer en staarde zonder wat te zien het raam aan de tuinkant uit. Alex sprak weer tegen hem. Deze keer klonk haar stem wat verontschuldigend, maar hij trilde ook. 'Danny? Je zei iets over "een beslissing nemen." Wat bedoelde je precies?'

Hij draaide zich om en keek haar aan, nam een vooruit gedraaid sjekkie uit zijn blikje en ging bij haar aan tafel zitten. Behalve die bloedende snee wist hij dat hij een strak, gespannen gezicht had. Alex had een schone asbak in zijn richting geschoven. Een soort zoenoffer?

'Wat is er aan de hand, Danny?'

De sigaret zweefde tussen tafel en lippen, hij keek stuurs voor zich uit. Hij was blij en niet blij met die bemoeizuchtige vraag. Hij legde een vinger op de snee in zijn gezicht om te zien of die nog bloedde en weigerde te antwoorden. Zo te zien wilde Alex de vraag opnieuw stellen maar ze besloot kennelijk te wachten.

Hij bleef naar beneden kijken en toen hij ten slotte begon te praten, leek het of hij het tegen zijn sigaret had, terwijl hij de oranje, gloeiende punt spitser maakte tegen de rand van de asbak.

'Oké, het wordt tijd dat je het weet. Ik kan het niet anders uitleggen. Ik heb Isabella vaak gezien de laatste tijd. Ik heb gedaan wat je voorstelde. Beetje over Simon geschreven. Het laatste wat we wilden was dat hij contact met háár zou opnemen maar áls hij dat deed, wilde ik dat ze klaarstond om niet op eventuele eisen in te gaan. Ik bedoel, wat met zijn dochter is gebeurd, daar is ze erg van geschrokken. En natuurlijk had ze medelijden met hem. Maar ik moest het verhaal een beetje, nee veel erger maken om haar op haar hoede te laten zijn. Dus verzon ik erbij dat hij helemaal doorgedraaid was. Onredelijk en paranoïde geworden was, en geloofde dat wij allemaal schuld hadden aan wat er met zijn kind gebeurd was. Afijn, ik vertelde dat hij op een gevaarlijke manier geestelijk instabiel geworden was. Ik weet dat het nog niet aan de orde is, maar ik moest haar uithoren om te weten wat ze wist. Zoals ik gedacht had twijfelt ze nergens aan. Ze weet van niks. Maar... nou ja, ik kan het niet uitleggen... we begonnen elkaar vaker te zien. Ze is bij mij thuis geweest. En we gaan er denk ik mee door. Heel lang mee door. Je houdt je smerige ideeën maar voor jezelf, ik zeg alleen dat we "iets" met elkaar hebben en het is meer dan een wip nu en dan. Ik wist zeker toen ik haar in de Unit ontmoette dat ik nooit meer zo iemand als Abby zou tegenkomen. Nooit. Ik probeer het niet te begrijpen. Ik weet het alleen. We passen bij elkaar op een bijzondere manier. En als ik nou maar naar haar geluisterd had die nacht dat ik... nou ja, gelul. Vergeet het maar.'

Hij zweeg opeens. Er hing alleen nog stilte in de kamer, terwijl Alex geschokt haar whisky doorslikte. Sterk hoor. Zij had hem aangemoedigd om contact met Isabella op te nemen. Had ze dat echt gewild of had ze hem een beetje op zitten jutten? Aan haar uitdrukking te zien had ze zeker niet geloofd dat hij het zou doen, laat staan dat het allemaal hierop uit zou draaien. En hij had haar nog maar een verdunde versie van hun relatie gegeven. Joost mag weten wat er zou gebeuren als hij haar de waarheid over hun intense verhouding zou vertellen. En waarom was ze eigenlijk zo overstuur? Jaloezie? Op wie? Hem of Isabella? Of misschien kwam het omdat hij, juist Danny Rintoul, een man die ze meende onder de duim te hebben, iets op eigen houtje had gedaan. Iets wat hij al eeuwen had gewild. Hoe dan ook, het nieuws was als een bom ingeslagen, al sprak ze zacht en rustig, met een spotziek toontje in haar stem.

'Hé, Dan. Dat heb je dan lang genoeg stilgehouden... Maar ik snap het wel.' Ze boog zich naar hem toe, wachtte tot hij haar aankeek. 'Dus wat bedoel je nou eigenlijk? Dat je van haar houdt? Christeneziele, Dan, ik zei dat je haar een beetje uit moest horen, maar nou moet je het niet gaan overdrijven!'

Het sarcasme droop van haar woorden. Hij negeerde het. 'Ik heb altijd al van haar gehouden. En daarom moet ik haar de waarheid vertellen. Misschien raak ik haar daardoor kwijt. Raak ik alles kwijt. Maar ik moet het doen. Ik vind dat we maar eens op moeten houden met verstoppertje spelen.'

Hij verwachtte dat ze zou uitbarsten en dat gebeurde ook. '*Wát?* O, kom op! Doe effe normaal, Danny! Haar de waarheid vertellen? Ze is een padvindster, helpt oude dametjes met oversteken! Die kletst haar mond voorbij. En dan zijn we d'r geweest! Allemaal! Nou is het direct afgelopen met die kalverliefde van je. Neuk haar totaal overhoop, vergeet haar en wordt verdomme nou eens volwassen!'

Hij voelde dat hij haar wilde slaan. Maar in plaats daarvan pakte hij zijn jack, greep zijn shagblikje van haar tafel, maakte er zodoende een kras op en liep naar de deur. 'Ik ga ervandoor. Denk nou maar eens heel lang, heel diep na, Alex. Het moet nu maar eens uit zijn met het gedoe. Ik geef je de tijd. Ik heb ook wat tijd nodig. Ik zie Abby voorlopig niet. Maar ik kan er ook niet meer tegen om Simon ervan te weerhouden zijn diepste wens uit te voeren. Het moet opengegooid worden. Dat hadden we al zesentwintig jaar geleden moeten doen.'

Hij hoorde de echo van de klap van de deur vervagen, gevolgd door het kraken van zijn schoenen over het pad van steenslag. Toen stond hij stil en deed een paar stappen terug, om door de woonkamerramen te kijken.

Alex stond rechtop, met een whisky in haar hand, en gilde

zo hard ze kon tegen zichzelf. 'Als hij het haar vertelt, dan vermóórd ik hem. Vermoord ik ze allebei! Hij en die padvindster van hem!'

Hij huiverde en zag hoe ze haar kristallen glas de open haard in keilde, waar het in honderd scherven uiteen vloog. Hij schudde medelijdend zijn hoofd en vervolgde zijn weg terug naar huis.

38

Hij miste haar. Geen twijfel mogelijk. Dat had hij nog nooit met iemand meegemaakt. Niet eens met Sian. Sian... ze bleef bij hem uit de buurt. Ze had iets voorvoeld en omdat hij vermeed contact met haar te hebben, op die paar telefoontjes na waarop hij alleen met 'ja' of 'nee' had geantwoord, had ze besloten het op te geven. Of waarschijnlijk liet ze hem voor onbepaalde tijd in zijn sop gaarkoken. Nou, die onbepaalde tijd zou dan de rest van zijn leven moeten zijn, nu hij Abby had. Maar Sian was een taaie. Die zou het wel overleven. Ze hadden geen liefdesrelatie gehad. Alleen maar goede seks, gezelligheid, en geen verplichtingen. Maar bij haar broer Ian lag dat anders. Ians verwarring en gekwetstheid waren goed merkbaar. Ze waren maten geweest. Een vreemd stel, maar toch. Gek dat een homo en een hetero toch goede vrienden konden zijn. Maar Ian was een boeiende, gulle en vermakelijke kerel. En hij? Het maakte hem geen moer uit wie het met wie deed; smaken verschillen. En Ian had hem – terecht – vertrouwd met zijn 'geheim'. Als het uitgekomen was, zou dat op het eiland zelfs in de eenentwintigste eeuw het einde hebben betekend van Ian en zijn partner. Nee, Ian en hij waren echte vrienden. Tot nu toe.

Hij liep de achterdeur uit en keek met genoegen naar het eind van de dag. Zijn pachtershuisje bood een adembenemend uitzicht over het hele Loch Roag. Op deze januari-avond onder nul was het diep mauve. En stil. Doodstil. Hij leunde tegen de muur van zijn huis en stak nog een sjekkie op, de uitgeblazen rook bleef stil in de koude lucht voor hem hangen. De komst van Abby in zijn leven had alles zo vreselijk ingewikkeld gemaakt: dat met Sian, zijn vriendschap met Ian, de afstand tussen hen wanneer Abby in Londen was. Ze hoorde hier nu ook thuis en hij voelde de leegte als ze afwezig was. Hij wist niet precies hoe ze zoveel tijd kon vrijmaken van haar Londense leven en werk, maar ze deed er altijd erg luchtig over. Zei dat het na zesentwintig jaar wel eens tijd werd om prioriteiten te stellen. Maar al te waar.

En uiteindelijk was er het probleem dat ze zijn geheim was. Haar verbergen was in deze koude, donkere maanden waarin iedereen binnen bleef, en wekenlang nauwelijks een andere levende ziel zag, niet al te moeilijk. Maar waarom was het dan ook zo belangrijk voor hem? Abby had al een paar keer gevraagd waarom hij haar niet aan een paar kennissen voorstelde. Zij dacht dat het kwam omdat hij zou moeten liegen over hoe ze elkaar ontmoet hadden. De Unitdagen hoefden niet aan de grote klok gehangen te worden. En dus had ze voorgesteld de waarheid een beetje te verdraaien en te verzinnen dat ze elkaar uit Edinburgh kenden, jaren geleden al, en elkaar bij een wederzijdse vriend weer ontmoet hadden. Nog waar ook, als je het op een bepaalde manier bekeek. Maar hij wilde er niet te diep op ingaan waarom hij haar geheim wilde houden. Hij wilde alleen dat ze er uitsluitend voor hem was en dat het 'perfect' was. En de toekomst? Nou, daar dacht hij liever niet over na...

Hij wierp nog één verliefde blik op het uitzicht, schoot zijn peuk het erf op en ging weer naar binnen. Het vuur loeide nog steeds en hij ging in zijn gemakkelijke stoel bij de haard zitten, whisky en glas onder handbereik. De schemering verdween snel en hij zag de eerste hoekige sneeuwvlokken naar beneden vallen. Zonder een zuchtje wind zou het flink sneeuwen, maar dan zouden er tenminste geen sneeuwstormen komen. Zijn kudde zou het wel weer overleven. Vreemd, door de jaren heen had hij leren genieten van eenzame avonden zoals deze, met zijn gedachten over de beesten, met het vuur en zijn single malt. Maar er was iets veranderd. Het bood niet meer die veiligheid van genoeg hebben aan jezelf. Hij voelde zich eenzaam.

Hij pakte de foto van de schoorsteenmantel. Nu hadden zijn tienerjaren hem dus onverwacht ingehaald. Hoewel hij op het moment dat die ellendige foto genomen werd wíst dat hij zijn leven lang met sommigen verbonden zou blijven. Maar met Abby? Nee, hij dacht dat hij haar voorgoed kwijt was...

'Wat gebeurde er nou gisteravond, Danny? Waar ben je nou heen gegaan nadat ik van je was weggelopen?'

'Heb ik toch gezegd, Abby. We zijn verdwaald. Net als jij. Je zei dat je ons wel zou zien bij die splitsing op de hoofdweg. Maar jij wist ook niet meer waar die was. Stom geluk dat we uiteindelijk toch tegen je op liepen. En we hadden die kompassen en kaarten wel bij ons, maar wisten wij veel hoe je daarmee om moest gaan. Zeker met al die drank en joints achter onze kiezen. We... We wisten echt niet welke kant we op moesten. Gelukkig dat we jou vonden, zaten we tenminste samen die hele nacht lang. We waren inderdaad een beetje grommerig en afwezig, maar we hadden het stervenskoud en ik denk dat we een beetje te veel op hadden. Dat was alles.'

Het stond op haar gezicht te lezen. Ze geloofde hem niet. Hij wist niet zeker of de staf er ook moeite mee had, al was de opluchting dat ze allemaal ongedeerd terug waren er zeker debet aan dat ze geen ondervragingen en onderzoek naar de gebeurtenissen van die nacht gekregen hadden. Vooral Sarah Melville leek echt alleen maar opgelucht, geen spoortje woede te bekennen. Simon vertelde hen dat hij een compleet furieuze Anna had horen razen en tieren tegen Sarah en Ranj, en een levendige schets had gegeven van wat hen te wachten had gestaan als er ook maar iets met de patiënten gebeurd was. Oneervol ontslag, carrière kapot en waarschijnlijk ook nog een rechtszaak aan hun broek. Dat was me lachen, zei Si. Maar het kwam wel goed uit. Want zo concentreerden ze zich tenminste op hun eigen zaken, in plaats van op die van hen. Hij hoopte maar dat Si het bij het rechte eind had.

Haar stem haalde hem uit zijn gedachten. '...rondgehangen?'

'Wat... sorry, Abby. Wat rondgehangen?'

'Wat héb je toch, Dan? Ben je nog blijven rondhangen bij dat meer nadat ik weg was gegaan, vroeg ik. Ik hoop dat je dat niet gedaan hebt. Dat had je beloofd.'

Ze stond te wachten op een antwoord. Al was hij de kluts kwijt, paniekerig en doodop van alles, hij wist dat dit het einde zou zijn. Een kans om alles te veranderen. Zijn hele leven stond op het spel als hij een paar ware woorden zei. Maar hij wilde het niet. Kon het niet. Zelfs niet tegen Abby.

Het gehuil van de wind bracht hem weer terug uit het verleden. Hij streek met zijn hand over de foto en keek uit het raam. Hij had het mis gehad wat het weer betrof. Dat overkwam hem niet vaak. Misschien strekten zijn wanhopige pogingen om het leven positief tegemoet te zien zich uit tot zijn weersverwachtingen. Het werd een slechte nacht, in meer dan één opzicht. Zij zou morgen weer komen. Het zou een heerlijke dag voor hen moeten worden. Maar het was tijd voor iets anders, tijd om haar de waarheid te vertellen. Een waarheid die hij haar zesentwintig jaar geleden had moeten vertellen.

Kennis

Vier maanden later

Verslag van dr. Adrian Laurie, adviseur/medisch directeur Psychiatrische Unit voor Adolescenten (PUA), aan zuster Anna Cockburn
7 januari 1978
Betreft: Patiënt, Innes Haldane (geb. 3-4-62)

Zoals bekend heb ik tijdens de eerste groepstherapiesessies van het nieuwe jaar de groepsleden geobserveerd in hun doen en laten nu hun vakantie thuis achter de rug is. Sommigen hebben hun portie opwinding weer gehad, zoals Danny die gevochten heeft met zijn vader, Alex die weggelopen is, en Lydia die haar vaders tuinhuisje heeft platgebrand.

Dat betekent voor alledrie een terugval en we zullen ze stuk voor stuk bij de volgende casusbijeenkomst bespreken. Deze week maak ik me echter de meeste zorgen om Innes. Ze is duidelijk depressief teruggekomen en lijkt het spreken verleerd – hoogst ongewoon voor haar doen. Ze weigert deel te nemen aan groepstherapie. Zoals we weten is dit bij de anderen aandachtvragend gedrag en meestal de voorloper voor een dramatische uitbarsting. Maar bij Innes werkt dat niet zo. Nauwlettende observatie gewenst.
CC: Algemeen logboek
CC: Dossier I. Haldane

Verslag van zuster Anna Cockburn aan dr. Adrian Laurie, PUA
8 januari 1978
Betreft: Patiënt, Innes Haldane (geb. 3-4-62)

Gisteravond een gesprek gehad met Innes. Ze gaf toe dat haar vakantie een 'ramp' was geweest. Haar moeder, beschaamd en verlegen met Innes' 'opsluiting', zoals ze het noemt, stond erop dat zij, Innes en Innes' vader de hele vakantie lang tegen alle vrienden en familieleden zouden vertellen dat Innes op kostschool was. Twee weken lang ontkenning van Innes' situatie: het moet me van het hart dat ik dit zorgwekkend vind. Ik heb het gevoel dat de schaamte, de verlegenheid en de ontkenning die Innes opgedrongen worden nog heel lang een rol zullen spelen in haar leven, hoe goed ze ook kan genezen.
CC: Algemeen logboek
CC: Dossier I. Haldane

39

'Heus, Innes, je kon het niet ongelukkiger uitkiezen. We zitten ontzettend omhoog, de situatie is nu al onwerkbaar met al die zieken. Ik bedoel... kun je me geen idee geven waaróm je nu zo nodig vrij moet nemen?'

'Nee.'

De wanhopige zucht klonk oorverdovend in het kantoor met het hoge plafond. 'Goed dan. Neem maar veertien dagen op. Maar dit muisje zal wel een staartje krijgen bij je volgende evaluatie. En wat je promotiekansen betreft...'

Met tegenzin liet ze het gesprek van vanmorgen steeds weer door haar hoofd gaan terwijl ze met de Docklands-lijn naar Greenwich reed. Ze was nogal verbaasd over het gebrek aan inleving van haar afdelingschef, want ze had een gesprek 'van vrouw tot vrouw' verwacht. Nou, dan had ze misgegokt. En goed ook. Misschien had ze gewoon bij dat virusverhaal moeten blijven. Nu hadden ze natuurlijk door dat dat ook een verzinsel was geweest. Maar na al die jaren trouwe dienst had ze toch heus verwacht dat ze zonder meer vrij zou krijgen als 'dringende persoonlijke zaken' haar aandacht vroegen.

Bij Canary Wharf Station liet ze haar blik over de promenades aan het water gaan, die al vol kantoormensen zaten in snelle pakken en dure jurken. Als haar besluit het einde zou betekenen voor haar carrière als ambtenaar, dan moest dat maar zo zijn. Misschien moest ze zich maar weer onder de bedrijfsjuristen scharen. Als ze op haar leeftijd nog aangenomen werd tenminste. Maar hoe dan ook, diep in haar hart wist ze al jaren dat het tijd werd voor grote persoonlijke veranderingen.

Sinds haar scheiding van vijf jaar geleden had ze zichzelf begraven in haar werk. Een scheiding op háár verzoek. Een scheiding die haar geen windeieren had gelegd. Ze had zelfs een paar vrienden van haar ex geërfd die ze in haar eigen kringetje had verwelkomd. Of in haar bed, als dat zo uitkwam.

Ze zag het bordje voor het *Cutty Sark*-station opdoemen en stond op. Buiten warmde de wereld al wat op. Ze kreeg een aanvechting om snel de paar honderd meter naar de rij schattige oude kapiteinshuisjes te rennen, maar hield zich in. Ze sloeg links af en ging op een van de bankjes naast de grote driemaster zitten. Zoals altijd werd de theeklipper druk bezocht door ondernemende toeristen, die zich langs en onder de tuigage voortbewogen.

Ze leunde achterover en probeerde zich te ontspannen. Ze had tijd genoeg en het pakte nooit goed uit om te vroeg te zijn. Ze was nu al achttien maanden niet bij Liv geweest. Maar ze had vaker een terugval gehad en het lukte haar meestal om na wat sessies 'de stekker weer in het stopcontact te krijgen', zoals Liv het noemde. Meestal wanneer ze in de problemen zat. Zoals tijdens en vlak na de scheiding. Zoals wanneer haar laatste angstaanvallen haar zo ongeschikt voor van alles en nog wat maakten, dat ze dacht dat ze gek werd. Maar in al die jaren dat ze Liv bezocht had ze nooit ook maar íéts losgelaten over haar tijd in de Unit. Had dat trouwens aan niemand verteld, niet aan vriendinnen, minnaars of echtgenoot.

En misschien kon ze daar iets van leren. 'Die Tijd' (zoals ze het in zichzelf noemde – misschien deden de anderen dat ook?) vrat aan haar. Als ze eerlijk tegenover zichzelf was en in haar hart keek, vrat die tijd al haar hele leven aan haar, maar haar ingewikkelde onbewuste barrières werden pas onlangs doorbroken, toen ze op een doordeweekse avond thuiskwam en ze de wanhopige echo van Isabella uit het antwoordapparaat hoorde. Zonder vragen te stellen was ze gegaan waar Abby haar voorgegaan was, zonder ook maar één woord met haar te wisselen. Nu was ze dood en was het te laat. Nu voelde het aan of ze achter een geest aanjoeg. Vele geesten. En ze zou hen blijven volgen. Hoe lang en hoe ver, dat wist ze niet.

De voordeur van het kapiteinshuisje was niet veranderd. Toepasselijk marineblauw. De koperen plaquette vermeldde dat LIV KLEIBEL & KIM HARVEY geregistreerd stonden als PSYCHOANALYTISCHE PSYCHOTHERAPEUTEN en dat hun praktijk al twintig jaar oud was. Een geruststellend man-vrouwteam. De receptioniste was nieuw, net als de twee vrolijk gekleurde, luchtige uitbouwtjes aan de achterkant van de eerste verdieping. Het interieur van de behandelkamer was nog hetzelfde. Livs eigen keuze. Lichte pasteltinten en zachte stoffen. Stoelen waarin je lekker weg kon kruipen. Verse bossen lelies en natuurlijk Livs onmisbare brandende kaars. Een richtpunt voor de ogen, wanneer het verstand het over wilde nemen van het gevoel.

'Zo, Innes. Welkom terug. *Hoe* gaat het met je?'

De ongewone maar bekende nadruk herinnerde Innes er weer aan dat hier niet obligaat naar haar welzijn werd geïnformeerd. Het betekende dat Liv een eerlijk antwoord wilde, en ook niet anders verwachtte.

Innes keek hoe de uitzonderlijk lange, elegante ledematen van haar therapeute zich uitstrekten over de randen van de stoel. Het was een zware sessie geweest. Voor hen allebei.

'Als antwoord op je gepieker over hoe ónze relatie beïnvloed kan worden door het nieuws over je adolescentie, zou ik willen zeggen, zet dat alsjeblieft, alsjeblíéft uit je hoofd. Hier, tijdens deze sessies vertel je alleen waar jíj zin in hebt. Er is geen "verraad" of "gebrek aan vertrouwen" wat mij betreft. Maar als therapeute ben ik er natuurlijk heel blij mee, dat ik nu iets meer weet dan de vorige keren over wat belangrijk was in je verleden. Telkens als ik naging waarom je hier kwam – je verhouding met je moeder, die je nog steeds dwarszit al is ze al jaren dood, je angstaanvallen en controledwang, al die dingen onder andere – bleef ik zitten met het gevoel dat er nóg iets was. En ik kon maar niet bedenken wat dat zou kunnen zijn. Nu wel.

Zoals je weet moeten al je beslissingen over je toekomst uit jou voortkomen. Máár, aangezien je nu al zo snel stappen hebt ondernomen, zou ik je willen aanraden om eens te overwegen een confrontatie met die geesten uit het verleden aan te gaan.'

Innes fronste haar voorhoofd. 'Wat bedoel je?'

'Ik bedoel, je moet doen wat nu volgens mij door je hoofd spookt. Dat is contact op te nemen met die... Simon en Alex. Zij zijn tenslotte de enigen die nog in leven zijn, of de enige gezonde patiënten die er overblijven. Ze zijn de enige link met dat interessante verleden van je. Je weet waar ze wonen. Je verontrusting over deze sterfgevallen die op de een of andere manier samenhangen met jullie gemeenschappelijke tijd in de Unit kwelt je ontzettend. Misschien voel je behoefte om hen te waarschuwen, of misschien kun je je theorie dat de Unit deze sterfgevallen en ellende veroorzaakt heeft eens aan hen voorleggen, *omdat ze er ook bij waren*. Misschien weten ze wat er gaande is, net als jij. Aan de andere kant is het heel goed mogelijk dat het ze stoort dat jij ze daarmee lastig komt vallen. Misschien weten ze helemaal niets van elkaar en leven ze rustig hun eigen leventje in gezegende onwetendheid, en hebben ze hun Unitverleden al langgeleden begraven. Uit wat je me hebt verteld, concludeer ik dat zowel Simon als vooral Alex zwaar gestoorde adolescenten waren die nu iets van hun leven gemaakt hebben. Als dat zo is, zou dat genoeg reden voor ze kunnen zijn om dit onaangename verleden diep te begraven. Ik zeg niet dat het zo ís. Het is een mogelijkheid. Maar dat risico moet je nemen, denk ik. *Als* je ervoor kiest hen op te zoeken.

Deze aangrijpende periode uit je jeugd is teruggekeerd in je huidige leven, *nu, vandaag*. Hoe het ook zit met deze sterfgevallen, ze zijn je leven binnengevallen en zijn als een bom ingeslagen in je ordelijke, beheerste leventje waarmee je klaarblijkelijk tevreden was. Maar wat ik me nu afvraag... Als ik denk aan die steeds weerkerende angstaanvallen en problemen met het aangaan van succesvolle vaste relaties, heb ik toch het idee dat er een aantal antwoorden verborgen ligt in dat deel van je verleden dat je je hele volwassen leven verdrongen hebt. Je bent een intelligente en zelfbewuste vrouw. Daar moet je toch zelf al eens over nagedacht hebben?'

Innes voelde de tranen al achter haar oogleden prikken, terwijl elke scherpe observatie van Liv haar zelfbeheersing zo liet slinken tot er haast niets meer van over was. 'Je hebt gelijk. Groot gelijk. Ik... ik... ik... weet ook niet waarom ik die tijd in de Unit niet eerder naar voren heb gebracht in onze sessies. Ik denk dat ik me diep in mijn hart zo vreselijk... schaamde. Ik kan het niet anders uitleggen. Iedereen schaamt zich nu eenmaal voor een ziekte in je hoofd, een psychische stoornis. Ik in elk geval wel. Maar... op dit moment voelt het aan alsof ik gewacht heb op zoiets als dit om die periode onder ogen te zien. Dat heb ik altijd verdrongen. Tot vandaag.'

'Prima toch, Innes. Maar is er nog wat anders dan schaamte?'

'Ik denk dat je dat wel weet, Liv. Ik ben bang. Doodsbang. En volgens mij niet zomaar.'

40

'Innes? Innes, met Isabella. Isabella Velasco. Ik... ik... Vraag nou maar niet hoe ik aan je nummer kom... Ik... We wonen vlak bij elkaar, wist je dat, toevallig hè? Jezus, je klinkt nog precies hetzelfde. Precies hetzelfde! Luister... niet kwaad worden hè... Ik moet met je praten... Ik wil wat afspreken. Kun je me zo snel mogelijk terugbellen? Mijn nummer i...'

Ze zette het draagbare cassettespelertje met een klik uit en bleef doodstil achter de tafel in haar hotelkamer zitten. Als iemand haar had kunnen zien zou hij gedacht hebben dat ze geschift was. Een obsessie had. Hij zou gelijk hebben. Zij wist ook wel dat het achterlijk was: een bandje bewaren terwijl ze er niet aan had moeten denken om terug te bellen. Maar ze kon het ook niet wissen. Ze had geprobeerd uit te zoeken waarom dat zo was en had het opgegeven. Ergens was ze er blij om dat het niet weg was. Maar haar verstand vond het een zeer vreemde daad. Ze draaide het nogmaals af, en Abby's stem leek nog meer wanhoop uit te drukken dan die eerste keren. En er was nog iets anders. Angst? Het schuldgevoel drong zich nog heviger op dan daarvoor. Ze had haar terug moeten bellen. Het was een noodkreet. Ze had moeten bellen. Zo simpel was het.

Ze had het er keer op keer over gehad tijdens haar sessie met Liv twee dagen geleden. En het had haar er niet van afgeholpen. Waar ze zich wel beter over voelde was Livs suggestie om een 'confrontatie met die geesten' aan te gaan. En hier was ze dan weer, in Edinburgh, en stond op het punt daarmee te beginnen.

Ze wendde zich weer tot haar laptop en nam het bericht dat

ze gedownload had in zich op. De plaatselijke krant van Noord-Londen, altijd verlegen om nieuws uit de regio, had gedaan wat ze verwacht had: het verhaal over de dood van een rijke inwoonster uitgemolken.

Royale legaten tandarts

Professor Isabella Velasco (42), vorige maand dood aangetroffen in het zwembad van het Belsize sportcentrum, heeft een aantal royale legaten in haar testament opgenomen. Deze zijn vandaag bekendgemaakt.

Prof. Velasco, die naar alle waarschijnlijkheid zelfmoord heeft gepleegd vanwege haar psychische problemen, heeft het voornaamste deel van haar aanzienlijke vermogen nagelaten aan goede doelen en ziekenhuizen. Ze liet £50.000 na aan het Eastman Tandheelkundig Centrum, bedoeld voor de opleiding van kindertandartsen. Een bedrag van £40.000 gaat naar het Hoofdstedelijk Medisch Centrum, waar gratis medische en tandheelkundige zorg aan daklozen wordt verstrekt; prof. Velasco stond erom bekend dat zij regelmatig vrijwilligerswerk bij dit centrum verrichtte. Interessant is echter dat het leeuwendeel van prof. Velasco's vermogen naar twee liefdadigheidsinstanties gaat die niets met haar werk te maken hebben.

De stichting voor geestelijke gezondheid GEEST ontvangt £100.000, met de aantekening dat het geld gebruikt moet worden voor jongeren met een geestelijke stoornis. Maar verrassender is echter dat een klein Schots fonds, 'Hernieuwing' uit Edinburgh, dat ouders en familieleden steunt van wie kinderen vermoord zijn, verblijd is met het enorme bedrag van £220.000. Directeur Lavinia Henderson: 'Het is een verbijsterende schenking aan een goed doel. Het zal zoveel levens iets leefbaarder kunnen maken. We zijn ontroerd door de goedheid van professor Velasco.'

Prof. Velasco heeft geen kinderen. De rest van haar vermogen is nagelaten aan haar ex-echtgenoot, een anesthesist die nu in Nieuw-Zeeland woont.'

Even later kreeg ze de informatie die ze zocht op haar scherm.

'Hernieuwing' – doelstellingen en streven:

- Het steunen van gezinnen en familieleden die kinderen of jonge verwanten verloren hebben door moord, doodslag of welke andere vorm van onwettige beroving van het leven dan ook.
- Het doen van onderzoek naar de effecten van moord, doodslag of onwettige beroving van het leven op een familie.
- Het publiceren van de onderzoeksresultaten in algemene en specialistische media, met als doel bewustmaking van de behoeften van degenen die door een dergelijk verlies getroffen zijn.

Ze herlas de informatie, leunde achterover en staarde niet-begrijpend voor zich uit. Een kleine, onbekende liefdadige stichting, die uiteraard nuttig werk deed, en die Isabella zo belangrijk vond dat ze het grootste deel van haar vermogen aan de stichting naliet. *Waarom, waarom, waarom?* raasde het door haar hoofd terwijl ze een adres in haar opschrijfboekje noteerde.

Ze vond het kantoor opvallend luxe ingericht voor zo'n kleine stichting.

'Het spijt me zeer, mevrouw Haldane, maar we geven geen andere bijzonderheden over de weldoeners dan die al in de media te vinden zijn. Ik kan alleen maar zeggen dat we uw vriendin eeuwig dankbaar zijn voor haar enorme schenking.'

Innes nam het strakke gezicht van de directeur van de stichting in zich op. Een vrouw van in de zestig die haar drie zonen verloren had door een pyromaan die in 1976 een nachtclub in brand gestoken had. Een intimiderende uitstraling. Niet zo vreemd natuurlijk.

Innes gooide het over een andere boeg. 'Maar hebt u Isabella ooit gesproken of ontmoet? Want waar het mij om gaat, is dat ze voorzover ik weet helemaal geen jong familielid is kwijtgeraakt door doodslag of wat dan ook. Ik vind het zo vreemd.'

De directeur stond op, en gebaarde naar de deur. Ze had verloren. 'Het spijt me. Ik kan alleen zeggen dat ik mevrouw Velasco nooit heb ontmoet. Ze moet onze doelstellingen kennelijk belangrijk genoeg gevonden hebben, maar waarom ze dat vond heeft ze niet openbaar gemaakt. Die reden heeft ze in haar graf meegenomen, en die zullen wij nooit te weten komen.'

41

De rest van de dag bracht ze door aan een van de tafels op het terras van het hotel, en dronk te veel koffie terwijl ze de toeristen voorbij zag slenteren door de voor goedbetaalde tweeverdieners opgeknapte Leigh Docks. Het was wel lang wachten voor het avond werd, maar ze wist dat dat de beste tijd was om te proberen hem op te zoeken. De kans was groter dat hij dan thuis was. Maar waarom zou ze niet eerst even bellen? Ze had zijn nummer in haar opschrijfboekje. Ze verwierp het idee vrijwel onmiddellijk. Te riskant. Het is te makkelijk om iemand af te wijzen, de hoorn erop te gooien. Nee, als ze het deed, dan maar persoonlijk. En ze kon toch op het laatste moment omkeren? En waarom Simon? Daar had ze al lang en breed over nagedacht, maar toen ze door de hotellobby naar het parkeerterrein liep, liet ze haar gedachten er voor de zekerheid nog even overheen gaan. Van de twee overlevenden was Simon ongetwijfeld het best benaderbaar. En hij was een psycholoog tenslotte, dus zou hij toch weten hoe hij zich in zo'n lastige situatie moest gedragen.

Maar Alex? Innes herinnerde zich haar nog altijd als die

macha skinheadmeid bij wie het geweld altijd op de loer lag. Natuurlijk zag ze er vandaag de dag niet meer zo uit, ze was een zakenvrouw geweest in de City, ze had haar eigen internetbedrijf, dus zou het wel heel vreemd zijn als ze zich niet in bedwang wist te houden en haar dwarse houding had afgeleerd. Al wist je maar nooit: sommige mensen veranderden geen spat in de loop der tijd. Ergens voelde ze dat er een emotioneel wrede kern in Alex zat, die ontstaan was door een dermate afgrijselijk inadequate opvoeding, dat hij waarschijnlijk nog steeds aanwezig was. Die gedachte verontrustte Innes niet alleen, hij maakte haar zelfs bang. Natuurlijk had ze geen enkel bewijs voor die theorieën. Maar als ze het afwoog leek het kloppen op Simon Calders deur toch oneindig veel veiliger dan zich in Alex' hol te wagen.

Terwijl ze de Forth Road-brug over reed kalmeerde de gouden avondlucht haar zenuwen een beetje. De wegen bleven fileloos en ze reed er niet al te lang over, en de zon begon al onder te gaan toen ze de kronkelende weg naar St. Monans' haven afreed. Toen ze zigzaggend door het dorp reed, leek het opvallend druk. De gebruikelijke hangjongeren hingen rond bij de friettent aan de kade. Verderop, aan de rand van het dorp, maakten bejaarde vakantiegangers een avondwandelingetje voor ze zouden afzakken naar de pub of naar hun pension om vroeg onder de wol te kruipen.

Ze glimlachte in zichzelf toen ze zich haar eigen fijne vakanties hier herinnerde toen ze nog klein was. En toen schoot het haar te binnen dat de Unit hier in... 1979 of zo een reüniepicknick had gehouden. Ja, zij was er niet bij geweest, tot haar opluchting eigenlijk, omdat ze met haar ouders op vakantie was. Toen ze terugkwam had ze de moed gehad om de Unit te bellen en te informeren hoe de picknick was verlopen. Sarah Melville had het eerlijk verteld. Het was een chaos geworden. Carrie had Lydia behoorlijk in elkaar geslagen. Sarah zei dat ze niet wist waarom, maar ze klonk ook niet bijster geïnteresseerd.

Innes schudde haar hoofd. Typisch Unitfiasco. Ze verdreef de gedachte en voelde zich opgelucht dat ze in Simons huis beslist niet met grof geweld geconfronteerd zou worden. Toen ze de heuvel om reed naar het laatste stukje weg naar de Auld Kirk en Simons kusthuis, bleek het vredige landschap veranderd te zijn. Op het parkeerterrein van de kerk en de oprijlaan naar de oude pastorie stonden een politiewagen en een busje. Mannen en vrouwen in uniform liepen het huis in en uit en een handjevol kerkgangers verliet de kerk na de avonddienst. Er stond een groepje mensen in een halve cirkel, terwijl de pastoor, in zijn soutane en met de collaar nog om, de hand van een ontdaan oud dametje vasthield.

Innes parkeerde haar auto en liep langzaam op een dame van middelbare leeftijd af die aan de rand van het groepje stond.

'Eh... pardon, neem me niet kwalijk. Ik... ik ben een vriendin van Simon Calder. Is er iets gebeurd?'

Ze wist dat het een domme vraag was, maar de vrouw keek haar verontrust aan. 'O jee, kende u dokter Calder?' Tegelijkertijd legde ze een geruststellende hand op Innes' onderarm. 'Ik ben bang dat ik niet zulk goed nieuws heb. Dokter Calder schijnt vermist te worden, waarschijnlijk is hij dood. Ze denken dat hij over de rand van zijn tuinmuur is gevallen. Daar, ziet u wel? De muur gaat over in de rots en de zee. Ze denken dat het eergisternacht gebeurd is. Ze hebben wat gescheurde kleding gevonden. Die was blijven haken op een rotspunt en... nou ja... zodoende. Het spijt me werkelijk voor je.'

Innes voelde zich alsof ze flauw ging vallen. Ze zocht steun bij een geparkeerde auto, en hoopte dat de duizelingen net zo snel wegtrokken als ze gekomen waren. Ze klopte op haar jaszak, om het geruststellende geluid van de papieren zak te horen. Mooi. Die had ze bij zich. Maar gek genoeg hield ze haar ademhaling onder controle.

Ze merkte dat de vriendelijke dame haar een paar meter verder had gebracht naar wat kennelijk haar eigen tuin was, en haar had laten plaatsnemen op een ijzeren tuinstoeltje. 'Ga maar even zitten om op adem te komen. Het is zo'n prachtige avond.'

De mevrouw verdween in huis en kwam vrijwel onmiddellijk weer terug met een glas ijskoude, mierzoete, eigengemaakte limonade. Het smaakte heerlijk. Ze richtte zich weer op de kalmerende stem van de vrouw en hoorde nog net de laatste woorden.

'...ongelofelijk, vooral na wat er met zijn dochtertje gebeurd is en zo.'

'Sorry. Wat zei u precies?'

De vrouw fronste haar voorhoofd. 'Katie. Dokter Calders dochter? Ze werd vorig jaar ontvoerd. Het stond in alle kranten. Hebt u dat niet gehoord?'

Innes dacht razendsnel na. Daar had ze niets over gelezen. Maar zou het haar opgevallen zijn in de kranten? Het was niet het soort artikelen dat ze las. Zo treurig. Ze vermeed altijd verhalen over dat soort trieste zaken. En zou de naam van het meisje haar bijgebleven zijn? Waarschijnlijk niet. Tot voor kort wist ze ook niet dat Simon in St. Monans woonde. Hoe dan ook, het kwam als een schok. Ze zag dat de vrouw op antwoord wachtte en ondanks haar duizeligheid kwam de leugen er zonder haperen uit. 'Eh... nee, dat is het juist. Ik ben een tijd in het buitenland geweest. Ik kwam Simon gewoon even opzoeken nadat... omdat ik hem een paar jaar niet had gezien.'

De buurvrouw leek tevredengesteld. 'O kind, dan moet het een nog grotere schok voor je zijn. Kleine Katie was niet alleen ontvoerd, ze is wekenlang vermist geweest. We dachten allemaal dat ze dood was. Nou ja, opeens werd ze vrijgelaten. Maar wat dat een effect op het gezin heeft gehad... Mevrouw Calder woont hier al een hele tijd niet meer. De kleine meidjes ook niet. Dat zal de stress wel zijn, denkt u niet? Misschien dat de stress hem te veel werd en hij er een eind aan wilde maken? Ik weet dat de politie daaraan denkt.'

Innes probeerde op te staan, met de hand van de mevrouw onder haar elleboog. 'Ik denk wel dat de politie even met je zal willen praten. Wanneer je hem het laatst gesproken hebt en zo.'

Jezus! Dat was wel het laatste wat ze kon gebruiken. 'Ja... oké. Dan moet ik even wat uit mijn auto pakken. Dank u wel hoor, u bent erg vriendelijk geweest. Tot ziens dan maar.'

De angst om wat er gebeurd was en de paniek dat de politie haar vragen zou stellen als wat ze hier precies deed gaven haar vleugels. Ondanks de niet aflatende duizeligheid glipte ze snel door het nauwe steegje waarin ze de auto had geparkeerd. Zover ze wist had alleen die aardige buurvrouw haar opgemerkt. Met trillende handen draaide ze het contactsleuteltje om en manoeuvreerde ze zich zo vlug mogelijk door de wirwar van straatjes heen. Met piepende banden reed ze even later over de verlaten dorpsweggetjes terug naar Edinburgh en in haar paniek schoot er maar één gedachte onophoudelijk door haar hoofd. *Danny, Abby, nu Simon.*

Waarom?

42

Maandag de 23ste, 02.15
Ik ben een tijdje niet in staat geweest met je bezig te zijn – mijn geliefd dagboek. Maar vannacht, voor het eerst sinds lange tijd, voel ik me geroepen om de pen weer op papier te zetten. De reden zal duidelijk zijn. Danny heeft hier een paar dagen gelogeerd en is vanmorgen vertrokken. Tot onze verbazing zijn we de laatste maanden behoorlijk goede vrienden geworden. Hij stelt me op m'n gemak, biedt me een vreemd soort troost, maar het werkt wel. En zonder Rachel, Lily en Katie kan ik elk soort troost dat me aangereikt wordt gebruiken.

Maar afgezien daarvan is er de laatste tijd een vreemde situatie ontstaan. Iets heel ironisch eigenlijk. Danny heeft een brief geschreven aan Isabella Velasco en ze is op bezoek geweest! Hij zweeg er eerst over. Waarschijnlijk omdat ik het hem een tijd geleden heb voor-

gesteld en toen wees hij het resoluut van de hand. Hij heeft toegegeven dat hij een kopie van mijn adreslijst heeft meegenomen. Ik moest erom lachen. Het kon me niet schelen. Misschien dat hij zich niet meer in kon houden toen hij haar adres zwart-op-wit zag staan. Danny zei dat hij en Alex het opnemen van contact met Abby hadden besproken toen ze samen naar Edinburgh reden, na die vreselijke avond met ons drieën. Ik verdenk haar ervan dat ze hem alleen zat te stangen, maar hij heeft het blijkbaar serieus genomen. Eerst schrok ik er een beetje van. En toen werd ik nieuwsgierig. Hoe zag ze eruit? Hoe reageerde ze dat ze 'gevonden' was? En vooral, wat herinnerde ze zich van Die Tijd?

Danny moest lachen om mijn ondervraging. Maar hij zei dat ik me absoluut geen zorgen hoefde te maken, dat alles oké was. Met Isabella ging het prima. 'Die staat met beide benen op de grond,' zei hij. Ik snap wat hij bedoelt. Maar goed, hij vertelde me over die ontmoeting op Stornoway Airport en dat hij, toen ze die kleine terminal in liep, bijna flauwgevallen was. Ze was mooier dan ooit! Had dezelfde stem, alleen wat lager. 'Overdonderend' had hij haar genoemd.

Maar gisteravond kwam de aap pas uit de mouw. Hij vertelde dat Isabella vaker dan die ene keer op bezoek is geweest. Meer dan twee keer. Hij had haar eigenlijk heel vaak gezien en er was iets moois tussen hen ontstaan. Ze waren verliefd! Verliefd! Ongelofelijk!

Maar nu zit Danny goed in de puree. Hij is ontzettend gelukkig met de vrouw van zijn dromen, van wie hij altijd gehouden heeft. Gewoonweg een sprookje, zegt hij. Een droom is uitgekomen. Al die jaren gescheiden van elkaar, dan ontmoeten ze elkaar weer en wauw! Vlam in de pan!

Maar Danny wordt nu wel door problemen gekweld. Dat wordt een zware tijd voor hem, arme knul. Ik heb gehoord wat hij en Alex over mij hebben gezegd, dat ik me in moet houden. Maar ik voorspel dat Danny doet Wat Hij Moet Doen bij Abby. Zo ongeveer zei hij het.

Dus voorlopig laat ik hem het voortouw nemen. En dan zal ik volgen.

Alex nam een flinke slok van haar single malt en bladerde verder naar de volgende bladzij.

Dinsdag de 14e, 03.20
Danny is dood! Ik heb me niet meer zo door verdriet overmand gevoeld, en zo vreselijk bang, sinds Katies ontvoering. Hij heeft ervoor gekozen zichzelf te vermoorden en zich de liefde van Isabella te ontzeggen! Ik kan het gewoon niet geloven. De prijs van hun liefde was blijkbaar te hoog. Hij zei dat het een straf was – verliefd te zijn op Isabella. Zoals mijn Katie meegenomen is. Ik begreep wat hij bedoelde – die omgedraaide logica ervan.

Maar het blijft raadselachtig. Hij leek zo zelfverzekerd, zo vastbesloten het haar te vertellen. Om zijn diepste gevoelens met haar te delen. Zei dat hij een besluit genomen had en dacht dat hij het kon uitvoeren. Waardoor is hij van gedachten veranderd? Wat is er gebeurd? En waarom koos hij voor de zee? Danny was als de dood voor water! Hij had een fobie, daar had hij het in de Unit over gehad, en hij had het er laatst nog over toen hij eens gekscherend zei dat je wel gestoord moest zijn om op een eiland te gaan wonen als je bang was voor water! Het lijkt wel of hij zichzelf op de ergste manier die je je voor kan stellen bestraft heeft.

Wat moet ik nu doen? Moet ik contact met Isabella opnemen? Nee! Dat is onmogelijk, want hoe zou ik Danny's dood aan haar kunnen verklaren? Ja, ik kan haar natuurlijk de reden vertellen. Maar dat zou haar leven pas goed verknallen. Nee, ik moet nadenken. En eerst maar eens met Alex praten. Het leek wel of ze ervan genoot dat ze het me mocht vertellen. Alex heeft een bloedhekel aan me, dat weet ik zeker. Denkt dat ik een watje ben, geen ruggengraat heb. Nou, ze denkt maar.

Alex' mond vertrok zich in een scheve grijns bij die woorden. Sodemieter, die dagboeken waren een goudmijntje! Ze wou dat ze meer mee had kunnen nemen uit Simons huis, maar het voornaamste had ze nu. Al die recente en gevaarlijke zooi. En die daglogboeken uit de Unit. Hoogst interessant. Waar had hij die in godsnaam vandaan? Dat zat haar niet lekker. Als er ergens een opslagplaats van oude Unitdossiers bestond, zouden die haar kunnen blijven achtervolgen. Voorlopig maar niet al te druk over maken. En dan de foto nog. Ook hij had de afdruk bewaard. Niet zo vreemd natuurlijk. Wel raar dat hij er op de reünie met Danny met geen woord over gerept had. Echt iets voor Simon om ermee te gaan zwaaien. *O, kijk eens, hier staan we allemaal gezellig bij elkaar!*

Ze hoorde de bomen ritselen in de wind. Buiten was het pikdonker. Ze liep van het raam naar de open haard. Het mocht dan lente zijn, koud was het wel. Ze rilde. Ze keek weer naar het raam. Gek, net of er iemand over haar schouder had meegekeken van buitenaf. Belachelijk.

Vrijdag de 28ste, 02.25
Deze dag voegt zich bij drie andere die ik de allerergste van mijn ellendige bestaan op deze aarde noem. Isabella heeft zelfmoord gepleegd! Alex heeft het me verteld. Wederom de blijde boodschapper van rampzalig nieuws! De krantenberichten vanavond on line gelezen. Ook Abby is verdronken! Ook zij heeft zichzelf van kant gemaakt. De kant van de hemel op, mag ik hopen.

Ik had haar kunnen tegenhouden. Dat weet ik absoluut zeker. Als ik de kans maar had gekregen. Maar nu is het genoeg. Voor treuzelen is geen tijd meer. Ik ga naar de instanties en vertel ze alles. Alex is ertegen, maar al dat dralen heeft een hoge tol gevraagd. Het is de hoogste tijd.

Eindelijk worden we allemaal bezocht door de wrekende gerechtigheid, behalve Alex, die blijft proberen het onvermijdelijke tegen te houden. Niet meer voor lang, ben ik bang. Ik zal moeten proberen ee...

Alex legde het dagboek neer. Ze wist waarom het boek bij deze bladzij lag opengeslagen. Waarom hij de rest niet opgeschreven had. Ze liep weer naar het raam. Het begon nu echt te stormen. Ze opende de tuindeuren en liet de windstoten binnen waardoor de vlammen in de haard als gekken begonnen te flakkeren.

Ik zal moeten proberen ee... Ze wist dat Simon toen zijn kantoor had verlaten en de voordeur had opengedaan, een regenjack pakte en de deur achter zich dicht liet vallen. De storm sloeg hem in het gezicht toen hij naar de laagste kant van de tuin was gelopen. En hij moest de bijtende, zoute waterdruppels van de golven die te pletter sloegen tegen de rotsen onder zich gevoeld hebben.

De tranen brandden vast in zijn ogen toen ze over zijn wangen begonnen te biggelen. Langzaam begon hij een trage mars met zijn blote vuisten op het muurtje te slaan. Zijn vuisten waren gaan bloeden maar pijn voelde hij niet terwijl hij over het muurtje leunde en de golven nastaarde die zichzelf de vergetelheid in smeten.

De krachtige ruk aan zijn enkels was snel en pijnloos. En toen Simon vooroverviel, had de wind zijn lichaam zo verdraaid dat hij in een flits het gele licht zag dat als een baken uit zijn geliefde studeerkamer de stormachtige nacht in stroomde.

En het gezicht van zijn moordenaar bescheen.

43

Innes was eindelijk in slaap gevallen – met een slaapmiddeltje. Dat ze de tabletjes naar Schotland meegenomen had was achteraf gezien verstandig geweest. Zodra ze terug was in haar hotel had ze een telefonische noodsessie met Liv gehad. Net wat ze nodig had. Geen 'kom op, Innes, beheers je eens'-advies. Eerder een uitgebreide zoektocht naar wat Simons dood nu specifiek voor haar betekende en wat hij, in verband met de andere doden, voor de rest van de wereld betekende. Het gesprek had weinig duidelijkheid opgeleverd wat dat laatste betrof. Noch zij, noch haar goeroe Liv wist waarom Simon dood was, dus het bleef allemaal op het speculatieve vlak. Maar die ochtend moest ze een nog veel moeilijker beslissing nemen dan het bezoek met de daaropvolgende schok aan St. Monans was geweest. Ze zou Alex te pakken moeten krijgen. De enige levende uit de Unit met wie ze nu nog in contact kon komen.

Toen ze de paar mijl naar het huis van Alex overbrugde liet ze haar gedachten weer over het telefoontje gaan. Alex had snel opgenomen.

'Alex?'

'Ja.' Een bot antwoord. Kortaf. Onvriendelijk zelfs.

'Met Innes Haldane. Ik hoop dat je nog wee...'

'Ja, natuurlijk weet ik dat nog.' En toen bleef het stil. Ze vroeg niet hoe Innes aan het nummer kwam. Niets.

'Eh...ik...O, het is veel te veel om te vertellen. Ik weet niet of jij al weet dat iedereen dood is...Unitmensen bedoel ik... Ik bedoel, Simon is ook dood. Hij is gisteren gestorven. Danny al eerder. En Isabella. Ik... Ik vind dat we elkaar moeten spreken. Ik hoop niet dat je het idioot vindt dat ik je bel maar...'

'Ik weet ervan. Kom maar hierheen. Vanavond. Acht uur.'

Terwijl ze Alex' rustige, groene wijk met kasten van huizen op lappen grond binnenreed – de herinnering aan de Unit drong zich onwillekeurig op – voelde Innes zich opgelucht dat ze Alex eerst had gebeld. Ze had het gevoel dat Alex er meer van wist, waardoor zij erachter zou kunnen komen wat er aan de hand was, misschien een kortere weg door die berg los zand die maar groter en groter werd. Aan de andere kant was het Alex die de meeste vragen opriep. In de Unit had niemand grip op haar kunnen krijgen, en Innes moest erkennen dat ze eigenlijk maar weinig verbetering in haar gedrag gezien had in de periode dat ze daar samen waren. Het was alsof Alex er alleen maar lol in had om een soort kat-en-muisspelletje met dokter Laurie te spelen. Ze wisten allebei wat er gaande was en de rest van de groep werd gedegradeerd tot toeschouwer, terwijl ze toch medespelers hadden moeten wezen in de 'helende' groepsgesprekken.

De herinnering vergrootte de angst die zich als een knoop in haar maag had vastgezet toen ze aan de bel trok. De deur werd met een ruk opengedaan en daar stond ze, als een scherp omlijnd silhouet in het portaal. In haar donkerblauwe zijden overhemd en bijpassende broek zag Alex er goed uit: welgesteld en enorm aantrekkelijk op een indringende, maar afstandelijke manier. Innes zou haar in geen duizend jaar herkend hebben. Het contrast met de onvrouwelijke skinhead van vroeger was zo groot als maar zijn kon.

'Kom erin, Innes.'

Alex Baxendales ogen namen haar op: een snelle maar grondige blik. Innes liet zich meetronen door de lange gang naar wat de zitkamer was, spaarzaam maar prettig ingericht met twee banken van zacht leer en fauteuils. Een blauw met gouden kleed lag op de vloer van goed onderhouden parket. In tegenstelling tot anderen die blind werden voor hun omgeving wanneer ze paniek voelden opkomen, nam zij altijd ieder detail van een ruimte in zich op. Een soort overspronggedrag, nam ze aan, om haar zenuwen in bedwang te houden. Met gematigd succes.

Ze zag Alex glimlachen, of eigenlijk was het een heimelijke grijns. 'Kom Innes, ga toch zitten. Borrel?'

Innes knikte traag, terwijl ze wanhopig probeerde haar paniek te verbergen. Als Alex het prototype van kalm, cool, kortom van 'alles onder controle' speelde, moest ze minstens proberen haar te evenaren. En niet met de deur in huis vallen.

'Een whisky dan, graag. Kan ik wel gebruiken, onder de omstandigheden. Het is niet overdreven als we zeggen: "Dát is een tijd geleden zeg!"' Ze wist dat ze gekunsteld overkwam. Als een robot. En ze wachtte nerveus op een reactie.

Maar Alex bleef zwijgend bij het drankkastje in de weer. Misschien had ze haar niet gehoord? Innes zweeg ook maar en wachtte af. Alex kwam terug, gaf haar haar glas en ging langzaam op de bank tegenover haar zitten. Ze maakte het zich gemakkelijk, alsof ze alleen thuis was, schoenen uitgeschopt, blote voeten onder zich getrokken.

Alex speelde een spelletje, dacht Innes en ze wist dat ze heel bedaard moest overkomen. Ze keek toe hoe Alex langzaam nog een slokje van haar whisky nam, toen pas antwoordde ze. 'Ja... zes... zevenentwintig jaar, niet? Ongelofelijk.' Ze keek of klonk absoluut niet verbaasd en Innes wachtte af wat haar volgende zet zou zijn. Alex nam nog een flinke slok en ging verder. 'Luister, Innes. Ik zal er niet omheen draaien. Ik moet zeggen dat ik uitermate verrast ben om van je te horen. Vertel eerst maar eens hoe, en waarom, je me nu opeens komt opzoeken.'

Innes had alle tweede en derde borrels afgeslagen. Wat haar betrof mocht Alex de fles wegzetten. Of bij zich houden. Wat haar het meest opviel was hoe kalm en onverstoorbaar Alex zich gedroeg. Na alles wat Innes haar had verteld, was er geen barstje in haar zelfbeheersing gekomen. Om de zenuwen van te krijgen. Maar dat kwam misschien omdat Alex er ook al zoveel vanaf wist, wat ze Innes dan ook een paar keer uit de hoogte had laten weten.

De grootste schok kreeg ze toen Alex blijkbaar in gedachten de mouwen van haar blouse had opgestroopt waardoor de sporen van de littekens zichtbaar werden. Al scheen Alex de littekens te zijn vergeten, Innes schrok op bij de aanblik ervan, want plotseling zag ze die jongere, totaal andere Alex van vroeger weer voor zich. In de dagen van de Unit had ze die krassen, zo lelijk blauwgrijs, als symbool gezien voor diepe geestelijke pijn. Waar je maag zich van omkeerde. Wat kon iemand er in godsnaam toe brengen om zichzelf zo'n pijn en zulke verminkingen te bezorgen? Wat Innes betrof was daar in de tijd dat ze allemaal patiënten waren nooit diep genoeg op ingegaan. Natuurlijk bestonden er nu in de zelfhulpboekjes voor psychologie dure benamingen voor en werd het fenomeen beschreven in quasi-geleerde artikelen in de betere kranten. Theoretisch allemaal goed en wel, maar het levende bewijs ervan te zien bij een volwassen, tot in de puntjes verzorgde vrouw, deed Innes' adem stokken. Alex mocht dan een koel, evenwichtig uiterlijk tonen, die vreselijke littekens gaven aan dat het allemaal façade was.

'Dus hielden ik, Danny en Simon door de jaren heen contact met elkaar. Isabella ging pas sinds een paar maanden met Danny om. Ik heb haar maar één keer ontmoet. Ik weet niet waarom ze weer contact met Danny opnam. Geen idee. Maar natuurlijk schrok ik me lam van Abby's zelfmoord. Al die sterfgevallen zijn triest, maar ik kan je verzekeren, die hebben op zich niets met elkaar te maken. Hoe had je je dat voorgesteld? Eerlijk gezegd, die theorieën van jou dat het iets met de Unit te maken heeft, lijken me vergezocht en onzinnig. Simon heeft een vreselijke tijd achter de rug, met die ontvoering van zijn dochtertje en de instorting van zijn huwelijk. Zo te horen heeft hij zelfmoord gepleegd. Abby zat al enige tijd in een depressie, een soort midlifecrisis als je het mij vraagt. Misschien belde ze jou daarom, wie weet? Ik bedoel, die zat altijd al in de knoop met haar emoties. Daarom zat ze ook in de Unit. Heel goed mogelijk dat die onderdrukte gevoelens pas later in haar leven naar boven zijn gekomen, ja toch? En Danny? Nou, volgens mij was het gewoon een ongeluk en bij het onderzoek is dat ook gebleken. Niets anders dan een ongeluk. Kan gebeuren.

Luister Innes. De Unit is van heel lang geleden. Ik heb het allang achter me gelaten. Behalve die toevallige ontmoetingen, heeft die hele Unit niets voor me betekend. Als je me niet kwalijk neemt, ik denk eigenlijk dat jíj eens goed moet nagaan hoe je tegen die periode in je leven aankijkt. Misschien heb je er meer betekenis, symboliek in gezien dan die instelling verdient. We waren een stelletje verknipte tieners. Dat is alles. En een paar van ons schreven af en toe een kaartje, niks bijzonders. En een paar van ons hielden de ervaring in zichzelf begraven. En uiteindelijk stierven er een paar. Die dingen gebeuren nou eenmaal.'

Ze kon er niets aan doen dat haar zenuwen alweer begonnen op te spelen toen ze Alex zo scherp haar eigen schaamte tegenover haar Unittijd hoorde omschrijven. Toch was haar niet ontgaan dat het hele verhaal een ingestudeerde indruk maakte. Daar zei ze echter niets van en ze liet Alex doorgaan met wat nu wel erg op een lezing begon te lijken. 'Weet je, ik voel me geroepen om die bodemloze ongerustheid van jou eens te lijf te gaan met mijn eigen boerenverstand. Ik heb er geen problemen mee dat er een paar van de groep gestorven zijn. Mensen plégen nu eenmaal zelfmoord. Er gebéúren nu eenmaal verschrikkelijke dingen met mensen, zoals ontvoering van je kind. En wat Lydia betreft? Tja, wie weet hoe het zit mag het zeggen, maar het schijnt dat ze depressief was de laatste tijd. Ik weet zeker dat er sommigen, ondanks het ontslag, nooit echt over de problemen heen zijn gekomen. Ik heb zo mijn twijfels over de effectiviteit van de Unit. Ik vind het nog steeds onbegrijpelijk dat die tent niet eerder gesloten is. Waar het om gaat is dat niemand de antwoorden heeft. Omdat die er niet zijn. Er is tenminste geen "antwoord op alle vragen". Zo is het leven, vrees ik. Heus.'

Innes wilde er opeens zo snel mogelijk vandoor. De muren kwamen plotseling op haar af. Ze kon haar ogen niet meer van die littekens op Alex' armen afhouden. En het besef dat Alex contact had gehouden met anderen van de Unit, sommigen van hen als volwassenen gekend scheen te hebben, deed haar huiveren. Waarom precies kon ze niet zeggen, al had het voor een deel toch wel met jaloezie te maken. Maar het ging dieper dan dat. Had ze Abby's oproep nu maar beantwoord. Dan had ze Abby misschien niet alleen kunnen helpen maar dan waren ze misschien vriendinnen geworden. Wie weet hadden ze samen een weg uit hun verleden kunnen vinden...

Ze schrok op uit haar gedachten toen Alex weer verder oreerde. 'En ik wil daarom nog eens benadrukken dat je volgens mij op een dwaalspoor zit. En het klinkt misschien hard, maar ik moet nog iets kwijt. Ik vind jouw... Hoe zeg je dat? Je *missie* om uit te zoeken wat er aan de hand was met de levens van hen die in de Unit zaten, plus wat hun lot scheen te zijn, behoorlijk ondoordacht. En het is een soort... *ongezonde* belangstelling. Maar misschien denk je er morgen wel anders over, na ons praatje vanavond. Ik ben bang dat je een zinloos reisje hebt gemaakt, hier naar mij en naar Schotland in het algemeen. Het spijt me.'

Alex klonk nu alsof ze een ondergeschikte wegstuurde. Innes was dolblij dat ze de claustrofobische situatie mocht verlaten. En er was nog iets wat aan haar knaagde. Toen ze opstond begreep ze ineens hoezeer ze gemanipuleerd was. Flink onder handen genomen. Maar wat ze nu moest zeggen wist ze niet, op een obligaat bedankje voor de borrel na en een flauwe glimlach toen ze Alex haar kaartje aanreikte bij de voordeur. 'Voor als je je nog iets mocht herinneren, vooral over Abby.' Toen ze naar haar auto liep, en Alex nog even beleefd naar haar zwaaide, had ze het gevoel dat het bezoek meer dan waardeloos was geweest. Alex had de zaak volledig onder controle gehad, en haar onverschillige houding tegenover elke verontruste gedachte die voor het voetlicht werd gebracht zorgde ervoor dat Innes in verlegenheid en verwarring was gebracht. Misschien moest ze inderdaad maar teruggaan naar Londen. Ophouden met deze onzin. En zichzelf een heel jaar lekker verwennen met elke week een sessie bij Liv.

Toen ze de oprijlaan afreed, zag ze Alex nog bij de voordeur staan, armen over elkaar, om te zien of ze goed haar terrein af kwam. En ondanks dat halve leven dat ze niet samen hadden doorgebracht, dat bij sommigen de wijsheid van de middelbare leeftijd met zich meebracht, bleef Alex voor haar net zo ondoorgrondelijk als ze altijd was geweest.

44

Alex keek toe hoe de achterlichten om de hoek verdwenen. Ze ging weer naar binnen, plofte languit op de bank en deed haar ogen dicht, om even na te denken over wat ze zojuist had meegemaakt.

Ze wist dat ze het allemaal gladjes gebracht had. Ze was natuurlijk thuis, in haar eigen omgeving, maar ze had de touwtjes aardig in handen gehouden. Uiterlijk in elk geval wel. Dat telefoontje van Innes Haldane vanmorgen had haar bijna een hartaanval bezorgd. Ze trok allemaal verkeerde conclusies. Versteend van schrik had ze ingestemd met een bezoek van Innes terwijl ze geen flauw idee had hoe ze haar op het spoor was gekomen. Uit het telefoontje begreep ze al dat Innes' feitenkennis over de zaak nogal beperkt was. Die draaide vooral om de sterfgevallen van kortgeleden. Dat was niet erg. Er werd niet gedreigd en niets wees erop dat ze gevaarlijke kennis in huis had. Toch waren de tussenliggende uren tot haar komst zenuwslopend geweest. Ze had uitgedacht hoe ze Innes aan moest pakken, wat voor verhaal ze op kon dissen, als, wat ze vermoedde maar vooral hoopte, Innes van niks wist.

En haar leugens dan, die ze zo zelfverzekerd verteld had? Och, ze was er vrij zeker van dat Innes haar zoektocht zou staken. Oké, ze had de adreslijst en had rondgesnuffeld op de Hebriden, en bij Simons huis. Maar dat was het wel zo'n beetje. Innes Haldane was misschien wel net zo intelligent als zijzelf, maar ze had altijd vertrouwen in de mens gehad, en was zo naïef dat ze soms wel erg stom uit de hoek kwam. Al waren nog niet al haar zorgen verdwenen door dat neuzen in dingen die nog bestonden, er was iets veel zorgwekkenders. Ze liep naar de eettafel. Jezus, de foto's hadden hier nog gelegen, in het volle zicht, terwijl Innes hier op bezoek was geweest. Maar ze was hier niet dichtbij geweest en ze zou Sarah toch niet herkend hebben. Nou ja, waarschijnlijk niet.

Ze had Sarah gevolgd naar het huis van haar vriendin. Debbie Fry's huis stond ingeschreven als bedrijfsgebouw. Ze had een avond als een spion op de loer gelegen in haar auto. Maar de tweede avond was het raak. Ze kwamen samen aangelopen. Ze zagen er hetzelfde uit, als zusjes bijna. Sterk, gezond, met kort haar. Typische lesbiennes van middelbare leeftijd. Maar zij wist wie wie was, natuurlijk. Alex keek de foto's door die ze die avond genomen had, en de volgende morgen. En de foto's van haar huis bij Loch Fyne. *Loch Fyne.* Hoe durfde ze. Haar in haar woonplaats volgen was wat lastiger geweest. Ze had Sarahs praktijkadres in Glasgow op dezelfde manier te pakken gekregen als dat van Debbie Fry. Ze was alleen een ochtend voor dat huis van Fry blijven staan omdat ze niet meteen de moed kon opbrengen voor een rit naar Glasgow. Maar nadat ze dat een paar maal gedaan had, was de eerste schok, ja schok, er wel af. De volgende middag volgde ze haar van haar kantoor in het centrum van Glasgow helemaal naar Argyll. Het was een gevaarlijk ritje, maar ze had zichzelf overtroffen. Loch Fyne! Wat betekende dat? Alles of niets. En nu wist ze wat haar te doen stond.

Ze liep de woonkamer uit. Dat intermezzo met die Haldane was wel het laatste waar ze zin in had gehad en ze merkte dat ze hoofdpijn kreeg. Tijd voor de zoveelste borrel. Ze trok de koelkastdeur open; het zuigende geluid van de deur die open- en dichtging klonk onnatuurlijk hard in de hoge keuken. Ze vulde de ijsemmer en greep een halfvolle fles whisky van het aanrecht. Misschien moest ze maar eens een nachtje doorzakken.

Weer terug in de zitkamer, liet ze zich in een van de leunstoelen vallen en schonk een flinke laag whisky in haar zware glas. Ze sloeg het in één slok achterover. *Simon was een achterlijke zak geweest. Eigen schuld, dikke bult.* Ze nam nog zo'n glas in twee brandende slokken in. *Wat een eikel. Hij had het voor hen allemaal verpest.* Danny was weg. *Shit.* En Abby? Onvermijdelijk natuurlijk. En wel zo gemakkelijk. *O goddomme-nog-an-toe.*

Ze haalde een hand door haar haar. Haar hoofd stond op barsten. *Te veel gedachten. Te veel herinneringen. Hou op!*

Ze stak onhandig haar hand naar de afstandsbediening uit en begon te zappen, flitste de zoveel-en-zestig kanalen langs, bleef ergens hangen en begon vervolgens weer heen en weer te zappen. Na een paar minuten en nog een forse borrel drukte ze kwaad op de stand-by-knop en het beeld werd zwart.

'Kut! Kut! Kut!'

Ze hief haar wankele arm omhoog en naar achteren en smeet de afstandsbediening tegen de tegenoverliggende muur, tevreden dat hij aan diggelen viel. Ze viel terug in haar stoel, met de ogen dicht. Ze kon net zo goed meteen doodgaan. Beetje fris was het hier trouwens wel. Het tochtte hier. Hoe kon dat nou. Ze probeerde zichzelf op te warmen met nog een glas whisky en dronk het in één teug leeg voor ze het glas uit haar hand liet glippen. Shit. Het was vrij donker en haar ogen vielen steeds dicht. Ze kroop verder in de leunstoel, klaar om weg te zakken, met verwarde beelden van Innes, Sarah en Simon die achter haar oogleden heen en weer flitsten.

Ze werd wakker van de kou. Maar het was te laat. Toen ze haar hoofd omdraaide, zag ze haar katoenen gordijnen wapperen voor de openslaande tuindeuren, maar toen richtten haar ogen zich op de voorgrond. Handen werden over haar keel en mond gelegd voor ze wist wat er gebeurde. En heel even voelde ze de strakke spieren van haar gezicht vertrekken van verbazing, naar herkenning, naar afgrijzen.

De Unit

Eén uur later

Vertrouwelijk memo van hoofdverpleegkundige Ranjit Singh aan de directie van de Dienst voor Verpleegkundigen in de Geestelijke Gezondheidszorg
20 maart 1978
Betreft: Psychiatrische Unit voor Adolescenten (PUA)

Mijn contactpersoon bij het Koninklijk Instituut voor Verpleegkunde heeft me aangeraden u in vertrouwen te nemen. Het staat u echter vrij de inhoud van deze brief openbaar te maken, mocht daartoe de noodzaak ontstaan.

Met stijgende onrust heb ik de laatste patiënten van 1977 uit de Unit zien vertrekken om hun plaats in de maatschappij weer in te nemen. Ik neem aan dat u zich nog zult herinneren hoezeer ik ernaar uitzag mijn baan hier te beginnen toen de Unit in 1975 geopend werd. Ik heb hier dan ook met veel plezier gewerkt, tot afgelopen jaar.

Ik hoef u niet te vertellen hoe belangrijk groepsdynamica is voor het succes (of mislukken) van therapeutische gemeenschappen. Patiënten worden geselecteerd op hun individuele kwaliteiten, maar ook op hoe ze zich in een groep zullen gedragen. De afgelopen negen maanden heb ik me in toenemende mate zorgen gemaakt, en ik ben uiteindelijk overtuigd dat er fundamentele fouten zijn gemaakt bij de samenstelling van de lichting van 1977. Deze groep is tot dusverre de moeilijkste geweest, de meest ontwrichtende en, helaas voor hen, ook de minst geslaagde die hier ooit voor behandeling is opgenomen.

We kunnen patiënten uiteraard niet eeuwig opnemen, maar we kunnen hen wel doorsturen naar de geijkte inrichtingen of therapeuten met eigen praktijk. Dat is niet het geval geweest bij welke patiënt dan ook die deel uitmaakte van deze groep.

Het baart me grote zorgen dat we in sommige gevallen zeer gestoorde, mogelijk ook gevaarlijke individuen de maatschappij hebben in gestuurd. De chaos die hier de afgelopen maanden heerste was al erg genoeg. Ik ben echt bang voor wat de komende jaren in een wereld die daarop niet berekend is ontketend zal worden – mijns inziens staat er een ramp op stapel.

45

Er was meer dan genoeg licht om elkaar en de omgeving te zien. Daar had hij voor gezorgd. Naast elk bed stond een nachtlampje. En om en om had hij er een aangestoken.

Simon keek strak naar Alex. Hoewel de tape over haar mond haar het spreken belette, drukten haar ogen meer dan genoeg uit. Sinds het middel dat hij haar een uur geleden gegeven had was uitgewerkt, had hij gezien hoe ze eerst verward probeerde te achterhalen waar ze was. Toen ze erachter was drukte haar blik angst uit en vervolgens opstandigheid. Hij had daar geen aandacht aan geschonken en zou dat ook niet doen. Hij was al-lang blij dat ze de rit hiernaartoe had overleefd en was bijgekomen. Hij wist niet precies welk effect een litertje whisky zou hebben op het middel dat hij haar ingespoten had om haar makkelijker te kunnen vervoeren. Maar ze leefde nog, dat was voldoende. Het was vooral die verbijstering hem in levenden lijve voor zich te zien die hij zich herinnerde. De man van wie zij had gedacht dat het een opgeblazen, van water verzadigd lijk was dat eens aan zou spoelen in de Firth of Forth was springlevend. Ja, ondanks die aanslag op zijn leven, had hij het overleefd. Had zich niet laten zien tot zijn 'dood' de kranten moest hebben gehaald, om daarna de plannen voor Alex te smeden.

Hij controleerde haar boeien. Benen gespreid en vastgemaakt aan het uiteinde van het bed. Handen, met handboeien om de polsen, waren vrijer. Hij had ringen in de muren geslagen waaraan redelijk lange kettingen bevestigd waren. Daar moest ze het mee doen. Nu liep hij zwijgend de kamer uit, en sloot de deur van de meidenslaapzaal zachtjes achter zich, zonder aandacht te schenken aan haar worstelende lichaam of smekende uitdrukking van pure angst.

Hij liep rustig de brede trap af, controleerde of alles dichtzat zoals hij het bedacht had. Hij bleef op de andere overloop staan om een blik te werpen in de vroegere jongensslaapzaal, die nu een lege huls met afbladderend behang en één roestig bed in de hoek was. De overnachtingskamertjes van de staf waren in dezelfde staat. De tweede zaal voor jongens was in dezelfde bruikbare staat als die van de meiden en was waarschijnlijk de afgelopen jaren nog gebruikt als noodbehuizing of iets dergelijks. Hij haalde zijn schouders op. Het maakte niets meer uit. Het was nu allemaal van hem. Hij had de hele tent opgekocht. De instanties die het beheer van de klinieken voerden wilden er al jaren vanaf. Een projectontwikkelaar had het eerst gekocht, maar kon zijn bestemmingsplan er niet door krijgen en was blij dat Simon het voor een spotprijs wilde overnemen. Precies wat hij wilde. Het gebouw. De inboedel. Het terrein. De herinneringen. De geheimen. De geschiedenis. De pijn. Allemaal van hem.

Op de begane grond liep hij langzaam naar de grote zaal. De enorme ruimte, met de vierhoekige erkers, vulde hem nog steeds met ontzag als hij binnenkwam. Flarden licht van de straatverlichting vielen door de spleten in de hoge houten luiken. Als oranje laserstralen, gericht op vijandelijke doelen op het doorgesleten tapijt op de vloer. Waren dat in 1977 maar echte laserstralen geweest, die hen hadden geraakt als ze hier in hun psychodramateuze coma lagen. Dan zou dit allemaal niet gebeurd zijn. Ontspanningsoefeningen! Hij wou nu dat hen andere, veeleisender oefeningen waren opgelegd.

In de hal duwde hij met zijn voet de deur van de studeerkamer open. Een oud bureau. Twee stoelen. Verder niets. Het was altijd al een dode kamer geweest. Hij zou liever in de tuin studeren als het weer het toestond, of in de keuken tussen de maaltijden door. Hij liep door naar de keuken. Nog steeds hetzelfde. Nog steeds die nu ouderwetse bedrijfsfornuizen. Zes ronde tafels en stapels grijze plastic stoelen stonden tegen de muur. Uitgestorven. Dooie boel. Afgesloten tijdperk.

De kamer waar hij naartoe ging lag aan het einde van de lange gang. Aan drie kanten glas. Twee luxaflexen netjes opgetrokken. De derde hield spiedende ogen die de buitenkant van het gebouw bekeken tegen. Hij ging achter het bureau zitten. Hoeveel broeders en zusters hadden hier gezeten? Om hun verslagen te schrijven? Dingen onopgemerkt te laten? Verkeerde veronderstellingen te doen? Hij kon bijna het gemompel van Anna horen die telefonisch met dokter Laurie in gesprek was. Of de joviale lach van Sarah als ze lol trapte met Ranj.

Hij wijdde zich aan zijn taak. Tijd om de hele opzet nogmaals te controleren. De papieren. Het bandje. Hij drukte de PLAY-knop van het cassetterecordertje in en luisterde naar de sombere klanken van zijn eigen stem.

'We zagen ze al vanaf een afstandje. De maan kwam achter de wol-

ken vandaan en alles was prima te zien, want het licht reflecteerde ook nog eens op het water van Loch Fyne en we hadden onze zaklantaarns. Ze waren met z'n tweeën. Toen ze ons zagen begonnen ze te zwaaien. Eerst aarzelend. Onzeker. En toen zagen ze dat we tieners waren. Niets om bang voor te zijn. Ik hoorde de een tegen de ander zeggen: "Ze lachen. Ze zijn vast aardig. Het moeten onze bondgenoten zijn. Niet de vijand. We zijn gered!"'

Hij drukte op STOP. Dat was voorlopig voldoende. Alles werkte. Hij pakte het hele pakket op, klaar om weer naar de tweede verdieping te lopen. Pas toen hij alles van het bureau had opgetild zag hij het liggen. Hij schrok zich lam. Hij wist absoluut zeker dat hij dat thuisgelaten had, waar hij het keer op keer had overgelezen terwijl de nachtelijke storm en de nevel van zeewater door het open raam naar binnen kwamen. De ontdekking dat het hier tussen de andere documenten lag, bracht hem behoorlijk van zijn stuk en hij moest er even bij gaan zitten. Zichzelf weer in de hand zien te krijgen voor hij naar boven ging om door te gaan met doen wat hij moest doen. De bleekblauwe envelop begon er smoezelig uit te zien omdat hij hem al zo vaak had aangepakt. Hij haalde de bijpassende vellen briefpapier eruit en liet een vinger over de paarsblauwe inkt glijden. Een fijn, krullerig schrift. Hij moest het al duizenden keren gelezen hebben. Dan maakte het ook niet uit als hij het nog een keer las.

Het feit op zich, haar zelfmoord, had hem hogelijk verrast, moest hij zeggen. Een schok was het ook geweest. Toen hij haar een paar weken ervoor in haar huis had opgezocht, had ze eerst opvallend kalm op zijn bezoek gereageerd. Alsof ze iets in die richting had verwacht. Dat kon ze natuurlijk niet weten. Ze had citroenthee gemaakt, en ze dronken het uit dunne porseleinen kopjes, en zij had rustig naar zijn verhaal geluisterd. Uiteindelijk kon ze haar tranen niet inhouden. Hij mocht haar graag. Eigenlijk mocht hij haar al toen ze in de Unit zaten. Ze leek zo normaal vergeleken met hem dat hij zich soms afvroeg waarom ze hier terechtgekomen was. Maar hij herinnerde zich ook nog hoe Lauries sessies je helemaal uiteen konden rijten en Abby's totaal gestoorde gezinsleven was boven komen drijven, zoals dat van alle anderen. Nee, het was geen wonder geweest dat Abby een dwangneurose had, die ze uitzonderlijk goed verborgen had weten te houden in de Unit maar die tot uiting kwam wanneer ze erg gespannen en teruggetrokken was, zo nu en dan. Zesentwintig jaar later kon hij de diepgewortelde, weggestopte spanning nog steeds voelen. Hij nam aan dat ze ermee had leren leven.

Hij streelde het eerste velletje. Hij wist nu wat er met haar was gebeurd die avond bij Loch Fyne, ruim een half leven geleden. Hij begreep het ook. Ze was in wezen een goed mens. Misschien had ze in moeten grijpen, in plaats van walgend weg te lopen. Maar nee, ze had het niet kunnen weten, had niet kunnen voorspellen hoe het af zou lopen.

Hij vond het moeilijk om zo dicht bij haar te zijn. Ze was zo ontzaglijk mooi. In ieder opzicht. Een sensuele schoonheid die niet verloren zou gaan – zou zijn gegaan – tot ze heel oud was. Wat een geluk voor Danny dat hij een tijd met deze vrouw was omgegaan. Dat ze hem haar liefde had gegeven. In een andere wereld, en een andere tijd, had *hij* het wel met haar willen proberen. Met haar seksuele en andere innerlijke vormen van aantrekkingskracht was ze onweerstaanbaar. Maar hij drong die gedachten naar de achtergrond zodra ze in hem opkwamen.

Ze hadden het gehad over haar leven, zijn leven. Ze piekerde veel. Ze was wanhopig. Hij had haar gerustgesteld. Pas toen hij op het punt stond te vertrekken had ze hem verteld wat er op de ferry was gebeurd. Hij was er kapot van geweest.

Hij vouwde de brief open en las hoofdschuddend haar woorden over.

Beste Simon,
Ik kan niet uitleggen welk effect je bezoek op me heeft gehad. Ik was niet zo geschrokken als je dacht dat ik zou zijn. Maar wel bedroefd.

Zo bedroefd. Het is me duidelijk geworden dat Danny me misleid heeft en veel leugens over je heeft verteld. Over dat je een beetje gek geworden was en dacht dat het eigenlijk allemaal onze schuld was, wat er met jou en je gezin was gebeurd. En hij liet me ook denken, al geloofde ik het niet helemaal, dat je iets te maken had met die brand bij Lydia. Het was verkeerd dat hij dit deed, maar zoals je zelf zei, hij wilde en moest me zien, voor jij contact met me op zou nemen. Daar was hij als de dood voor. Al die onwaarheden die Danny over je heeft verteld spijten me ontzettend, al kan ik niet zeggen dat het me spijt dat ik Danny weer ontmoet heb, al was er van het begin af aan bedrog in het spel.

Als ik denk aan al die dingen die jaren geleden gebeurd zijn, overvalt me voornamelijk een schuldgevoel. Ik kan het nooit meer goedmaken. Het vreemde is dat als ik me echt heel hard probeer te herinneren hoe ik me toen voelde, wat ik toen gezien heb, de toestand na afloop ervan, dan bekruipt me het idee dat ik beter had moeten weten, ondanks al je geruststellingen. Alles was anders in de Unit na die nacht. Maar vooraf hing er ook al een vreemde spanning. Misschien heeft het te maken met wat er later is gebeurd. Ik weet het niet. Ik denk dat jij een beter idee hebt waarom dat gebeurd is. Jij bent tenslotte de psycholoog van het stel.

Waar ik maar niet bij kan – en ik heb mijn hersens zo gepijnigd dat het me duizelde – is waarom ik niets aan jullie merkte toen we weer samen kwamen bij de weg. Oké, we zagen er allemaal wat belabberd uit, na al die whisky en stuf die Carrie had meegenomen. Ik bedoel, dat was toch de hele opzet geweest, niet dan? Ervandoor gaan om te zuipen en een jointje te roken. Nou, daar voelde ik me al niet helemaal happy mee, en toen we naar dat meer afzakten had ik het wel gehad. Ik ging terug, en zei tegen Danny dat ik even wat lucht nodig had. Hij beloofde dat hij 'zo dadelijk' bij de splitsing op de hoofdweg zou zijn. Ik strompelde door dat bos, waarschijnlijk omdat ik iets te veel gedronken had, en ik verdwaalde ook echt een tijdje, zonder kaart, zonder kompas. En toen zag ik jullie bij elkaar. Een bedrukt, doorweekt, terneergeslagen clubje. Maar ik dacht dat jullie gewoon dronken waren en ervan baalden dat het resultaat van dat geintje eruit bestond dat we met zijn allen verdwaald waren, en doodop en ijskoud waren geworden. Ik heb alles gedaan om me dat moment dat ik jullie zag opdoemen weer voor de geest te halen, en ik bij jullie ging zitten terwijl we het onvermijdelijke einde afwachtten – het moment dat de staf langs zou rijden en ons zou zien. Maar ik weet geen enkel detail meer. Misschien omdat ik zo op mezelf gericht was die avond. Ik was chagrijnig omdat Danny en ik ruzie hadden gehad. Ik dacht dat hij met jullie wilde blijven zuipen en lol trappen bij dat meer, in plaats van met mij mee te gaan. Ik snap maar niet dat ik toen niets aan jullie merkte. Toen ik bij jullie wegging niet en niet toen ik jullie weer vond. Die twee afschuwelijke momenten lette ik gewoon niet goed op en dat kan ik mezelf maar niet vergeven.

Maar goed, naderhand begreep ik niet waarom het opeens zo anders was in de Unit. Die avond zat me nog steeds niet lekker en ik heb Danny er nog naar gevraagd, maar ik kon die twee zaken niet helemaal rijmen – die ellendige avond en de sfeer in de Unit erna. En binnen een paar weken wilde ik er zo snel mogelijk zien weg te komen. Je weet zelf hoe dat was. En maar wachten op je vertrekdatum. Wachten tot de staf je eindelijk gezond genoeg zou vinden om je weer de maatschappij in te sturen. Ik was gefixeerd op mijn vertrek. Ik wilde weer gewoon verder leven. Zo normaal mogelijk als ik maar kon. Dus na een tijdje verdrong ik alles. Ik wilde het bewust vergeten. En daarmee kan ik ook al niet in het reine komen. Nooit meer.

En nu jouw pogingen om alles recht te zetten. Ik ben onder de indruk van wat jij in je vak bereikt hebt en ik geloof je wanneer je zegt dat je anderen wilt genezen. Ik geloof ook dat je wilt dat de waarheid nu eindelijk boven water komt, hoe het ons ook zal vergaan. Het is in zijn geheel een lofwaardig streven. Maar je had het ook over je verlangen naar, je behoefte aan vergeving. Van wie je die zult krijgen is me een raadsel. Ik zie wel dat je iemand anders bent dan wie je in de Unit was. Maar ik kan niet vergeten dat je erbij betrokken was. Je hebt actief meegedaan. Ik weet dus niet precies, en ik denk jij eigenlijk ook niet, hoe je de dingen weer recht wilt zetten.

Wat je ook over mij zult horen, en ik weet dat je, omdat je me op kwam zoeken, geïnteresseerd bent in hoe het me vergaat, vergeet nooit dat de keuzen die ik maak van mij alleen zijn. Ik heb plannen gemaakt die, als ze zijn uitgevoerd, de enig juiste zullen zijn, ook in jouw ogen. Dus nu hoef ik me nog maar om één ding te bekommeren. Iets doen wat iets anders zal rechtzetten. Met betrekking daarop heb ik een afschrift van mijn testament bijgesloten, waaruit blijkt dat ik een substantieel deel van mijn geld nalaat aan 'Hernieuwing'.

Ik neem aan dat dit voor zichzelf spreekt.

Tot slot heb ik een brief bijgesloten voor elke instantie die er volgens jou mee te maken heeft, je ziet maar wanneer en hoe je het brengt. Het is een samenvatting van alles wat ik weet.

Je ontvangt deze brief na mijn dood. Ik verdien het niet te leven.
Ik hoop dat ook jij vrede zult vinden.
Moge de pijn van het verleden met mij sterven,
Isabella

Elke keer kreeg hij er een brok in zijn keel van. Ze was een prachtige, fatsoenlijke vrouw geweest. Maar haar hoop dat hij vrede zou vinden, en dat de pijn van het verleden met haar zou sterven, waren onmogelijke dromen op dit moment. Daar zou echter snel verandering in komen. Voorzichtig stopte hij de velletjes weer in de envelop en stak hem in zijn borstzak. Aan de kant van zijn hart. Sinds de dag dat hij de brief kreeg, was het zijn aansporing geweest iets te doen.

Zoals meestal wanneer hij haar brief gelezen had, dwaalden zijn gedachten af naar zijn op niets gebaseerde voorstelling van haar laatste uren op aarde. Het was allemaal verbeelding, dat wel, maar haar stappen waren, zoals ze beloofd had, 'de enige juiste', al konden alleen hij en Alex begrijpen wat ze bedoelde. God, wat moet dat een kwelling voor haar geweest zijn, die laatste avond! Hij had op zich genomen om zo veel mogelijk over dat laatste uur te weten te komen. Onderzoeksrapporten, persberichten, interviews met mensen uit haar buurt en het zwembad, getuigen die haar het laatst hadden gezien... Hij had zodoende een redelijk beeld geconstrueerd hoe het gebeurd moest zijn, net als hij gedaan had na de terugkeer van kleine Katie. De behoefte om dat te weten, of op zijn minst een idee van 'realiteit' aan een afschuwelijke gebeurtenis te geven, was een noodzakelijk mechanisme voor hem om met zo'n gebeurtenis om te kunnen gaan. Tot het allerkleinste detail toe en de rest... nou ja, de rest zou zo gegaan kunnen zijn...

Haar tas stond klaar. Handdoek, duikbrilletje. Alles aanwezig. Misschien zette ze de tas in de hal terwijl ze snel terugliep naar haar kantoor. De bleekblauwe envelop werd verzegeld door een lik met het puntje van haar tong. De andere bijlagen gingen in de dikke, bruine envelop. Dan zou ze het adres in dat sierlijke, krullerige handschrift op de envelop schrijven, met een gekoesterde Mont Blanc die hij had zien liggen toen hij bij haar thuis was geweest.

Dan zou ze het huis hebben afgesloten en naar het sportcentrum zijn gegaan. De drogist op de hoek zou nog open zijn.

'Ah. Goeienavond, professor Velasco. Zwemles vanavond?'

Ze had misschien gemaakt geglimlacht terwijl ze rondkeek in de ouderwetse winkel met zijn ouderwetse artikelen, en wees aan wat ze wilde hebben. 'Goedenavond, meneer Maitland. Ja, zwemmen vanavond. Een pakje van die graag.'

Buiten de winkel had ze misschien staan twijfelen bij de brievenbus. Maar ze zou zichzelf weer worden als ze zonder emotie de dikke bruine envelop en de blauwe door de gleuf zag glijden. De wandeling naar het sportcentrum, langs de receptie, en naar de kleedkamers van de dames zou als in een droom verlopen zijn. Was ze wel helder geweest? Zonder gedachten? Misschien groette ze op de automatische piloot, met een verkrampte glimlach.

Vijfenveertig minuten later zou ze niets meer weten van de zwemles. De gaten in haar geheugen werden steeds groter. Dat kwam door de medicijnen. De tabletten van haar huisarts waren nutteloos. Ze had van haar werk veel effectievere meegenomen. Ze wist maar al te goed hoeveel ze er kon nemen om de dag door te ko-

men en hoeveel te veel was. Vanavond had ze er te veel genomen. Maar dat was ook de bedoeling.

Tegen die tijd zou ze in haar kleedhokje zitten, met haar badpak kletsnat nog aan, de handdoek werkeloos in haar handen. Rondom haar zouden vrouwen staan kletsen, douches sissen, haardrogers zoemen, terwijl de prikkelende geur van chloor de vochtige lucht verzadigde. Hoe lang dat allemaal duurde zou ze niet geweten hebben, want ze zat als versteend in dat hokje, door een gordijn afgesloten van de buitenwereld. De lange, rechthoekige houten wanden van het badhokje leken samen een doodskist te vormen. Heel toepasselijk.

Dan, na een hele tijd, zou ze het merken. Stilte. Ze zou het gordijn opentrekken. De ruimte was verlaten. Misschien was ze weer op het bankje gaan zitten, zoekend naar het kleine handtasje in de grote sporttas. Ja. Daar was het. Ze zou de injectiespuit en het flesje met heldere vloeistof eruit hebben genomen. Ze had het misschien diezelfde dag van haar werk gejat. Die actie was misschien de laatste bevestiging van wat ze vanavond zou ondernemen. Dat en die aankoop bij de drogist.

Ze keek naar zichzelf alsof ze uit haar lichaam was getreden en nu boven het hokje zweefde – dat deed Simon zelf ook wel eens – terwijl ze het middel voor plaatselijke verdoving in de spuit opzoog en hem eerst in haar linker-, dan in haar rechterpols prikte. Op het effect hoefde ze niet te wachten. Dan het papieren zakje van de drogist. Ze zou het pakje scheermesjes eruit halen, ze voorzichtig uit het dunne papier halen.

Terwijl ze naar de deur liep waarachter het bad lag, zou ze zich al niet meer herinneren dat ze zich gesneden had. Maar aan beide zijden liep een rood spoor over de tegels. Door de deur, en na nog vijf stappen lag ze in het heerlijk warme water. Het laatste wat ze zag, was het opduikende hoofd van een kind dat er als een pop uitzag, hoog boven haar op het balkon...

46

Simon zat in de oude zusterspost, en dwong zijn hersens en verbeelding even te pauzeren. Hij voelde nu regelmatig dat hij sterke drank nodig had om zich te kunnen ontspannen. Uit de bureaula viste hij een halve liter cognac op. Die had hij om deze reden meegenomen. Hij zette de fles aan zijn lippen en dronk gretig, het brandende gevoel had een vertroostende werking en leidde hem af. Hij legde de fles terug en leunde achterover, één voet tegen het bureaublad. Nu hij Abby's brief weer gelezen had, bleef ze door zijn hoofd spoken, net als andere gedachten. Ze had alles eruit gegooid die avond dat hij haar had opgezocht. Haar bedroefde monoloog, uitgesproken met een opmerkelijk kalme, emotieloze stem, was nu geënt op zijn geheugen...

'De dag dat Danny stierf, de *Queen of the Minch*... ja... Ik weet nog hoe die ferry heette... Ik zat ook zo vaak op die boot, dat ik het gevoel had dat ik haar goed kende. In elk geval liep de *Queen of the Minch* tien minuten te vroeg de haven binnen. Het was een drukke overtocht geweest. Ik was blij toe. Er waren ongeveer vijftig voetpassagiers, allemaal trappelend van ongeduld om van de veerboot te komen en zich in Ullapool te storten of om aan de volgende etappe van hun reis te beginnen. Ik weet dat ik er niet uitzag maar... ik snap dat niet, het viel niemand op. Iedereen was gewoon bezig met zijn of haar eigen zaken. Ik weet nog dat ik de natte helling afstrompelde, op weg naar de damestoiletten in een bijgebouw van de kaartverkoop. Geen hond had me gezien, al was ik asgrauw en trilde ik over al mijn leden. Ik ritste mijn jas open en trok mijn muts van mijn hoofd. Ik moest overgeven.

Heel raar. Net of de golven van misselijkheid heviger werden nu ik vaste grond onder de voeten had, en ik kokhalsde in de pot, opnieuw en opnieuw. Toen het ophield, trok ik een bende papier van de rol en wreef mijn ogen droog. Om de niet-aflatende stroom tranen te stelpen. Bij de wastafel plensde ik ijskoud water in mijn gezicht, zo vaak als ik kon, en keek in de spiegel of de rode vlekken al wegtrokken. Ik was ervan overtuigd dat iemand me staande zou houden zodra ik een voet buiten de deur zou zetten.

En buiten lachte de hele wereld me uit. Zelfs de zon leek een spoortje warmte uit te stralen. De pendelbus stond te wachten op de passagiers die van de boot waren gekomen, en ik hees mijn rugzak en mijn afgematte lichaam op een lege bank achterin. Die het dichtst bij het toilet was. Ik deed geen enkele poging om iemand aan te kijken of met iemand te praten – andere reizigers, bemanning en zeker niet met de havenpolitie. Ik wist dat het geen zin zou hebben. De bus kwam hotsend in beweging en reed de haven uit en ik waagde het nog een blik te werpen op de wachtende veerboot. Als een röntgenapparaat ging mijn blik door het schip heen, naar de grijze diepten van de Minch. Naar waar Danny was. Deinend op de golven. Koud. Dood.

De rit van de veerhaven naar de stad leek eeuwen te duren. Ik stapte in Inverness uit en stapte over op een andere bus die direct naar Edinburgh reed. Opnieuw vond ik een veilig plekje achterin. Ik trok me in mezelf terug, en keek af en toe door de achterruit in de verwachting... ja, wat verwachtte ik eigenlijk? Nou ja, iets of iemand die mij op de hielen zat.

Toen ik in Edinburgh op het busstation uitstapte, wist ik waar ik heen wilde. Ik had de Lijst, tenslotte. Die Danny tijdens die reünieavond van jou gestolen had. Danny maakte na een tijdje ook een exemplaar voor mij, compleet met jouw adres, dat Danny al eeuwen geleden had toegevoegd. Waarom? Vanwege zijn eigen gevoel van netheid en ordelijkheid? Iedereen op één pagina – iedereen in één blik gevangen. Zo was Danny wel. Maar goed, ik had alle adressen. Geen probleem. Maar... en ik weet ook niet waarom ik het deed... ik denk dat ik niet goed wist wat ik deed met nog zo'n lange reis voor de boeg. Ik wist niet wat ik deed of wat ik voelde. Als ik nu terugkijk voelde ik me inderdaad verdoofd. Maar goed, in plaats van de bus naar Fife te nemen om jou op te zoeken, hield ik een taxi aan en reed naar Cramond.

Dat uitzinnige gebonk op de deur moet Alex al hebben verteld dat er iets mis was. Ik zag haar door de hal aan komen stappen, turend naar mijn verwrongen gestalte door het matglas van de deur. Ze deed hem van de knip en ik viel letterlijk naar binnen. Ik hurkte neer, met mijn rug tegen de muur van de hal. Wat zal ik eruit hebben gezien! Haar door de war, een zware rugzak die slap van één schouder hing. Ik had dan wel een nette waxcoat aan en een chique ribfluwelen broek, maar ik moet er als een dolle hebben uitgezien. Heel even vroeg ik me af of Alex dacht dat ik een bedrogen echtgenote was die onterecht dacht dat Alex de maîtresse van haar man was. Hoe dan ook, Alex scheen geen idee te hebben wie ik was. En ik? Ik wist dat dit Alex moest zijn en haar veranderde uiterlijk verbaasde me geen moment.

Ik stond maar te schreeuwen. "Alex, Alex! Ik ben Isabella. Isabella Velasco. Danny is dood! Dood!" Ik herinner me dat ze keek alsof ze een klap in haar gezicht had gekregen. Maar ze hielp me snel overeind en bracht me naar haar woonkamer, waar ze me in een fauteuil duwde. Ik was weer in tranen uitgebarsten. Hysterisch. Een glas drank, ik denk cognac, werd naar binnen gegoten.

En toen schoot ik overeind in de stoel. Staarde naar het zwarte tv-scherm. Verstijfd. Alex bleef uit mijn beeld... wilde me zeker van veraf bekijken. Misschien dacht ze razendsnel na. *Ja, dit moest Isabella wel zijn! Ze zag er nog hetzelfde uit! Nou ja... als je dat achterlijke gestaar weg dacht? Ze leek wel bezeten. Wat was er verdomme gebeurd? Was Danny echt dood?* Zoiets moet door haar hoofd geschoten zijn. Misschien was ze doodsbang voor me. Maar ze waagde een stap naar voren te doen om mijn glas bij te schenken. Ik dronk het snel op maar bleef zwijgen en sloot mijn ogen. Toen, zonder waarschuwing, sprong ik op. Ik moest naar de wc. Ik was weer kotsmisselijk.

Alex greep me bij de arm en duwde me naar het toilet op de begane grond. Alex... haar gezicht, haar kaken stonden strak, ze keek kwaad... ze keek naar me terwijl ik voor de toiletpot geknield zat, brakend en mijn ogen weer afvegend aan een prop toiletpapier. Net als in de veerhaven.

En toen begon ze te praten. Was dit het eerste wat ze zei? Dat kan haast niet. Maar ik dacht dat ik haar voor het eerst sinds een kwarteeuw weer hoorde spreken. Ze zei: "Isabella? Abby? Kom, ik help je wel." En vervolgens bracht ze me aan de hand, als een klein kind, terug naar de woonkamer. En toen was ze heel aardig voor me. Ik moest er weer van huilen. "Hier, een nat washandje voor je, Abby. Met ijskoud water. Hier." En ze knielde voor me neer en veegde mijn gezicht af alsof ik een peuter was. "Abby? Kom op. Alles komt goed." En die combinatie van dat koude water en die sussende stem moeten gewerkt hebben. Ik kalmeerde. Ik keek, keek Alex nu recht in de ogen, en zag mijn omgeving... maar toen kwam de schok des te heviger terug. De uitgestelde schok. De vreselijke realiteit. "Alex? O jezus! O... o, help me! Ik moet naar de politie! Hij is dood. En het is mijn schuld!" Ik schreeuwde het een paar keer. En Alex hield me tegen, drukte me in de stoel terwijl ik schopte en stompte om overeind te komen. Maar ze hield me tegen tot de opwelling om ervandoor te gaan verdwenen was. Toen bracht ze haar gezicht heel dicht bij het mijne, en haar hand streelde mijn wang. "Luister eens, Isabella. Vertel eens wat er gebeurd is? Waar ben je geweest?"

En toen wist ik dat het tijd was om het te vertellen. "We stonden op de veerboot. Vanaf Stornoway," vertelde ik. "We hadden elkaar heel vaak gezien. Hij zei dat hij me veilig naar het vasteland zou brengen na de zoveelste fantastische logeerpartij bij hem. Misschien, hoopte ik, was dit de laatste keer dat ik van hem weg moest gaan. Ik droomde ervan om bij hem in te trekken, met hem te trouwen, wie weet? Ik... ik wilde nog een laatste uurtje bij hem zijn. Ik wilde hem net vertellen dat ik van hem hield... en toen deed hij ineens zo vreemd. Zei dat we aan dek moesten gaan waar het rustig was. Intiemer. En toen vertelde hij me... vertelde hij me over... o, god, hoe is het mogelijk dat ik niks in de gaten had! Hij vertelde het me drie keer! Ik wilde hem niet geloven." En Alex vroeg me nu hard: "Wát Abby? Wat heeft hij je verteld?"

Maar ik luisterde niet en ik wilde, móést gewoon doorgaan met mijn verhaal. "En... en... toen begon ik hem te slaan. Met mijn vuisten! Ik stompte en sloeg erop los... maar het dek was nat. En vet van olie. Hij ging onderuit... viel achterover over de reling... ik kon hem niet meer pakken... ik kon hem niet tegenhouden... hij sloeg er zo overheen! En nu is hij dood! Dohohood!"'

De ingebeelde uitroep van haar radeloosheid bleef hem nacht na nacht bij. En op deze belangrijke nacht kwamen ze hem weer kwellen. Simon duwde zijn stoel naar achteren en pakte bijeen wat hij nodig had. Hij keek op zijn horloge. Het was tijd. Twee minuten later ging de bel.

De koerier stond met draaiende motor en van top tot teen in het zwart gekleed voor hem. Simon overhandigde hem het pakje.

'Keurig op tijd. Ik was er bang voor, het ligt een beetje afgelegen. Oké, nou, denk eraan, als dokter Logan er niet is, bel me dan meteen mobiel. Hier is mijn nummer en dit is een extraatje voor jou. Je hebt er ongeveer anderhalf uur voor nodig om bij haar hotel in Glasgow te komen. Ze is er voor zaken. Ze staat beslist ingeschreven. De nachtportier móét haar wakker maken. Dit is dringend en van het grootste belang. Niet aan iemand anders afgeven, en niet voor tweeën overhandigen. Heb je het? Het gaat om de timing.'

Hij sloot de deur achter zich, en hoopte maar dat de koerier die simpele instructie kon onthouden. Waarschijnlijk zou Sheena hem bellen zodra ze de inhoud van het pakje tot zich had laten doordringen. En dan zou de timing essentieel zijn. Nu moest er alleen nog één iemand aanbellen voor zijn taak erop zat. Voor zijn laatste persoonlijke daad binnen het psychodrama voltrokken was.

Terwijl hij innerlijk wat vermoeid raakte, pakte hij een ander stapeltje uit de oude zusterspost en begon de trappen weer op te lopen naar waar Alex op hem lag te wachten.

47

Innes bleef een tijdje op de parkeerplaats van het hotel staan. Rationeel denken kon ze niet meer. De ontmoeting met Alex was nog rampzaliger verlopen dan ze zich had voorgesteld – maar op een andere manier dan ze had verwacht. Ze had daar gezeten of ze verlamd was en Alex had de touwtjes in handen genomen. Het allerergste was dat ze zich zonder weerwoord de les had laten lezen. Ja, de les had laten lezen! Maar toen ze onderweg alles weer door zich heen had laten gaan, had ze die les nog een keer voor zichzelf afgespeeld. Er zat iets scheef rond die hele ontmoeting. Alex was veel te ontspannen geweest, en nieuwsgierig was ze al helemaal niet. En het was zo klaar als een klontje dat ze had staan liegen. Waarover wist ze niet precies, maar gelogen had ze. Innes vervloekte zichzelf. *Verdomme*! Ze had dat veel eerder moeten zien, juist zij! Het was tenslotte haar dagelijks werk om te zien of en wanneer iemand leugens stond te verkopen! En Alex was gewoon niet goed genoeg geweest.

Tijdens de terugtocht naar Alex' huis repeteerde Innes haar tweede poging om Alex onderuit te halen. Het kon haar niet schelen of Alex al naar bed was gegaan. Nee, Alex zou nu eens moeten praten, echt met haar moeten praten. En zonder antwoorden zou ze niet vertrekken. Alle lichten waren nog aan, net zoals toen ze vertrokken was. Maar er werd niet opengedaan. Ze probeerde de voordeur. Op slot. Ze liep naar de achterkant en ze zag de katoenen gordijnen opbollen door de openstaande tuindeuren.

Binnen lag de woonkamer er nog net zo bij als ze zich herinnerde. En toch klopte er iets niet. Alex' lege glas lag op de vloer naast een stoel, niet naast de bank waar ze die avond op gezeten had. En de afstandsbediening van de tv lag aan diggelen in de hoek.

'Alex? Alex! Ik ben het weer, Innes! Alex! Alex!' Ze hoorde de schrille toon van ongerustheid in haar eigen stem en bleef midden in de kamer staan. Een angstig voorgevoel bekroop haar. Even wachten. Nog niet naar boven gaan. Ze liet haar ogen over de hele vloer glijden. Niets bijzonders.

Goed. En nu? De zenuwen knepen haar keel weer dicht toen ze de trap op ging naar onbekend terrein. Alle vijf slaapkamers waren verlaten. Ze stond op de overloop, fronste haar voorhoofd en begon de trap weer af te lopen, het kraken van de oude planken klonk onthutsend luid in de stilte van het lege huis. Ze liep weer naar de tuindeuren om ze dicht te doen toen haar mobieltje rinkelde. *Shit*! Haar hart bonsde luid terwijl ze het ding uit haar jaszak frummelde.

'Ja, hallo?'

'Innes. Met Alex. Hé, het spijt me van daarnet... Ik was een beetje onaardig tegen je. M...'

Innes viel haar in de rede. 'Luister, ik sta in je huis. Ik ben teruggekomen want ik was nog niet uitgepraat. Je hebt je hele huis opengelaten. Waar zit je in godsnaam?'

Alex' stem kraakte opeens vanwege slechte ontvangst. 'Je bent wát? *In mijn huis?* Ik... Wacht even... Eh, ik ben die tuindeuren vergeten, ja. Misschien kun je ze even dichtdoen. Vergeet het maar. Luister, ik bel je omdat het me spijt van vanavond. Ik was niet erg... behulpzaam. Ik ben een beetje... gestrest de laatste tijd. Er is nog een hoop dat ik je moet vertellen.'

'Goed. Maar waar zit je? Het is verdomd laat hoor, Alex!'

'Weet ik, weet ik. Ik ben behoorlijk in de war. En dronken. Ik heb geen idee van de tijd. En ook geen idee waar ik hier... zit. O ja, ik zit hier. In de Unit. Ik... Ik wilde hier een kijkje nemen. Ik zou toch niet kunnen slapen vannacht en ik dacht: kan mij het ook schelen! Ik moest hier even wezen. Om over dingen na te denken. Kom alsjeblieft hierheen. Ik moet je spreken. Ik heb je hulp nodig, Innes.'

Innes hield op met ijsberen en bleef voor de open deuren staan. Ze herkende iets van zichzelf in Alex' bijna beschaamde bekentenis dat ze stiekem een nachtelijk bezoek aan de Unit bracht. Ze had het tenslotte zelf ook gedaan, kortgeleden nog. Ze kon het wel begrijpen. Maar kon ze dat vanavond nog wel aan? Ze was moe en in de war...

Ze zuchtte. 'Verdomme, Alex! Waar ben je in godsnaam mee bezig? Er is helemaal niets te zien aan de Unit. Helemaal afgesloten. Ik ben er ook geweest.'

Maar Alex' stem kroop weer warm en verleidelijk haar hoofd binnen. 'Weet ik, maar ik... ik moest hier wezen. Kom nou maar hierheen. Alsjeblieft, alsjebliéft, Innes?'

Innes sloot vermoeid haar ogen. Ze was zo moe dat ze nauwelijks meer kon denken. Het vooruitzicht met Alex te spreken trok haar niet meer zo. Alex had toegegeven dat ze dronken was, en dat hield in dat ze ook agressief kon worden. Hoewel... tijdens dit telefoongesprek had ze eerder zielig dan strijdvaardig geklonken. Als dat klopte en Alex was een beetje kwetsbaarder dan net, zou ze misschien iets wat meer op de waarheid leek uit haar kunnen trekken. Wat er ook met Alex aan de hand mocht zijn, ze kon haar er net zo goed nu op aanspreken. 'Goed dan. Oké. Maar ik begin het wel goed zat te worden nu. Ik zie je zo.'

Simon plakte de tape weer over Alex' mond en wrikte het mobieltje uit haar verstijfde hand los. 'Ze komt eraan, begrijp ik?' Hij wachtte niet tot er geknikt werd. In plaats daarvan draaide hij zich weer om, keek op zijn horloge en slenterde naar het raam. Met zijn handen in zijn zakken wachtte hij op de koplampen van Innes' auto.

48

Ze parkeerde op het parkeerterrein tegenover het oude Unitgebouw. Terwijl ze het portier vergrendelde, begon haar maag zich weer een beetje samen te knijpen van angst. Ze betwijfelde of dit absurde afspraakje nu wel zo'n goed idee was geweest. Als Alex nou eens in een gekke bui was en dronken op de koop toe, waar was ze dan aan begonnen? In haar hoofd zou ze altijd blijven denken aan de gewelddadige Alex uit de Unit, en die was niet geheel vervangen door de Alex van vanavond. Ze had altijd iets dreigends over zich gehad. Aan de andere kant: ze was hier nu eenmaal, en moest de confrontatie met Alex dan ook maar aangaan, of ze nu dronken en zwaarmoedig of agressief was.

De Unit rees in de duisternis in zijn volle omvang voor haar op. Zwijgend. Zich afsluitend van de wereld. Alles eraan fluisterde 'wegwezen hier.' Ze stapte over het lage tuinmuurtje en bekeek de voorkant van het huis. De begane grond was net als eerst afgesloten door luiken. Niets. Maar... wacht eens even? Toen ze naar het bovenste raam keek, waar eens de meidenslaapzaal geweest was, zag ze het. Een flauw geel schijnsel. Wat nu weer? Er was daar iemand. Ze rende naar de hoofdingang die vreemd genoeg aan de zijkant van het huis zat.

'Alex! Ben je daar? Ik ben het, Innes! *Alex ben je daar?*'

Ze stopte, draaide zich driehonderdzestig graden om toen ze zeker wist dat ze iets hoorde. Ze wierp een snelle blik over de weg, naar beide kanten, keek of alles in orde was met haar auto voor ze weer terugging naar waar ze begonnen was. De deur van de hoofdingang stond open. Net nog niet. Ze zette twee stappen de hal in.

'Alex? Ben je daar? Alex! Nou moet je niet zitten kloten. Hé, Alex!' De aarzelende stappen veranderden in een flinke pas toen ze dieper het gebouw inging, met bonzend hart en snel ademend. Ze klopte op haar zak. Het papieren zakje was er nog. Maar verdomme! Iedereen kon hier wel zitten. Junks, zwervers... Waar zat ze, verdomme? 'Al...'

De linkerhand werd tegen haar mond gedrukt. De rechterhand en -arm tilde haar met gemak van de grond. Het gefluister was duidelijk hoorbaar. 'Hou je alsjeblieft rustig. Niet worstelen, je doet jezelf alleen maar pijn. Met Alex is alles in orde. Met jou ook. Kom maar met me mee.'

Ze raakte de tel kwijt van de treden terwijl hij haar krachtig en soepel de trap op duwde. Toen haar ogen aan het duister waren gewend, herkende ze alles weer. De deuren en overlopen zogen haar terug naar vijfentwintig jaar geleden toe ze hier voor het laatst rondgelopen had. Ze merkte een ingewikkeld stelsel van steigerpalen op bij elke overloop. Het leek wel of die palen het gebouw voor instorting moesten behoeden. Toen haar overweldiger de deur openschopte, wist ze onmiddellijk waar ze was. De sierlijke plafondrozet en de gebroken schilderijenrails waren urenlang haar enige punt van aandacht geweest, als ze diep in de put zat en in bed bleef liggen piekeren, al die slapeloze nachten lang. De wetenschap dat ze wist waar ze was, verzachtte de schok van haar gevangenneming.

Toen hij haar losliet werd elke gedachte aan wegrennen verdrongen door hetgeen ze voor zich zag. Ze had kunnen zweren dat de Spartaanse, metalen eenpersoonsbedden dezelfde waren als waarin zij geslapen hadden. Alex Baxendale zat zo veel mogelijk omhoog, zover als haar ketenen haar toestonden; dik, donker tape zat over haar mond geplakt, haar ogen schoten als razenden heen en weer, met een mengeling van verwarring en woede.

Innes voelde dat de man haar losliet en een stap schuin voor haar zette, zijn gezicht griezelig vervormd, half in de schaduw en half verlicht door een spotje. 'Het spijt me dat ik geweld moest gebruiken, Innes, maar het was nodig. Wil je hier alsjeblieft gaan zitten? Op dat bed daar.' Hij zweeg even om te zien of ze hem wel aankeek. 'Weet je wie ik ben?'

Hij nam de kans waar om Innes te bekijken terwijl ze nog in het relatieve luchtledige van de schok verkeerde. Ja, hij kon zien dat er nog sporen van de adolescente versie van haar aanwezig waren. Ze keek verward en bang om zich heen. Heel begrijpelijk. Maar ze had gedaan wat hij haar gezegd had. Ze was op het aangewezen bed gaan zitten, zodanig dat ze recht naar Alex kon kijken. Ondanks de make-up die door de worsteling wat uitgewreven was, zag hij dat ze een knappe vrouw was geworden. Krachtige trekken, intelligent gezicht. Het was haar eigen noodlot dat haar hier gebracht had. Ze was niet in zijn opzet voorgekomen. Daar was geen reden voor, geen noodzaak. Maar samen met Alex was ze wel de laatste van de groep die er ongeschonden was afgekomen. Tot nu toe. Misschien kwam het mooi uit dat ze hier was. Het was misschien voorbeschikt dat ze hier samen zouden zijn.

Ze had geen idee hoe lang het had geduurd voor het echt tot haar doordrong. Eerder seconden dan minuten, dat stond vast. Ze voelde zich misselijk. Dat kwam van de schrik. De zaal, de hele enscenering leken wel een droom. Maar het was veel sterker. Want hoe vaak had ze niet aan deze zaal gedacht sinds ze de Unit had verlaten? Onnoemelijk vaak. Ze droomde ervan. Over de hele Unit eveneens. En de patiënten? Zelden, tot voor kort. En nu zaten er hier twee. Zij en Alex. Alex geboeid aan de ketting.

Ze keek nog eens naar de man. Nu met aandacht. Hij was in een duur maatpak gekleed, wat totaal niet paste bij de situatie. Het gezicht was gebruind, mager achter het ultralichte designerbrilletje. Het donkere haar was heel kort geschoren, bijna als een Amerikaanse militair. Hij praatte nu niet meer gedempt; het klonk als universitair Schots. Ontwapenend vriendelijk. Ze zat in een soort shock, dat klopte wel. Bang was ze ook. Maar deze man straalde eigenlijk weinig dreigends uit, eerder... melancholie? Die angst van haar werd dan ook niet zozeer door hem veroorzaakt, maar door de aanblik van een geketende Alex en de uitdrukking van woede en angst op haar gezicht. Al probeerde ze die emoties onder een onverschillige houding te verbergen, wat deed denken aan de Unittijd, het lukte haar niet.

En toen vielen alle puzzelstukjes rond die man plotseling op zijn plaats. De schok moest het uit haar geheugen hebben gewist. 'Jezus. *Simon*!' Het lag niet aan zijn uiterlijk, al herkende ze nu iets in zijn ogen en mond. Het kwam door de manier waarop hij stond. Nog steeds die schroomvallige, haast verlegen houding. En die dringende, bijna smekende blik in zijn ogen. De stem was wat lager, maar afgemeten en duidelijk, met een zweem van onopzettelijke neerbuigendheid. Precies zoals ze het zich herinnerde. 'Maar ik ben bij je thuis geweest. Je was naar beneden gevallen. Ik begr...'

Hij schudde het hoofd. 'Zoals je ziet ben ik springlevend. Ik zal je later wel over mijn "dood" vertellen.' Hij hief zijn hand. 'Nu, ik zal meteen maar opbiechten dat deze... deze gebeurtenis vanavond niets met jou te maken heeft. Ze heeft te maken met *haar* en anderen die hier in 1977 aanwezig waren. Je bent er echter door je nieuwsgierigheid direct bij betrokken geraakt. Alex heeft me verteld dat je haar vanavond hebt opgezocht en hoe je in Edinburgh verzeild bent geraakt. Het is prijzenswaardig en roerend dat je meer over Abby's dood te weten wilde komen. Maar ik ben bang dat je te veel hooi op je vork hebt genomen. Wat ik je straks zal vertellen zal je vast en zeker erg van streek maken. Maar ergens zal je aanwezigheid toch zijn nut kunnen hebben. Je kunt mijn... nu, ja mijn *haast* onafhankelijke getuige zijn.'

Ze voelde dat ze weer een beetje bij haar positieven kwam. De angst was bijna weg, al bood die geboeide en de mond gesnoerde Alex een verschrikkelijke aanblik. 'Maar waarom? Wat heb ik...'

'Momentje.' Ze keek toe hoe hij in de schaduwen verdween en enkele seconden later weer opdook in het licht van de lamp, met een stapeltje papier en een kleine cassetterecorder in zijn handen. De rimpels op zijn gezicht werden dieper toen hij geconcentreerd door de papieren bladerde.

Hij trok een stoel weg van het voeteneind van een van de bedden en ging tegenover haar zitten, als scheiding, merkte ze op, tussen haar en de deur, voor het geval ze zou proberen het op een lopen te zetten. Met zijn benen over elkaar en het stapeltje op schoot, zag hij eruit als iemand die op het punt staat een college te geven in een of andere ontspannen academische omgeving. Ze dacht meteen terug aan de groepstherapiesessies. Hij had er vaak zo bij gezeten als hij dokter Laurie imiteerde. Voor hij begon merkte ze onwillekeurig op dat hij Alex een vernietigende blik toewierp.

'Zoals je je herinnert van die idiote kampeervakantie, zesentwintig... bijna zevenentwintig jaar geleden, verdwenen ik, Danny, Alex, Carrie, Danny en Isabella tijdens een dropping. We verdwaalden. Eigenlijk verdwaalden we niet. We gingen er opzettelijk vandoor. Isabella wilde niet mee, maar deed het toch vanwege Danny. Het was trouwens Alex' idee. Om de een of andere reden was ze in een ongelofelijke pestbui die dag. Die hele vakantie trouwens. Nu ik er met mijn getrainde oog op terugkijk, zou ik zeggen dat Alex erop wachtte om zich te ontladen. Geweld had ik wel verwacht, maar wat er vervolgens plaatsvond doet me tot op de dag van vandaag verstomd staan. Je bent niet de enige vanavond die ons relaas zal horen. Hier heb ik een kopie van een pakje dat mijn collega, dokter Sheena Logan van het Royal Western Hospital – ons oude ziekenhuis, zoals je vast nog wel weet – het komende uur zal ontvangen. Ik heb een back-up die ook hier zal blijven.

Maar goed, nu je hier toch bent, zal ik de inhoud met je delen en ik denk dat alles wel voor zich spreekt. Dit eerste stuk is mijn beschrijving van wat er gebeurde toen we ons die avond afsplitsten van de staf. Het plan was om de hele nacht weg te blijven, zodat de staf helemaal gek van angst zou worden, en onszelf te laten vinden als we er genoeg van kregen. Doodnormaal Unitgedrag: de staf op stang jagen. Favoriete manier om de tijd te doden. Als we elkaar niet op stang joegen tenminste. Of onszelf.

De duisternis was ingevallen en we waren afgedaald naar de oever van Loch Fyne. We waren in een rumoerige bui, we hadden een paar joints gerookt en een fles whisky soldaat gemaakt die we bij ons hadden. Alex en Danny wilden een boot stelen als er een zou liggen. Maar boten, ho maar. We liepen doelloos verder, kregen het koud en verveelden ons binnen de kortste keren stierlijk. En toen, via een paadje naar de waterkant, kwamen we op een open plek. Er stonden twee kinderen. Ze waren beslist verdwaald en waren al de hele dag buiten geweest. Ze hadden plunjezakken en plastic machinegeweertjes. Ze speelden een of ander goeieriken-en-slechterikenspel. Zij waren dappere Franse verzetshelden, en probeerden langs de vijandelijke linie van de nazi's weg te komen. Maar luister nu goed.' Hij drukte de knop in. Gesis, gekraak. Toen vond hij het begin.

'We zagen ze al vanaf een afstandje. De maan kwam achter de wolken vandaan en alles was prima te zien, want het licht reflecteerde ook nog eens op het water van Loch Fyne en we hadden onze zaklantaarns. Ze waren met z'n tweeën. Toen ze ons zagen begonnen ze te zwaaien. Eerst aarzelend. Onzeker. En toen zagen ze dat we tieners waren. Niets om bang voor te zijn. Ik hoorde de een tegen de ander zeggen: "Ze lachen. Ze zijn vast aardig. Het moeten onze bondgenoten zijn. Niet de vijand. We zijn gered!"

We vroegen hoe ze heetten, waar ze vandaan kwamen, wat ze aan het doen waren, dat soort dingen. Ze waren verlegen en naïef en nog erg kinderlijk. Vooral het meisje. Ze liet haar kleine broertje de antwoorden geven. Hij stelde zich duidelijk beschermend tegenover haar op. Maar achteraf gezien denk ik dat het gewoon normale, rustige plattelandskinderen waren. Vol vertrouwen. Ze waren klaarblijkelijk opgelucht ons te zien en zeiden dat ze verdwaald waren en dat hun vader en moeder in alle staten zouden zijn. Ze woonden verderop aan het meer, in Lochgilphead. We waren volgens mij eerst van plan... tenminste wat Abby en mij betreft, om hen te helpen. Ze op de een of andere manier veilig thuis te brengen. Maar Danny begon vrijwel direct het kleine jongetje te pesten. Pakte zijn geweertje af. En toen pakte Alex dat van het meisje. Danny zei dingen als: "Zo, nou zijn wij de baas, wat wil je daartegen doen, soldaat?" Voor de grap natuurlijk, maar... ergens meende hij het ook. En Alex... nou, die begon ermee. Ze begon hem uit te lachen, begon hun tassen te doorzoeken waarin alleen een fles limonade en een rol kaakjes zat. Ze schudde ze uit op de grond, en een van de flessen brak daardoor. En toen snauwde ze de kinderen toe dat ze op moesten houden met zaniken dat ze naar huis wilden. Alex gaf het meisje een klap en ze begon te huilen. Op dat punt wilde Abby tussenbeide komen. Ze zei tegen Alex dat ze op moest houden en liep het glibberige pad op naar boven. Danny kwam achter haar aan en ik kon ruziënde stemmen horen. Een paar minuten later kwam hij weer naar beneden. Hij keek kwaad en mompelde dat we haar later wel op de hoofdweg zouden treffen.

En toen begon Carrie het meisje uit te schelden. Zei dat ze net zo jankte als dat "vette varken Lydia". Carrie had echt de pik op Lydia. Ze konden elkaar niet uitstaan. Natuurlijk was Lydia er niet bij, dus had Carrie iemand anders nodig om haar agressie op te richten. En toen kreeg ze het briljante idee om "psychodramaatje" te gaan spelen. "Dan is dit trutje Lydia en mag zij met dat rotjong in de kring." Zo stelde ze het voor. En zo deden we het ook.

We gingen in een kring om de kinderen staan en hielden ze daar gevangen. En daarbij houdt de vergelijking tussen die situatie en psychodrama ook meteen op. Eigenlijk maakten we de arme kinderen alleen maar verschrikkelijk bang, duwden ze van de een naar de ander, en dwongen hen om whisky te drinken. Zoveel dat het jongetje moest kosten. En toen lieten we ze alleen maar meer drinken. Onvervalste intimidatie. We moesten stoom afblazen en dat kregen zij op hun brood.

En toen liep Carrie naar haar rugzak en kwam terug met een stuk klimtouw en een jachtmes, en ze zei: "Zo, en nu gaan we pas echt het vertrouwensspelletje spelen." En toen sloeg de stemming om. Carrie en Danny sleepten het jongetje mee en bonden hem vast aan de boom. Danny bleef maar volhouden dat het alleen maar voor de grap was. Maar hij sloeg het jongetje tot het geen kik meer gaf, en daar stond het ventje, trillend op zijn benen, en piste in zijn broek. En keek toe, met opengesperde ogen van angst...'

Zonder enige waarschuwing leunde hij voorover, klikte op de STOP-knop en trok het bandje ruw uit de cassetterecorder. Hij had elke beweging van Innes' gezicht in de gaten gehouden. Nu was het tijd. 'De namen van die kinderen waren Crawford en Fiona Hamilton. Ik zou graag willen dat je dit even las. Alsjeblieft.'

49

Wat drukte hij haar nu in handen? Ze nam het velletje aan en tuurde ernaar onder het gedempte licht van de dichtstbijzijnde lamp. Het was een afdruk van de website van de *Glasgow Herald*.

archive/Glasgow Herald/27 september/1981.news.text
Lichamen vermiste kinderen gevonden in meer in Hooglanden

De stoffelijke resten van een broer en zus, die al vier jaar werden vermist, zijn gevonden in Loch Fyne, ongeveer twintig mijl ten noordoosten van hun huis, bij Lochgilphead.

De politie van Strathclyde bevestigde dat het om de resten gaat van Fiona Hamilton (12) en Crawford Hamilton (8), van Gair Lodge, Kylemore, bij Lochgilphead. Fiona en haar broertje werden vermist sinds 8 november 1977 nadat ze waren gaan wandelen in Kilmichael Forest.

Hoewel de politie kwade opzet nooit heeft uitgesloten, wordt nu aangenomen dat de kinderen een val hebben gemaakt van de grote klimrotsen vlak bij de oever van het meer. 'Helaas is het vanwege de lange tijd dat de lichamen onder water hebben gelegen uitzonderlijk moeilijk de doodsoorzaak te achterhalen. De identificatie moest plaatsvinden door vergelijking met de dossiers van de tandarts,' meldde een woordvoerder.

De ouders van de kinderen, Eileen (40) en Alistair Hamilton (49), zeiden gisteravond 'gebroken' te zijn door het nieuws. Vrienden en familie zeiden dat het stel altijd nog hoop gekoesterd had dat hun zoon en dochter op een dag levend gevonden zouden worden, al heeft een uitgebreid onderzoek vlak na hun vermissing nooit enig spoor van de kinderen opgeleverd.

Bij het flauwe schijnsel van de nachtlampjes las ze het nieuwsbericht opnieuw. En nog een keer. Hij zag dat ze een paar keer met haar ogen knipperde en toen keek ze op. 'O, god. Hoe... wat... Was het een ongeluk? Hoe vielen ze dan in dat meer*? Zeg het dan! Simon, wat is er gebeurd? Wat...*'

Ze hoorde haar stem wegsterven. Ze had het plotseling ijskoud. Maar daar maakte ze zich geen zorgen over. Er was iets mis met haar verstand. Ze verwerkte de informatie niet. In elk geval ging het veel te langzaam. Ze voelde zich misselijk, in de war, bang. De onwerkelijke sfeer werkte elke poging tot rationeel denken tegen. Voor ze tijd had om zichzelf te vermannen begon hij weer te praten. Eiste dat ze naar hem luisterde.

Hij gaf haar nu een stapeltje gefotokopieerde krantenknipsels. 'Deze zal ik in mijn pakjes stoppen. Je zult zo zien waarom. Vooruit maar. Lees ze maar aan haar voor. Alleen de koppen alsjeblieft.'

De meeste kende Innes onderhand. Een voor een nam ze het stapeltje door, elke kop schreeuwde haar toe terwijl ze de kille boodschappen uitsprak in de stilte die in de slaapzaal hing. *'Meisje ontvoerd – Politie somber,' 'Katie gevonden – Politie zoekt serieontvoerder,' 'Vader en drie kinderen dood in kerstbrand – moeder kritiek,' 'Kerstbrand "kan zijn aangestoken",' 'Man dood na val veerboot,' 'Zwembaddood – onderzoek gestart.'*

Het duizelde haar toen ze haar spookachtige reeks beëindigd had. Ruim een meter van haar af zat Alex doodstil achterover in haar kussens, haar armen boven haar hoofd vastgebonden. Innes wist dat ze hier een eind aan moest maken. Of... of er zou een uitbarsting volgen. 'Luister. Vertel me alsjeblieft wa...'

Weer viel hij haar in de rede. 'Deze ook. Lezen. Hardop.'

Ze keek naar het vergeelde tijdschrift. 'Het komt uit... uit het *Journal of Adolescent Psychology*, nr. 76, maart 1975. Moet ik dat stuk lezen dat je gemarkeerd hebt?'

Een miniem knikje. 'Oké... "Het Royal Western Hospital in Edinburgh opent deze week een nieuwe en moderne kliniek. De Psychiatrische Unit voor Adolescenten (PUA) is een gespecialiseerd centrum voor 24-uursopvang voor patiënten van 14-19 jaar. De opzet is om zeer moeilijke adolescente patiënten op te nemen, maar alleen als de medisch directeur, dokter Adrian Laurie, meent dat zij hier ook voldoende profijt van zullen hebben. Dokter Laurie lichtte de plannen voor zijn nieuwe kliniek toe. 'Hij is bedoeld voor zeer intelligente jongeren die een hoog stoornisniveau hebben, maar van wie we geloven dat we door intensieve, innovatieve therapieën hun geestelijke gezondheid weer kunnen herstellen, zodat ze hun leven weer kunnen oppakken zonder zichzelf of anderen nog schade te berokkenen.'"

En nu dit. Ik wil graag dat je heel goed luistert.' Hij zweeg even, een beetje bezorgd. Ze zag er niet zo best uit, alsof ze flauw ging vallen. Ze was bleek, rilde, leek de kluts kwijt. Jammer dan. Ze was hier nu eenmaal. En Alex? Nou, die wist natuurlijk wel wat er komen ging.

Hij plaatste het volgende bandje in de recorder, vond zijn stem vreemd onherkenbaar klinken, met die onbewogenheid die de waarheid van wat er gezegd werd tegensprak...

'Sheena. Ik vond het het beste om mijn boodschap, mijn pleidooi voor troost en begrip, aan jou te overhandigen. Ik denk dat ik je ontzettend teleurgesteld heb. Ik heb iedereen teleurgesteld. Vooral mijn gezin. Maar, vakmatig gezien, wil ik jou laten inzien waarom je mij misschien weinig toeschietelijk vond bij een beschrijving van mijn psychiatrische verleden als adolescent. Ik weet dat jij en Debbie Fry geprobeerd hebben hier inzicht in te krijgen. Welnu, hier is de oplossing. Je bent een uitermate capabel psycholoog en met alle gegevens die je nu in je bezit hebt, zal het niet al te ingewikkeld zijn om te begrijpen wat ik je nu moet vertellen.

De lijst namen die je voor je ziet bevat de ex-patiënten van de zogenoemde Unit die beschreven wordt in het *Journal of Adolescent Psychology*. Mijn naam is er een van. We waren niet de eerste lichting, maar werden er opgenomen enige tijd nadat de Unit geopend was. Tussen 1977 en 1978 om precies te zijn. Een duivels samenspel van tijd, personen en plaats.

In die periode, begin november 1977, ging de hele groep op vakantie naar Argyll. We verbleven in hutten in de bosrijke omgeving van Loch Fyne. Op een van de laatste dagen, 8 november, werd er een dropping georganiseerd en moesten we met kaart en kompas de weg naar het kamp terug zien te vinden. De dropping werd een totale mislukking. Tegen het eind van de middag verdwaalden er een aantal patiënten. Eerlijk gezegd gingen we er gewoon vandoor. We wilden de staf in de problemen brengen. Op onze omzwervingen kwamen we twee kinderen tegen. Broer en zus, Crawford en Fiona Hamilton. Om een lang verhaal kort te houden, Fiona werd vastgebonden, geblinddoekt, met een mes bewerkt, verkracht, ook anaal, en levend in het meer gegooid om te verdrinken. Het jongetje was aan een boom vastgebonden, werd gedwongen toe te kijken en toen aan een tak van die boom opgehangen tot zijn verzwaarde lichaam zijn zuster achterna gestuurd werd naar de bodem van Loch Fyne. Deze misdrijven werden begaan door patiënten van de Unit wier namen onderstreept zijn, de mijne inbegrepen. We waren stuk voor stuk monsters.

Danny Rintoul en Alexandra Baxendale pleegden de weerzinwekkendste seksuele gruweldaden bij het meisje. Danny heeft haar herhaaldelijk verkracht, vaginaal en anaal, en Alex deed hetzelfde met het handvat van het jachtmes. Ik deed een poging haar te verkrachten maar werd godzijdank impotent. Caroline Franks heeft Fiona hard geslagen en in haar gesneden, maar het was Alex die aandrong dat we haar in het meer zouden gooien, nadat ze van het kind gehoord had dat ze niet kon zwemmen. Verder stelde Alex het ophangen van het jongetje voor. Ik vraag me af hoe jij dat gedrag zou verklaren, Sheena. Omdat ik hier geen jota van begrijp, ondanks mijn opleiding en klinische ervaring.

Ik zou graag zeggen dat het kwam omdat we allemaal zo zwaar gestoord waren dat we niet meer wisten wat we deden. Ik kan het niet. Ik zou graag de schuld toeschrijven aan de joints die we rookten en de whisky waarvan we veel te veel dronken. Ik kan het niet. Ze kunnen de brandstof zijn geweest voor wat we deden. Maar in de grond waren het bijkomstigheden van die afschuwelijke gebeurtenis. En niet, absoluut niet, de oorzaak ervan. De oorzaak zat in ons, als individuen, als groep. Maar ik ben niet bij machte om het verder te analyseren. Het blijft een duistere, inktzwarte gebeurtenis, die zich niet psychologisch laat verklaren.

Behalve de onderstreepte personen was er die avond nog iemand bij aanwezig, Isabella Velasco. Helaas is zij gestorven. Ik heb onlangs nog met haar gesproken, voor ze stierf. Ik heb er lang mee geworsteld om haar op te zoeken, maar ik ben blij dat ik het gedaan heb. Ze liep weg van de groep toen ze zag dat we de kinderen begonnen te pesten. Zij en Danny Rintoul kregen een paar meter verderop ruzie, waarop zij verder liep, terwijl Danny zei dat ze alleen wilde zijn en ons later op de bekende plek op de hoofdweg zou ontmoeten. Maar ze bleef nog weken piekeren over dat vreselijke getreiter en die intimidatie, al werd haar door Danny verzekerd dat het allemaal maar een geintje was geweest. Uiteindelijk zette ze het uit haar hoofd. En dat was haar grote fout. Want de enorme schok die Isabella kreeg toen ze de waarheid hoorde over wat er die avond gebeurd is, heeft ertoe geleid dat ze zichzelf van het leven beroofd heeft, zoals je kunt opmaken uit de krantenknipsels die ik heb bijgesloten.

Toen ik haar kortgeleden een bezoek bracht leek ze de kalmte zelve, maar in werkelijkheid was het slecht met haar gesteld. Via Danny had ze de verschrikkelijke waarheid gehoord over wat er bij Loch Fyne was gebeurd. Om de een of andere reden was haar niet de volledige versie verteld. Misschien omdat Danny niet de tijd kreeg om alles uit de doeken te doen omdat hij onderweg van de veerboot viel en verdronk.

Hoe dan ook, Isabella had begrepen dat hij in zijn eentje de misdaad gepleegd had en wist niet dat de anderen medeplichtig waren. Omdat Danny een achtergrond als verkrachter had, nam ze misschien aan dat hij dat deel uit zijn geschiedenis in zijn eentje wilde laten herleven. De informatie kwam overigens dubbel hard aan omdat zij hernieuwde vriendschap voor elkaar hadden opgevat, na zesentwintig jaar. Daardoor was ook haar interesse in haar tijd in de Unit weer gewekt. Ze zei dat ze ontdekt had behoefte te hebben om naar haar leven in die periode te kijken. Opmerkelijk is dat ze daarin zo ver ging dat ze probeerde haar oude medische dossier te pakken te krijgen. En wonder boven wonder is dat haar gelukt. Hoe, dat weet ik ook niet. Ze verwees vaag naar 'medische vrienden uit het noorden'. Ze zei dat ze ernaar uitzag haar tijd in de Unit te herbeleven. Ze had het al zo lang verdrongen. Maar nu had ze een doorslaggevende reden om erin te duiken dankzij die weer opgebloeide relatie met Danny.

Maar haar stond echter een grote... schok te wachten, om het maar eufemistisch te zeggen. Ze kon zich nauwelijks overeind houden toen ik haar vertelde hoe het werkelijk was gebeurd en wie daarbij betrokken waren. Ze stortte in toen ze zich herinnerde dat ze naar Alex was gerend na de dood van Danny, omdat ze hoopte hulp en steun te krijgen van dat, naar bleek, levensgevaarlijke mens. Maar na dat aanvankelijk door paniek ingegeven bezoek aan Alex, was het Alex die het op zich nam nauw contact met Abby te onderhouden. Niet, zoals ze Abby vertelde, omdat ze zo begaan met haar was, maar om haar in het oog te houden.

Isabella deed haar uiterste best om alles te verwerken wat ik haar vertelde, en beschreef haar gevoelens toen ze hoorde wat de anderen hadden gedaan toen ze hen bij de oever van het meer alleen had gelaten. De schok over de ware toedracht was zo groot dat ze moest overgeven. Tot op dat moment had ze gedacht dat de groep daar hoogstens wat zou blijven treiteren tot ze er genoeg van kregen. Had ze maar geweten hoe het werkelijk ging.

Ze vertelde me echter wel een paar interessante wetenswaardigheden over haar dagen in de Unit na de moorden. Ze merkte op dat de stemming zo veranderd was. De stemming, weet je, was altijd een overheersende factor in de peiling van de situatie daar. Ze wist nog, net als ik, dat de staf het ook voelde maar geen idee had wat de oorzaak van de geladen sfeer was. Abby verbrak haar enige vriendschap met een andere patiënte, Innes Haldane. Innes had part noch deel aan de gruwelijke gebeurtenissen.

De hele toestand had een diepe weerslag op ons. Alex werd

de rest van haar opname onophoudelijk door nachtmerries geplaagd. Ze werd door de rest van ons dan ook paradoxaal genoeg beschouwd als weliswaar de wreedste, maar ook de minst betrouwbare van de schuldigen, al heeft ze die positie genadeloos omgekeerd toen ze eenmaal volwassen was. Maar nu ik haar beter heb leren kennen, denk ik niet dat ze zo'n bedreiging voor ons vormde als we destijds dachten. Ja, haar onbewuste kan haar in haar slaap wel eens verraden hebben, maar als Alex wakker is, was en is ze altijd op haar hoede. We moesten het destijds niettemin zeker weten, en daarom zetten we haar onder druk om ervoor te zorgen dat ze haar mond hield. Zo voerden we een practical joke uit, zo bedreigend dat onze boodschap voor eens en voor altijd tot haar door zou dringen. We kenden Alex, we wisten hoe haar geest in elkaar zat. We kenden elkaars zwakke plekken. Als Alex eenmaal een duidelijke waarschuwing had gekregen zou ze niet instorten, en ons niet verraden. En ze zou nooit, nooit iets gedaan hebben om zichzelf in gevaar te brengen. Ze had een ziekelijke hang naar macht – en dat is door de jaren heen alleen maar erger geworden. De wereld draait om haar alleen en zij is de alleenheerseres. Het standpunt van de ware psychopaat, vind je ook niet, Sheena?

Nu wat mijn aandeel in de kwestie betreft. Ja, ik ben net zo schuldig en ik word al geruime tijd gestraft. Kun je je voorstellen hoe het geweest moet zijn om de artikelen over mijn ontvoerde dochter te lezen naast die van de Hamilton-kinderen, al was dat jaren geleden? Het ene noodlot schakelt zich aan het andere. Ik kon het niet geloven. En tegelijkertijd weer wel. Het was mijn straf. Zonder twijfel. Maar niet voldoende. Ik denk dat het feit dat Katie meegenomen is en godzijdank niet al te erg beschadigd is teruggekeerd, de kristallisatie was van alles waarover ik me had suf gepiekerd. In de eerste plaats weet ik nog altijd niet waarom we deden wat we deden. Het was de combinatie van tijd, plaats en de vreselijkste groepsdynamica die je je voor kunt stellen. En..., en we hadden het nauwelijks gedaan, of... hoe zeg je dat... of we stonden weer met beide benen op de grond. Realiseerden ons wat voor gruwelijks we hadden gedaan. We kwamen overeen dat we het nooit openbaar zouden maken, er nooit over zouden spreken, en we zwoeren om ons hele leven lang contact met elkaar te blijven houden, en om elk jaar op deze dag contact met elkaar op te nemen. Elke achtste november. We moesten elkaar kunnen vertrouwen. Als er één zou bezwijken, bezweken we allemaal. Ik herinner me dat de volgende weken en maanden een verschrikking waren, we waren als de dood dat de lichamen gevonden zouden worden. Maar hoe ongelofelijk het ook klinkt, dat gebeurde maar niet. En toen ze vier jaar later ontdekt werden, leek het wel een bespottelijk wonder. Geen bewijs van de moordpartij, geen touwen, alleen armzalige menselijke resten, incompetente agenten en rechercheurs. Ja, dat is alles wat die ouders kregen, waar ze het mee moesten doen tot hun dood. Een slonzig en klungelig opgezet onderzoek. Een snelle conclusie – een dodelijk ongeluk. Niemand die er vraagtekens bij zette.

En wat dacht ik al die tijd te moeten doen? Naar de politie gaan? Waarschijnlijk wel. Het de ouders vertellen? Ik denk dat dat de motor achter alles is geweest. Ik dacht eraan hoe ik me voelde toen Katie die paar weken werd vermist en hoe het geweest zou zijn als ze nooit was teruggekomen. Ik moest iets doen. Zou het wreder tegenover de ouders zijn om het te vertellen dan om het bij het oude te laten? Hoe dan ook, ik heb veel met Danny en Alex gesproken de afgelopen maanden, en heb het met hen doorgenomen. Om je de waarheid te zeggen weet ik niet wat er juridisch nog aan te veranderen is. Er is geen enkel bewijs. Niets tastbaars. De lichamen kregen vier jaar de tijd om te vergaan. Er was nauwelijks iets dat het onderzoeken waard was. En de politie die er destijds bij betrokken was, bestond uit een stelletje stoethaspels. Niemand die aan een misdrijf dacht. Ze hadden ook niet rondgekeken, goed onderzocht wie zich verder in het gebied had opgehouden rond die tijd. Een bende gestoorde adolescenten op een steenworp afstand is ze nog ontgaan. Idioten! Nee, er is geen bewijs. Alleen mijn getuigenis en het waarschijnlijk bewijsbare feit dat we in de buurt rondzwierven de nacht van de moorden. Maar de grootste klap kreeg ik kortgeleden. Ik ben op onderzoek uitgegaan en kwam te weten dat de Hamiltons allebei gestorven zijn. Die ouders zijn begraven zonder dat ze de waarheid geweten hebben. Dat kan ik niet aan.

Maar dit maakt allemaal niet meer uit. Het is allemaal te laat. Ik heb mijn eigen plannen voor gerechtigheid, voor boetedoening al opgesteld. En wat de anderen betreft? Ten eerste, Lydia Shaw. Ze was niet aanwezig bij de moord op de Hamiltonkinderen, maar ze kwam erachter en heeft haar mond gehouden; mogelijk, en ik geef haar het voordeel van de twijfel, omdat ze niet kon geloven dat we tot zoiets in staat waren geweest. Ze bleek iets opgevangen te hebben op de dag van de reüniepicknick in St. Monans, maar ze wist niet wat ze ermee aan moest. Ik heb Lydia een tijdje geleden opgezocht en kwam er toen precies achter wat ze wist. Ze werd door wroeging gekweld en was doodsbang. Ik vertelde dat er waarschijnlijk iets onthuld zou gaan worden maar dat ik haar er niet bij zou betrekken. Ik weet nu dat ook Alex haar bezocht had. Dat was een heel wat angstwekkender ontmoeting, en de consequenties ervan zijn bekend. Ik ben ook naar Lydia in haar revalidatiekliniek geweest, stiekem over het hek geklommen omdat ik geen behoefte had aan vragen als wie ik was en waarom ik haar kwam opzoeken. Ik wilde met eigen ogen zien in wat voor toestand ze zich bevond. Helaas werd Lydia heel geëmotioneerd door mijn bezoek. Alex was me voor geweest en had de reeds gebroken en ongeneeslijk zieke Lydia wat ontzag en eerbied bijgebracht. Ze wist van de sterfgevallen. En dat kan alleen Alex haar verteld hebben. Alex heeft haar werk grondig gedaan, in die inrichting. Ik huiver bij de herinnering aan dat bezoek, Lydia zal zonder twijfel de rest van haar leven in die kliniek moeten blijven. Een wreed lot voor een vrouw wier grootste misdaad was dat ze een beetje nieuwsgierig was.

Er is nog één essentieel gegeven dat je moet kennen. De dood van Danny was een ongeluk. Geen zelfmoord. Ik weet wat er is gebeurd. Dat moet je goed onthouden. Wederom vond de wrekende gerechtigheid een manier om hem te laten boeten. Degene die de schikgodinnen ongemoeid hebben gelaten, Alex dus, zal ik zelf moeten aanpakken. Ook ik ben niet meer in leven na vannacht. Sheena, geef alsjeblieft alles wat ik je heb toegestuurd aan degenen die daar wat mee kunnen doen.

Ik heb maar van één ding spijt. De dood van Isabella. Misschien had ik me een beetje moeten intomen. Als ik haar niet alles haarfijn had verteld zou ze heel misschien nog in leven zijn. Misschien was het allemaal te veel voor haar, zoals ik de last zelfzuchtig van me afwierp door elke seconde van de hel die wij gecreëerd hadden uitvoerig aan haar uit de doeken te doen. Ik weet wel zeker dat de nogal... excentrieke, maar zeer symbolische manier waarop ze haar leven beëindigde een compensatie vormde voor die beklagenswaardige kinderen en hun ouders. Al betwijfel ik of haar boetedoening ooit gewaardeerd zal worden. Hier op deze wereld in elk geval niet.

En wat de overigen betreft? Alle tegenspoed die ons overkomen is, is geheel aan onszelf te wijten. We dachten dat we de verantwoordelijkheid konden ontlopen voor een daad die zo verschrikkelijk slecht was dat ik, zelfs ik, het nog steeds onbegrijpelijk vind, al mijn uitstapjes in het rijk van de gestoorde geesten ten spijt. We hebben de prijs ervoor betaald, of zullen dat alsnog doen.'

50

Innes registreerde wel dat Simon de nu ruisende band stopzette, maar haar geest bleef leeg. Leek niet te werken. Ze had het niet meer koud. Ze was alleen verlamd. Ze dacht even aan opstaan, de kamer uit rennen, maar haar ledematen weigerden in beweging te komen. Ze probeerde zich te verstoppen in dat vijftienjarige meisje dat ze ooit geweest was. Om de stemming weer te voelen. Waarom had ze er niets van geweten? Had ze er later niets over gehoord? Haar hele herinnering aan al die anderen was in één klap veranderd. In haar geheugen waren het geen medepatiënten met een geestesziekte geweest. Het waren... Simon, Carrie, Danny – ja, Danny! En Alex... allemaal *moordenaars! Verkrachters. Monsters!*

Ze voelde dat Simon weer bewoog en keek op. Behoedzaam zette hij de cassetterecorder op de grond, en veegde zijn tranen met bevende vingers weg. Hij stond op en liep naar Alex; het brede stuk tape trok hij met een harde ruk van haar mond zodat haar gezicht vertrok van pijn.

'Allemaal gelul, Innes! Geen hout van waar! Hij is zo lijp als een deur! Je moet niks geloven wat die...'

Innes zweeg toen ze hem in een flits zag veranderen in iemand die er niet voor terugdeinsde geweld te gebruiken. Hij beet Alex de woorden toe. 'Geef maar toe! Zeg maar dat alles wat ik heb verteld waar is! Zeg het, verdomme! Ik wil de waarheid van jóúw lippen horen!'

Simon stond over haar heen gebogen, en wachtte. Innes zag Alex recht voor zich uit staren; ze weigerde om Simon aan te kijken. Wie dan ook aan te kijken. Zesentwintig jaar later was ze nog net zo onbeschoft als tijdens de groepstherapie van vroeger. Maar Simon was geen dokter Laurie en de klap op Alex' wang weerklonk door de hele slaapzaal. Een ijzingwekkend koele Alex hief haar hoofd van het kussen, langzaam, zonder enige haast, terwijl er een dun bloedstraaltje naar haar kin omlaag kronkelde.

Maar voor Innes was die klap de druppel. Ze kon zien waar dit op zou uitdraaien en het lukte haar te gaan staan. 'Ophouden! Ophouden, Simon, alsjeblieft. We moeten naar de politie gaan of zoiets. Doe alsjeblieft niets... niets waar je...' Ze maakte de zin niet af. Zijn withete blik nagelde haar aan de grond en gehoorzaam ging ze weer op de rand van het bed zitten. Maar ze zag wel dat hij ook stond te trillen, en naar de hand staarde waarmee hij Alex geslagen had, alsof die niet van hem was.

Ondanks haar pogingen de onverstoorbaarheid zelve te blijven, had Alex moeite om rechtop te gaan zitten, met haar blik op een vast punt in de verte. Haar ademhaling ging hortend en stotend. Het licht van de lamp blonk op haar klamme voorhoofd. Onwillekeurig kwam de herinnering weer bij Innes op – de herinnering aan een wel bijzonder hevige nachtmerrie die Alex na de kerstloterij had gehad. Ze wist nog dat Anna en Ranj de trap opgerend kwamen en haar wakker hadden gemaakt. Ze zat stijf rechtop, en haar gezicht en lichaam waren kletsnat van het zweet. Net als nu. En die loterij! Nu begreep ze eindelijk wat die 'prijs' met het touw en het mes betekend had. Een ingemene practical joke.

Ze hoorde dat hij tegen Alex tekeerging, met verstikte, haast snikkende stem. 'Zeg het! Vertel haar alles!'

Innes hief een trillende hand op. 'Dat hoeft ze niet. Ik geloof je toch, Simon. Ik geloof je echt. *O, jezus, Alex!*' Ze merkte dat er tranen over haar wangen biggelden en was er blij om. Dat was tenminste iets. Ze voelde blijkbaar wel wat. Ze merkte ook dat haar ademhaling versnelde, de bekende fladderende beweging in haar borstkas en haar keel die werd dichtgeschroefd. Ze grabbelde wild in haar jaszak en haalde er het papieren zakje uit. Ze was zich bewust van de verbaasde blikken van de anderen maar blies het zakje tot een ballon op en ademde rustig in en uit met de zak voor haar mond. Na tweemaal vijf ademhalingen kalmeerde ze, al ging haar hart nog als een gek tekeer.

Het was stil, op het gekraak van het opvouwen van het zakje na. De pauze werd verbroken door een droge kuch van Alex. Innes keek naar haar en schudde het hoofd. Ze wilde de zaal af, het gebouw uit en voor altijd uit Alex' buurt blijven. Weg van hen, allebei. Maar ze moest bij Simon blijven en als het maar enigszins mogelijk was, de plannen die hij bekokstoofd had uit zijn hoofd praten.

Weer kuchte Alex. Een voorbereidend geschraap van de keel. Een geluid dat Innes nog van vroeger kende, wanneer Alex hen allemaal door de groepstherapie heen pestte tot ze plotseling, zonder aanleiding, besloot om wat leven in de brouwerij te brengen. Ze zou gaan praten. Eindelijk.

'Hij heeft gelijk. Het was de dag van de dropping. Je zat niet in onze groep, weet je nog? Je was verkouden of grieperig of zoiets, en Lydia hadden we uitgeschakeld met dat kapotte klimtouw. Hoe dan ook, we gingen ervandoor. Smeerden hem. Verveelden ons. Ergerden ons. Liepen tegen die koters op. Gewoon toeval.'

Ze zweeg, veegde wat bloed van haar mond, haar lichaam tot het uiterste gespannen van angst. Het was duidelijk dat haar verdedigingsmechanisme niet werkte. Misschien omdat nu het ergste pas uitgesproken zou worden. Innes knikte dat ze door moest gaan, al zag ze al vaag de vreselijkste beelden voor zich opdoemen.

'Isabella wilde er niet bij zijn. Ze wilde dat we hun geweertjes teruggaven en ze met rust zouden laten. Het jongetje was boos en het meisje? Dat was bang. Deed het in haar broek van angst. Nou, en toen zeiden Carrie en ik tegen Isabella dat ze op moest rotten. Ze liep weg. Toen ging Danny achter haar aan. Ik hoorde ze kibbelen. Danny kwam weer naar beneden. En toen begonnen we met die psychodramatoestand. Binnen de kortste keren had Carrie dat meisje geblinddoekt, zoals we deden met dat vertrouwensspelletje. Ik geloof dat we de bandana gebruikten die Simon die dag droeg. Nou, en toen wilde Carrie een rollenspel doen zoals we altijd bij drama deden en ze wou dat het meisje Lydia was, ik denk omdat ze echt een bloedhekel aan Lydia had. Ze kotste gewoon van dat mens. Nou, dat psychodramagedoe werkte niet echt. En toen... toen veranderde er wat.'

Ze zweeg weer, trok haar schouders op om overeind te blijven zitten. 'Carrie sloeg dat kind tegen de grond. Haar jurk scheurde. We zagen... ze was duidelijk ouder dan we dachten. De stemming sloeg om. Ik keek Danny aan. Ik wist waar we aan dachten, allebei. En Carrie ook. Wat anders, verdomme? Die Unit onderdrukte alles wat maar naar seks zweemde, geen wonder dat er iets knapte. Seks is macht, verdomme. Het gaat alleen om macht. En woede. En we wáren woedend. Allemaal. Ingeperkt en uitgebeend tot er niets van ons overbleef vanwege die kut-Unit.

Nou, en toen dachten we aan dat touw en dat mes dat we bij ons hadden. Dat mes was van Carrie. Weet ook niet waar ze het vandaan had. We bonden hun handen op hun rug. Stopten die fles whisky in hun mond. Dwongen het door te slikken. En zelf dronken we natuurlijk ook. Meer en meer. Dat jochie moest kotsen en toen lieten we hem weer drinken. En toen waren we er klaar voor. We lieten dat kleine... jong toekijken. We kleedden dat meisje uit. Danny nam haar eerst en we juichten hem toe. God! Danny heeft me verteld dat hij haar soms nog hoort in zijn dromen. We schreeuwden hem toe... of we bij een voetbalwedstrijd waren, zoiets. Hij... Danny... Hij verkrachtte haar, neukte haar toen ook nog van achteren. Hij was een wild beest. Totaal veranderd. Maar door hem veranderden we allemaal. Ik... heb het heft gebruikt. Ramde het erin. Iedereen gierde het uit maar... dat... dat jongetje schreeuwde dat we op moesten houden. Danny gaf hem een stomp in zijn gezicht. En toen... en toen zei Carrie... dat Simon haar een beurt moest geven. Riep dat hij aan de beurt was. Hij probeerde het... maar hij kon hem niet omhoogkrijgen. Ze lachte hem uit. *Lachte en lachte en lachte. Hahahahaha!*'

Innes keek smekend naar Simon om kalm te blijven terwijl Alex' hysterische geschreeuw door de zaal echode. Ze stortte voor hun ogen in. Het gerammel van haar kettingen begeleidde haar gestoorde geschater tot ze haar gruwelijke verhaal voortzette.

'En toen was het Carries beurt om iets te doen. Carrie, die

zo hetero is als pest, wilde niks met seks doen. Dus pakte ze haar mes en begon allemaal kleine sneetjes op haar lichaam te maken. Ze bloedde als een rund. Het meisje had geen energie meer om te gillen en te schreeuwen. We hebben ook niets in haar mond gestopt. Niemand die ons kon horen. We zaten ver van de bewoonde wereld. Ze lag daar maar. Haar ogen... die staarden recht naar de hemel. Ze zagen niets. Net of ze dood was. Maar dat was ze niet.

En toen sloeg de stemming naar de andere kant om. Net of we wakker werden. Opeens zagen we wat we gedaan hadden. Ik weet niet meer wie haar in het meer wilde gooien. Carrie geloof ik. Het jongetje werd weer hysterisch toen hij zag wat we wilden doen. Carrie liet Simon het meisje naar de oever dragen. Ze was... ze bewoog niet, vocht niet, maar ze was wakker. Ze zei dat ze niet kon zwemmen. De jongen zei dat ook. Maar ze moet geweten hebben wat er ging gebeuren. Carrie liet ons allemaal naar de rand van het meer komen en we moesten haar allemaal vasthouden en we gooiden haar erin alsof het een spelletje was. "Een, twee, drie!" riep Carrie en lachte. We lachten allemaal. We zagen hoe het lichaam het water raakte. Het touw was losgeraakt maar dat maakte niet meer uit. Het meisje kwam met haar gezicht plat op het water terecht, bleef daar even drijven en zonk toen. Ik zag dat Carrie zich tevreden omdraaide. Het jochie stond nog te gillen. Ze pakte een steen en sloeg hem op zijn hoofd. Hij was nog half bij bewustzijn toen de strop werd gemaakt, om zijn nek gedaan werd en over de tak heen werd gehangen.'

Simon wierp een laatste walgende blik op Alex wier mond nog erger bloedde dan eerst, en toen merkte Innes dat ze haar eigen nagels diep in haar hand had gedrukt. Ze keek naar de handpalm. Ongemerkt had ze het litteken van het wijnglas opengekrabd. Een blijvende herinnering aan hoe dit allemaal was begonnen. Maar vreemd genoeg voelde ze niets. Haar lichaam leek niet van haar te zijn. Alsof ze boven zichzelf zweefde. Boven hen alledrie. Met gebogen hoofd sprak ze meer in zichzelf dan tegen de anderen in de nu doodstille zaal. 'En ik heb er niets van gemerkt. Allemaal door die stomme verkoudheid die trouwens helemaal niet zo erg was. Maar... ik had het vast en zeker kunnen tegenhouden. Ik en Abby hadden wat kunnen doen! Maar.... toen het gebeurd was? Waarom heb ik niet in de gaten gehad wat er was gebeurd? Hoe kan dat? *Hoe is dat in godsnaam mogelijk?*'

51

Simon was in het licht komen staan en keek haar strak aan. Hij was doodop. En misselijk. Stond op het punt over te geven. Maar er was niet veel tijd meer. Hij keek op zijn horloge voor hij antwoord gaf. 'Ja, nou ja. Zo gaat het nu eenmaal, hè. Je bent verkouden en daardoor loop je een rampzalige gebeurtenis mis. En had je echt zoveel kunnen doen? Joost mag het weten. Je draagt geen enkele verantwoordelijkheid, vind ik. En waarom je niets aan ons merkte? Omdat je nergens naar zocht. Waarom zou je ook? Je maakte geen deel uit van die individuele en collectieve psychose, nee van het *kwaad*, het kwaad dat in dit gebouw heerste, al die tijd geleden. Abby ook niet. Ze zag ons vlak nadat we die beestachtige dingen hadden gedaan en zij merkte ook niets aan ons eigenlijk, ze wilde alleen maar snel terug naar de warmte en veiligheid van het kamp.

Maar wat jou betreft, nu je weet wat er is gebeurd: het spijt me als het je pijn heeft gedaan, en al je herinneringen aan deze plek vervormd heeft. Ik weet ook niet wat je herinneringen aan dit gebouw zijn, maar ik weet wel zeker dat ze minder erg zijn dan de nachtmerries die de Unit mij en de anderen gegeven heeft, en terecht natuurlijk.'

Ze wist niet helemaal wat ze deed, maar de mengeling van schuldgevoel, woede en walging van zichzelf lieten haar instorten. Simon hield haar vast toen ze vooroverviel, ze snikte zo luid dat haar hele lichaam schokte. En toen bracht hij haar naar het bed, zette haar op de rand neer en liet haar los, een sussend gebaar makend met zijn handen.

'En het spijt me, maar dit is nog niet alles. Je weet nu dat Danny alles aan Abby verteld heeft... nou ja, een deel van wat er gebeurd was, toen ze op de veerboot van Stornoway stonden. Ze kregen ruzie op het dek, Abby duwde hem en hij viel overboord. Vraag het háár maar. Isabella is naar háár toegegaan toen ze van de boot kwam.'

Innes keek Alex aan. Die knikte. 'Dat klopt.'

Innes keek hoofdschuddend naar hem. 'En jij dan? Jij bent... over dat muurtje gevallen?'

Hij lachte verbitterd maar triomfantelijk. 'Ik belde Alex op. Ik wilde het openbaar maken. Later liep ik de tuin in om een luchtje te scheppen. Ik was zo overstuur... Ik had een stuk in mijn dagboek gelezen... over de dood van Abby. Ik weet nu wat er gebeurd is. Alex was er eerder dan we hadden afgesproken. Had me de tuin misschien zien inlopen. Of liep misschien het huis in, zag me niet en ging vervolgens weer naar buiten. Het was een stormachtige nacht en ik hoorde alleen de zee en de wind. Ze is beresterk. Ik leunde over het muurtje aan het uiteinde van de tuin. En plotseling pakte ze mijn enkels vast en dook ik via de rotsen naar beneden. Maar ik kwam op de reep zand terecht. Ik was me rot geschrokken maar had alleen een paar schrammen opgelopen. En vanaf dat moment wist ik dat we in het eindspel beland waren. Ik drukte me tegen de rotsen zodat ze zou denken dat ze veilig was en ik uit de weg was geruimd. Tegen de tijd dat zij allang weer thuis zat, begon ik langzaam omhoog te klimmen. Ze was in mijn kantoor geweest en had mijn dagboek gevonden met mijn geheimste gedachten erin. Maar daar kon ik me toen niet druk over maken. Ik deed wat kleren en andere spullen die ik nodig zou hebben in een tas en dook onder in een verafgelegen hotel in de buurt van Aberdeen. Ik stelde een plan op. En hier zijn we dan.'

Hij was nu totaal uitgeput. Hij keek op zijn horloge. Hoogste tijd. Hij keek naar Innes. Die scheen het ook gehad te hebben. Maar ze moest nog één ding weten. 'Ja, ik vind het erg spijtig maar er is natuurlijk nog iets. Lydia.'

Innes fronste haar wenkbrauwen. 'Die heeft haar hele gezin toch niet uitgemoord?'

Hij schudde net als zij het hoofd. 'Nee, ik heb zo mijn verdenkingen.' Innes volgde zijn blik naar Alex. 'Misschien moet je háár dat maar eens vragen.'

Hij wierp een giftige blik op Alex.

Innes vloog overeind, keek eerst Alex aan en toen hem. 'Alex? Zeg op. Heb jíj dat gedaan?'

Maar Alex begon te schreeuwen. Al haar zelfbeheersing was ze kwijt. 'Het was een vuile bemoeial, dat teringkreng!' Innes deed een stap dichterbij toen Alex haar hoofd schaterend in haar nek wierp en met de rug van haar geboeide hand het bloed van haar mond veegde. 'Denk je nou echt dat ik háár mijn leven zou laten verkloten? Gluiperige trut! O ja, ik heb haar opgezocht. Ze probeerde het weer. Haar oude trucjes. De druk opvoeren. Zat me op te fokken. Nou, ik heb het haar betaald gezet, hoe je het ook bekijkt. Er zal haar wel een fel brandend lichtje opgegaan zijn!'

Innes kreeg een beklemd gevoel op haar borst, maar ze was vastbesloten de woorden er hoe schor dan ook uit te brengen. 'Nee, Alex. Dat niet. Dat kun je niet gedaan hebben. Het hele gezín!'

En zonder erbij na te denken wierp ze haar hele gewicht boven op Alex, en stompte haar in haar bebloede gezicht, en liet alle opgekropte angst en woede voor die vroegere Alex de vrije loop. Die intimiderende, bedreigende en soms werkelijk angstaanjagende Alex van vroeger. Nu pas, nu ze zelf ongewild maar ongeremd geweld gebruikte, drong het tot Innes door wat er aan de hand was geweest met die Alex uit de Unit. De giftige stemming die ze met zich meedroeg, van kamer naar kamer, situatie naar situatie. De gemene bedreigingen en denigrerende opmerkingen. Maar vooral, en daarvoor schaamde ze zich, was deze aanval een uiting van zelfhaat. Ze was achterlijk geweest dat ze niets had opgemaakt uit wat er in de Unit omging. De stompen die ze neer liet regenen op Alex' gezicht had ze net zo goed op haar eigen waardeloze hoofd kunnen richten. En opeens hield Innes op. Deed wankelend een paar stappen achteruit, hoofd naar haar bebloede vuisten gebogen. Het litteken van het wijnglas was nu helemaal opengescheurd; haar bloed volgde de bloedsporen van Alex' gezicht.

Ze merkte plotseling dat Simon achter haar stond; ze voelde zijn handen op haar arm en toen omarmde hij haar helemaal. 'Zo is het genoeg. Nu is het tijd.' Ze deed een stap naar achter om hem aan te kijken; de tranen liepen hem over de wangen. Hij stond in het midden van de zaal, handen slap langs het lichaam, het magere lijf gebogen. 'Het spijt me.'

Zijn hand lag weer op Innes' arm terwijl hij haar naar de deur leidde. Ze keek over haar schouder en zag hoe Alex zinloos aan haar kettingen rukte.

'Nee! Nee, niet doen! Innes! Laat me hier niet liggen! Kom terug! Alsjeblieft!'

Innes voelde zijn warme adem op haar wang terwijl hij haar met een arm om haar heen naar de overloop bracht. 'Dwing me alsjeblieft niet om weer geweld te gebruiken. Loop maar door. Je hoeft je nergens zorgen over te maken. Het komt allemaal goed.'

'Nee, Innes, nee!'

Maar hij had de deur van de slaapzaal dichtgedaan en leidde haar de trap af. 'Loop maar door.'

Ze zag het staketsel van de steigers toen hij haar steeds sneller de trap af duwde. Toen ze op de begane grond waren bleef ze even staan voor de ingang van de grote psychodramazaal. Ze keek hem aan en hij knikte begrijpend naar haar. Het was te donker om het precies te zien, maar ze voelde de ruimte. Hoorde de echo's. De herinneringen. De psychodrama's zelf. Het kerstfeest. De loterij. Het kwam allemaal samen. Het klopte allemaal. Een 'grap'. Een morbide grap ten koste van Alex.

'Loop maar verder, alsjeblieft.'

Hij liep vlak achter haar, duwde haar de laatste gang door, langs de oude studeerkamer, langs de oude zusterspost. Om de een of andere reden dacht ze dat hij haar naar de keuken bracht. Waarom wist ze ook niet. Toen pakte hij haar armen beet en duwde haar met een snelheid die haar totaal verbluftte de koele, verfrissende buitenlucht in. De deur sloeg met een klap achter hen dicht.

Ze stonden buiten in de oranje gloed van een verre straatlantaarn en ze keek naar zijn gezicht. Hij zag er doodmoe en afgetobd uit.

'Wat is er? Waarom staan we nou weer buiten?'

Zijn antwoord bestond uit een witte envelop die hij uit zijn binnenzak viste. 'Abby heeft me iets gestuurd voor ze stierf. Ik ben zo blij dat ik haar toch nog heb opgezocht. Ik was het niet... Maar kijk, dit kreeg ik van haar. Het is voor jou. Ze wist blijkbaar niet wat ze ermee moest, ze wilde het wel sturen maar deed het op het laatste moment toch niet. Hier. Pak aan. Lees het later maar. En neem dit ook maar mee. Het is hetzelfde als het pakje dat ik aan Sheena Logan heb gestuurd. Ik heb een kopie gemaakt. Je weet maar nooit. Maar ik neem aan dat je weet wat je ermee moet doen. En nu, stap in je auto en rijd weg zo snel je kunt. Kom niet terug. Vergeet dit hele gebouw en alle ellende. Voor altijd. Ik doe het ook.'

Hij deed deur open en liet zich weer opnemen in de Unit. De deur sloeg achter hem in het slot voor ze de kans had hem nog meer te vragen. Ze keek naar de kleine envelop. Onbeschreven en dichtgeplakt. Ze stopte hem en het pakje onder haar jasje, liep om het huis heen, klom over het muurtje en keek hoe ze weer naar binnen zou kunnen komen. Pas nu, in de frisse nachtlucht, hoorde ze wat Simon tussen de regels door had gezegd. Hij ging iets doen wat niet teruggedraaid kon worden. Ze móést weer naar binnen. Met hem praten. Hem tot rede brengen. Wat hij ook voor Alex in petto had, en voor zichzelf, ze moest hem er nog even over laten nadenken.

Ze strompelde het heuveltje op dat naar de erkers van de psychotherapiezaal leidde. Ze kon daar niet naar binnen, er zaten luiken voor de ramen of ze zaten goed op slot. Ze veranderde van gedachte en rende terug naar vanwaar ze gekomen was, langs de deur waardoor ze net naar buiten was gekomen, naar het bijgebouwtje. Ook dat was potdicht. Naar de achterkant van het gebouw rende ze. Daar zat een raam met matglas. Een wc. Er zaten geen tralies voor en misschien was het groot genoeg om doorheen te klimmen. Ze zocht langs de rand van de tuin tot ze een paar stenen vond. Een zag eruit alsof hij het wel aankon. Ze stroopte haar mouw op en wierp de steen tegen het glas. Er kraakte wat, maar het brak niet. Nog eens. En nog een keer. Als hij het zou horen, jammer dan. Er zat nu een gat in het glas en ze trapte er met haar laars tegenaan. Meer kon ze momenteel ook niet. Toen het gat groot genoeg was, kroop ze erdoor. Haar jasje bleef haken aan het glas en er kwam een scheur in. Verder geen probleem. Ze sprong in het toilethokje, liep langs de wasbak en kwam in de gang van het bijgebouw terecht. Het hoofdgebouw lag rechts van haar. Ze zag de glazen klapdeuren. Als die nu eens dichtzaten? Dan zou ze die ook moeten ingooien. Maar ze had geluk. Ze klapten open. En daar stond ze dan, in de vroegere zusterspost. Nog steeds geen geluid van boven. Ze begon de trap op te lopen en probeerde door het trappenhuis naar boven te kijken. Maar die steigers... wat waren het eigenlijk... Schildersteigers. Helemaal tot aan het plafond. Ze nam nu twee treden tegelijk. Eerste verdieping. In looppas. Tweede verdieping. In looppas. En toen hoorde ze het. Een hevig gekraak. Toen ze op de overloop kwam, zag ze hen. Het licht van de slaapzaal bescheen de plek waar ze hingen. Simon was natuurlijk als tweede gesprongen, zijn lange lichaam zwaaide nog zacht heen en weer, en de stuiptrekkingen waren nog niet helemaal voorbij. Het gezicht hing in de schaduw, en ze deed geen poging te raden hoe hij keek. Alex hing al vrijwel stil. Weer vermeed Innes het naar haar gezicht te kijken. Maar de stroppen – van klimtouw gemaakt, zag ze – bleven maar kraken terwijl ze zich met hun last langs de steigerpalen uitrekten.

Ze zuchtte, niet meer verward, niet meer bang. De laatste terechtstelling was volbracht.

52

Ze zou Sarah Melville om twaalf uur 's middags bij de Unit ontmoeten. Op de achtste november. Een bewuste keuze, die ze beiden begrepen. De sneeuw maakte de tuin mooi en stil.

'Zullen we naar de schommel lopen?'

Sarah knikte. Ze zeiden niets, twee minuten lang maakte alleen de sneeuw een knarsend geluid onder hun voeten. Innes veegde de zitting schoon en ging zitten. Ze schommelde zachtjes heen en weer, de blik rustend op de onrustige en bedroefd kijkende Sarah. 'Alles goed?'

Sarah probeerde te glimlachen. 'Ja, best. Een beetje moe alleen. Maar jíj ziet er goed uit. Lekker kleurtje voor de tijd van het jaar.'

Innes glimlachte terug. 'Ja, vind je niet? Ik ben een paar maanden weggeweest. Zon en rust. Ik voel me een stuk beter.' Ze knikte naar het oude huis op de heuvel. 'Hoe staat het daar nu mee?'

Ze keek naar Sarah die met haar want een bankje schoonveegde en tegenover haar ging zitten. 'De kliniek zit met de handen in het haar. Simon heeft het Unitgebouw dat hij ineens gekocht had én een flink bedrag aan hen nagelaten om er een afdeling voor adolescenten van te maken. Het moest de Hamilton Memorial Unit gaan heten. Ze zijn in gesprek met juristen om te kijken wat ze kunnen doen. Maar ze zitten eraan vast. Ze zouden het dolgraag openstellen, maar denk je eens in wat een ramp het zou worden wanneer alles uitkomt. De politie is nog steeds aan het puzzelen. Het is een gebed zonder end als je het mij vraagt. Een flinke puinhoop.'

Innes zette haar voeten op de grond en hing stil. 'En verder?'

'En verder wilde hij dat ik, ík de senior therapeut in het nieuwe centrum zou worden. Ongelofelijk.'

Innes glimlachte naar haar. 'Is dat zo raar dan? Volgens mij wilde hij alleen maar alles op orde brengen, voorzover mogelijk. Al denk ik dat je er best goed in zou zijn, een nieuwe unit opzetten.'

Sarah schudde haar hoofd. 'Nee. Nee, echt niet. Ik geloof niet meer in dit soort therapeutische gemeenschappen. Ze werken niet. Ze zijn gewoon te link.'

'O, kom op. Onze lichting was gewoon anders. Daar gaat het nou net om.'

Maar Sarah schudde weer haar hoofd. 'Het spijt me. Ik ben toch niet te overtuigen. Luister Innes, ik heb niet zoveel tijd. Ik wilde je alleen even zien en gedag zeggen. Ik moet weer aan het werk. Ik vond het leuk je af en toe te zien, de afgelopen maanden. Ik laat je wel weten hoe de zaken hier verlopen. Ik heb je adres en telefoonnummer. Ik beloof het, oké?'

Innes voelde hoe ze stond te popelen om weg te komen. De paar keer dat ze Sarah gezien had, leek ze zich nooit op haar gemak te voelen, en Innes kon er de vinger maar niet op leggen hoe dat kwam. Misschien voelde Sarah zich nog steeds een beetje verantwoordelijk, wat natuurlijk nergens op sloeg.

'Goed, ik ga er ook zo vandoor. O, maar weet je, ik neem wel contact met jou op. Ik ga weg uit Londen. Ik kom weer in Schotland wonen. Ergens aan de kust. Ik heb nog geen werk, maar ik vind wel wat. Ik kan niet naar mijn vorige leven terug. Dat is voorbij. Nou ja, ik spreek je wel weer. Tot ziens, Sarah, en doe voorzichtig.'

Sarahs gesnik weerklonk door de hele auto. Ze was zo snel ze kon de tuin uit gelopen, doodsbang dat Innes zou merken dat ze op het punt stond in huilen uit te barsten. Dat zou de druppel zijn: Innes die zo duidelijk opgebloeid was nadat ze haar verleden onder de ogen had gezien en geaccepteerd had. Ze zag er goed uit, gelukkig zelfs, en had vrede met zichzelf. Ze zou een nieuw leven beginnen. En zij? Sinds de verhangingen en het hele gruwelijke verhaal aan het licht waren gekomen, had ze geen nacht zonder slaappil kunnen slapen.

Ze had het aan niemand verteld. Had gelogen tegen de politie. En onophoudelijk vlogen de vragen door haar hoofd. Wat was de ergste overtreding geweest? Dat ze wat met Alex gehad had? Of dat ze dat verhaal over die twee kinderen tijdens die vakantie niet geloofd had, en van tafel had geveegd? En waarom had ze dat genegeerd? Nogal logisch. Ze had zich meer zorgen gemaakt over Alex die zo overduidelijk overstuur was, en dat hun relatie daardoor mogelijk onthuld zou worden, dan te luisteren, echt te luisteren naar wat er achter Alex' sadistische verhaaltje zat over kinderen pesten met een mes en zo. Dat was alles dat ze zelf erkende, maar dat was erg genoeg. Ze wist dat ze de rest van de staf over dat verhaal had moeten vertellen, of ze nu dacht dat het waar was of niet. Ze had het in het logboek moeten schrijven. Ze had het een agendapunt moeten maken bij de volgende casusbespreking. Dan hadden ze er met zijn allen naar kunnen kijken. Maar nee, ze had ervoor gekozen het weg te wuiven. En ze wist precies waarom. Om haar eigen huid te redden, om te voorkomen dat er onplezierige ontdekkingen over haar en Alex zouden worden gedaan. De laatste periode met Alex in de Unit was het ergst geweest. Ze had zich wekenlang ziek gemeld om haar te ontlopen. Had zichzelf in een depressie gestort en wilde niemand zien. Tot het tijd was dat Alex ontslagen werd. Wat een opluchting!

En daarna, wat had ze toen gedaan? Vrolijk met haar leventje verdergegaan. Maar hoe kon ze nu nog vrolijk verdergaan? Als ze zo doorging zou ze gek worden. Of er een eind aan maken zoals Simon en Alex. Heel toepasselijk misschien.

Ze startte haar auto en terwijl haar ziel en haar toekomst

werden overspoeld door schuldgevoel, reed ze weg, met een laatste blik op de Unit.

Innes hoorde Sarahs auto wegrijden en ging weer op de schommel zitten, terwijl ze genoot van de stilte.

Ze liet haar hoofd zo ver naar achter hangen als ze durfde, voeten recht naar voren gestrekt. Ze herinnerde zich dat Carrie datzelfde deed op dezelfde schommel op de allereerste dag. Ze glimlachte. *Nou en?* En toen sloop het treurige beeld van Lydia, ook op een schommel, maar nu ergens anders, haar geheugen binnen. Daar kon ze niet zo makkelijk haar schouders over ophalen. Ze had de taak op zich genomen om Lydia te blijven opzoeken, die haar soms herkende en soms ook niet. Maar Innes was vastbesloten. Ze zou een huis aan de kust kopen in de buurt van Lydia's inrichting, dus waarom zou ze niet doen wat ze kon doen voor haar?

En wie had nog meer van de schommel gehouden? Natuurlijk.

Ze deed haar handschoenen uit en grabbelde in haar jaszak. De envelop zag er elke keer dat ze ernaar keek verfomfaaider uit. Maar hij had dan ook een hele reis achter de rug. Van Londen naar Schotland onder Simons hoede. Mee naar haar eigen huis in Londen. En naar haar zonovergoten paradijsje. En nu weer hier. Een talisman? Ze haalde de velletjes opnieuw tevoorschijn.

Mijn allerbeste Innes,
Het lijkt me hoogst onwaarschijnlijk dat ik deze brief zal versturen, aangezien ik twee weken geleden heb ingesproken op je antwoordapparaat en je me nog niet hebt teruggebeld. Maar ik schrijf hem toch maar, als een vorm van loutering, als het dan niet anders kan. Maar wie weet? Misschien vat ik nog moed en stuur ik hem toch.

Ik snap wel dat mijn telefoontje je een enorme schok moet hebben bezorgd. Een geest uit het verleden. Een verleden dat je misschien allang begraven hebt. Ik weet weinig van je, behalve dat je bij me in de buurt woont – een vreemd idee. Ik vraag me af of we elkaar ooit zijn gepasseerd op straat. Tegenover elkaar hebben gezeten in een café. Naast elkaar in het theater hebben gezeten. Afgelopen weken heb ik zelfs gefantaseerd dat je mijn tandartspraktijk kwam binnenwandelen!

Om uit te leggen waarom ik je wilde, móést spreken na al die jaren is een verhaal dat te lang en te pijnlijk is, en ik zal het hier dan ook niet beschrijven. Ik neem aan dat de waarheid mettertijd toch wel boven tafel zal komen. Misschien neemt Simon, Simon Calder, ooit wel eens contact met je op. Als hij dat doet, luister dan naar hem. Je hoeft nu alleen maar te weten dat er iets vreselijks is gebeurd in de tijd dat wij in de Unit zaten. En iets moois is verloren gegaan. Mijn vriendschap met jou. Ik weet niet eens meer goed hoe dat gebeurde. Het was mijn schuld en het kwam doordat ik me van iedereen afzijdig ging houden in de Unit. Ik wilde met niemand contact meer, zelfs niet met jou, Innes.

Misschien, als ik anders had gekund, waren we vandaag nog vriendinnen geweest. Hoe dan ook, het was belangrijk dat ik jou belde toen mijn Unitverleden me weer naar de keel vloog. Ik vind het jammer, maar verwijt je niet dat je niet teruggebeld hebt.

Ik vertel liever niet waarom ik de behoefte voelde je te bellen voor het geval het verleden je niet dwarszit, en de waarheid je nooit zal bereiken. Maar ik neem aan dat Simon de zaak nu wel boven water heeft gehaald en de onthulling niet aan het toeval heeft overgelaten. Ik kan hem niet veroordelen. En jij mag dat ook niet doen. Een hogere instantie zal daar wel voor zorgen, volgens mij.

Ik heb mijn eigen plan getrokken omdat ik in wezen een lafaard ben. De andere patiënten van de Unit zullen het op hun manier doen. Alex kan zonder twijfel wel voor zichzelf zorgen. Ik heb Alex onlangs nog gesproken. Een vreselijk nare ervaring. Ze heeft besloten om contact te houden en komt af en toe op bezoek. Ze was bang, ja echt bang voor me. Daarom schonk ze zoveel aandacht aan me. Ze moet ook bang voor me zijn. En zich tot het einde der tijden schamen. Ik rouw om Lydia en haar gezin. Ik heb medelijden met

Simons kinderen. Dit betekent misschien allemaal niets voor je. Als dat zo is, negeer het dan maar. Zo niet, neem mijn woorden dan serieus.

Er is één ding dat je echt moet weten, Innes. Misschien het allerbelangrijkste. Zesentwintig jaar geleden werd ik verliefd op Danny Rintoul. Een verkrachter. Zesentwintig jaar later werd ik weer verliefd op hem en deed alles met hem wat ik vroeger niet kon. Ik vond hem een leuke, lieve man. Ik dacht al aan trouwen, en bij hem intrekken in dat romantische huisje op de Hebriden.

En toen vertelde hij me alles. Vertelde me over het onuitsprekelijk vreselijke misdrijf dat hij gepleegd had – en waarvan ik nu weet dat de anderen erbij betrokken waren – op die verschrikkelijke dag in 1977. Veel, heel veel dingen schoten me door het hoofd zodra hij het me verteld had. Een van de dingen is dat ik er een rol in speelde. Ik had nooit mogen weglopen. Misschien had ik hen tegen kunnen houden. Misschien had Danny het niet gedaan als ik het hem gevraagd had. Maar ik probéérde het niet eens. Ondanks alles wat hij toen deed, weet ik dat hij van me hield, net zoals hij onlangs nog van me hield. Mijn aanwezigheid zou hem tegengehouden hebben en hij zou op zijn beurt de anderen tegengehouden hebben. Die ene nalatigheid maakt me net zo schuldig als de anderen. Misschien nog meer.

We vochten die dag dat hij het me vertelde. Vochten op de veerboot van Stornoway. Ik sloeg hem in zijn gezicht. Hij vertelde me dat hij om vergeving had gesmeekt. Hij wilde zelfs naar de kerk gaan, om verlossing te ontvangen van een god waarin hij nooit geloofd had. Dat vond ik een farce, belachelijk. Ik was razend. Ik sloeg hem nog een keer, en nog eens. Duwde hem. En hij viel in zee. Ik heb hem vermoord. Misschien was dat goed. Terecht. Maar ik zal altijd betreuren dat dit de laatste woorden waren die hij van me hoorde: 'Ik haat je. Ik haat je.' Want dat was niet zo. Ondanks wat hij me vertelde. Behalve dat heb ik nog maar van één ding ongelofelijk veel spijt.

Dat ik ooit voet heb gezet in de Unit.

Je vriendin,
Abby

Het was tijd. Innes liep langzaam de helling op. De wind was opgestoken, de sneeuw viel in schuine banen neer. Ze stond met haar rug naar de Unit en haalde diep adem. Met koude, bevende vingers, scheurde ze de brief in stukken, en liet de wind de kleine witte vierkantjes meevoeren, zodat ze zich onder de vallende sneeuwvlokken mengden en onzichtbaar wegzweefden.

DANKWOORD

De volgende mensen hebben dit boek mogelijk gemaakt. Ik dank hen allen van ganser harte.

Nicolette Bolgar, voor haar enorme intelligentie en niet-aflatende steun; Ruthie Smith, voor haar verhelderend commentaar; Lisanne Radice, voor al haar zeer gewaardeerde hapjes; Teresa Chris, voor haar wijsheid, inzicht en kalmerende invloed op me – precies de agent die ik nodig heb; Beverley Cousins, voor al dat slimme, welwillende en gevoelige redactiewerk.